佛语禅心

佛教义文集

张培锋 主编

天津出版传媒集团

天津人民出版社

图书在版编目(CIP)数据

佛教美文集 / 张培锋主编. -- 天津：天津人民出
版社, 2017.5
（佛语禅心）
ISBN 978-7-201-11664-8

Ⅰ.①佛… Ⅱ.①张… Ⅲ.①宗教文学-古典散文-
散文集-中国 Ⅳ.①I262

中国版本图书馆 CIP 数据核字(2017)第 091224 号

佛语禅心·佛教美文集
FOYUCHANXIN　FOJIAOMEIWENJI

张培锋 主编

出　　　版	天津人民出版社	
出 版 人	黄　沛	
地　　　址	天津市和平区西康路 35 号康岳大厦	
邮政编码	300051	
邮购电话	(022)23332469	
网　　　址	http://www.tjrmcbs.com	
电子信箱	tjrmcbs@126.com	

策划编辑	沈海涛
	韩贵骐
责任编辑	伍绍东
装帧设计	汤　磊

印　　　刷	河北鹏润印刷有限公司
经　　　销	新华书店
开　　　本	880×1230 毫米　1/32
印　　　张	9.875
字　　　数	170 千字
版次印次	2017 年 5 月第 1 版　2017 年 5 月第 1 次印刷
定　　　价	48.00 元

出版说明

　　佛教在中国两千余年的发展过程中，早已经融入中华文明的发展进程，成为中国传统文化的重要组成部分。在漫长的发展中，涌现出大量的经典以及阐述佛理的文献和为数众多的诗文作品，这些文献一方面是重要的宗教史料，同时其中的很多篇章也是精美的文学作品，它们为中国古代文学的发展注入了新的精神和活力，丰富了古代文学的思想内涵、表现手法，在相当长的时期内，对于整个中国思想文化、社会习俗等，产生了强烈而深远的影响，不了解这些，也就无法真正了解中国古代的文化和文学。很多作品在今天读起来，也仍然具有生命力，富有情趣，可以丰富人们的精神生活，加深对博大精深的中国传统优秀文化的理解。为此，我们面向广大具有中等文化程度以上的读者，编撰了这套试图集中而全面地反映中国古代佛教文学发展面貌的作品集。作品收录的范围基本上涵盖了整个古代时期，个别文集下限到民国前期。

　　这部中国佛教文学作品集总名为"佛语禅心"，由天津大悲禅院智如方丈担任总策划，南开大学文学院张培锋教授担任主编，参与作品集编选工作的主要是南开大学文学院中国古代文学专业的博士生、硕士生。"佛语禅心"系列共计六册，具体编选注释者分别为：

1.《佛典撷英集》，张培锋选注

2.《佛经故事集》，王芳、王虹选注

3.《佛教美文集》，张培锋选注

4.《佛禅歌咏集》，孙可选注

5.《禅林妙言集》，吕继北、罗丹选注

6.《高僧山居诗》，张培锋整理

天津大悲禅院积极支持社会慈善和文化事业，为这部佛教文学作品选的编选和出版也提供了良好的条件。除智如方丈担任全书总策划并亲自写了"总序"之外，大悲禅院还为本书的出版提供了一定的资金支持。书稿在编辑过程中，经过国家权威部门的审定，并几经刊校，我们相信，它定将成为一部面向广大读者的优质的佛教文学读本。

编　者

2016 年 10 月

总　序

　　佛法浩瀚精深，微妙广大。在佛教近三千年的发展过程中特别是传入中国以后的两千余年中，涌现出数量巨大的经典文本和演绎佛法宗旨的文学作品，皆演说佛教精深广博的思想，抒发超尘越世之情怀，这些作品共同构成了汉传佛教的宝藏，而佛教文学则是这座宝藏中的一颗璀璨明珠。

　　佛教文学的概念可以分为狭义和广义两种。从狭义上说，只有佛教经典之中的文学创作才能叫做佛教文学作品，收于《大藏经》中的诸多佛陀本生、譬喻，乃至诸多大乘经典都堪称精美的文学作品；而从广义上说，既包括那些直接宣扬佛教教义的文学作品，也包括那些受到佛教某种影响，或者利用佛教题材以至在某些方面和佛教有关联的作品，都可以视为佛教文学创作。佛教传入中国以来，不仅历代高僧们翻译了大量富有文学价值的佛经，其他诸如古代高僧名士之间的诗文酬唱、论辩演说乃至一句一偈甚或禅门之一棒一喝，皆包含深厚的文学意蕴，是中国古代文学遗产中价值巨大的无数瑰宝中不可忽视的一部分。中土的佛门龙象、历代大德以及广大的信徒，继承并发扬了佛教本有的文学传统，在中国文化的背景下,创造出数量众多、内容丰富、形式多样的佛教文学作品,其创作和传播之所以经久不衰,主要原因在于教团内外的广大信众对三世诸佛、诸大菩萨和佛陀教法有着强烈、热诚的信仰之心,文学创作则是表达这种信仰的极其方便、有效的手段。用这样的心灵创作出来的文学作品,必然是杰出的作品,因为它是从吾人真心自然流现出来的,所谓"心光朗照","法喜充满"。一个人在这种状态下写出的作品,较之那些矫揉造作的作品要高明很多。历史上很多高僧似乎并没有在文学方面投入太多精力,但是他们写出的作品却相当高明,甚至可以说难以企及,其道理即在于此。

比如佛典翻译文学中艺术水平相当高的"本生""譬喻"故事经典,不仅生动、风趣,而且具有普遍的训喻意义,它们赞美、宣扬了佛陀在无量的时空中自利利他、大慈大悲的伟大精神和勇于牺牲、济度有情的动人业绩,读来令人感动不已。大乘佛教经典的翻译更不乏《妙法莲华经》《维摩诘经》《首楞严经》等语言典雅、义理丰厚的精彩译笔,这些佛典本身已成为中国古代语言艺术的经典和宝库。唐宋以来,禅宗丛林以及好佛士大夫之中更有许多文学修养非常高的人。他们本来就能诗善艺,运用佛门偈颂等形式以及中国传统诗文手法,演说佛法,表达志向,即使从一般诗文艺术角度看,他们的文字也达到了相当高的水平,堪称清新隽永,字字珠玑,列于历史上优秀的文学作品之中而毫无逊色。佛门中的论辩、说理文字更是文字晓畅,析理透彻,议论滔滔,颇有气势,显示出高超的论辩技巧;禅门语录则随机说法,头头是道,也显示出禅门大德高超的语言技能。明清以来的清言小品乃至名山古刹之楹联对句,皆渗透着"超以象外"的禅意,参悟人生,得意忘言,灵犀一点,心照不宣。总之,佛教文学在整个中国古代文学发展和佛教自身发展中占有双重的重要地位,是中华传统文化的宝贵遗产之一,值得我们高度重视和珍惜。

天津大悲禅院近年来在扩建寺院、营造、建设良好的寺院环境的同时,也高度重视精神文化的建设,力求为弘扬祖国传统文化、为当代中国社会的健康发展和人们精神境界的提升做一些力所能及的奉献。有鉴于佛教文学的重要作用,我们诚邀长期致力于佛教文学研究、成果卓著的南开大学文学院博士生导师张培锋教授担纲,主持编辑一套中国佛教文学作品丛书,定名为"佛语禅心",参与编写者为南开大学主攻佛教文学专业的博士生、硕士生。按照全书的设计体例,本套丛书共包含 6 册,分别为:

1.《佛典撷英集》

从佛教藏经中选择出最精彩、最精华的佛经全文或段落,体现佛教经典文辞之精、义理之美。一册在手,了解最基本的佛法佛理。

2.《佛经故事集》

精选譬喻类、本生类、传记类等佛教典籍,揭示其中体现的佛理,阐扬大乘佛教之菩萨精神,同时体现翻译佛典对于中国古代叙事文学的深刻影响。

3.《佛教美文集》

精选历代僧俗阐发佛教之散文作品,包括论、序、记、赋、传、疏等各类文体,体现中国古人对佛教之深刻理解与发挥,展现佛教文道合一之精神。

4.《佛禅歌咏集》

精选历代僧俗阐发佛理之韵文作品,包括诗词、偈颂、歌赞等各类文体,以见佛教思想与中国古代诗歌的完美融合,展现佛教诗禅一体之精神。

5.《禅林妙言集》

精选禅门语录、灯录及格言、楹联等体裁作品,阐发其中的佛理禅意,既有明心见性之道,亦有为人处世之法,展现佛教真俗不二之宗旨。

6.《高僧山居诗》

以民国时期忏庵居士所编《高僧山居诗》为蓝本,对历代高僧山居诗详加注释,揭示其中深刻佛理,突出高僧大德绝尘离俗同时又融修行于日常生活之精神。

以上六册作品,基本涵盖了中国佛教文学的主要体裁和经典作品。编者对所选文本皆做了精细校勘和注释,力求简明扼要、准确无误而又深入浅出。通过文本的注释和解读,一方面揭示中国佛教文学的巨大成就,另一方面起到宣传和普及佛法的作用。本套丛书的这种设计、编撰思想应该说是很有新意的,期待它的出版能够为广大读者提供一份精美的精神食粮,也为促进和推进中国佛教文学的研究提供一种有益的帮助借鉴。

我们一向认为,佛教信仰是一种理智的信仰,绝非盲从迷信。要做到智信而非迷信,将佛教文学融入到佛陀教育之中是其中重要的一环。学佛必须明理,明理就需要逐渐提高学佛者的文化层次,让人们浸润其中,陶冶性情,潜移默化,选读佛教文学中这些精华的作品则是发挥这种作用的一种良好而有效的途径。张培锋教授和各位编写者为这部丛书的完成付出了巨大的精力和不懈的努力,在此深表谢意!是为序。

湛山门下　智如

2016 年 10 月 8 日农历九月初八

目录

1

3

《喻道论》(节选)

[晋]孙绰[1]

　　夫佛也者,体道者也;道也者,异物者也;应感顺通,无为而无不为者也。无为,故虚寂自然;无不为,故神化万物。万物之求,卑高不同,故训致之术,或精或粗。悟上识则举其宗本,不顺者复殃,放酒者罗刑,淫为大罚,盗者抵罪,三辟五刑,犯则无赦,此王者之常制,宰牧之所司也。若圣王御世,百司明达,则向之罪人,必见穷测,无逃形之地矣。使奸恶者不得容其私,则国无违民,而贤善之流必见旌叙[2]矣。且君明臣公,世清理治,犹能令善恶得所,曲直不滥,况神明所莅,无远近幽深,聪明正直,罚恶祐善者哉。故毫厘之功,锱铢之衅,报应之期,不可得而差矣。历观古今祸福之证,皆有由缘,载籍昭然,岂可掩哉![3]

　　何者?阴谋之门,子孙不昌,三世之将,道家明忌[4],斯非兵凶战危,积杀之所致邪?若夫魏颗从治,而致结草之报[5];子都守信[6],而受骢骥之锡;齐襄委罪,故有坠车之祸[7];晋惠弃礼,故有弊韩之困[8]:斯皆死者报生之验也。至于宣孟愍翳桑之饥,漂母哀淮阴之惫[9],并以一餐,拯其悬馁;而赵蒙倒戈之祐,母荷千金之赏:斯一获万,报不逾世。故立德暗昧之中,而庆彰万物之上,阴行阳曜,自然之势,譬犹洒粒于土壤,而纳百倍之收,地谷无情于人,而自然之利至也。[10]

【注释】

[1]孙绰(314~371):东晋中期思想家。太原中都(位于山西)人,字兴公。少有高志,博学善诗文。初抱栖隐之志,居于会稽,广游山水。后入仕途,官至廷尉卿,喜与高僧交游,笃信佛法。永和九年(353)参加兰亭之会。好老庄之学,且精通佛、儒,其文章被评为一时之冠。著有《论语集解》《老子赞》《喻道论》《道贤论》《天台山赋》《遂初赋》等。事迹见《晋书》卷五十六。《喻道论》是中国较早的系统阐发佛理的著作,收于《大正藏》第五十二册《弘明集》卷三,主张佛、儒一致,序文首先说明佛、儒之不同,佛教为超俗,而儒教为世俗之教。正文则叙说我国古圣贤亦有报应之说,与佛教报应说仅说法有异,并主张出家为大孝。

[2]旌叙:表扬而录用为官。《宋书·刘真道传》:"宜蒙旌叙,劳慰存亡。"

[3]这一段阐述明报应之理,可以有助于人心和教化。

[4]道家明忌:《史记·陈丞相世家》:"陈平曰:'我多阴谋,是道家之所禁。吾世即废,亦已矣,终不能复起,以吾多阴祸也。'"

[5]结草之报:《左传》宣公十五年:初,魏武子有嬖妾,无子。武子疾,命颗曰:"必嫁是。"疾病,则曰:"必以为殉。"及卒,颗嫁之,曰:"疾病则乱,吾从其治也。"及辅氏之役,颗见老人结草以亢杜回,杜回踬而颠,故获之。夜梦之曰:"余,而所嫁妇人之父也。尔用先人之治命,余是以报。"

[6]子都守信:《太平广记》卷一六六《义气》:"魏鲍子都,暮行于野,见一书生,卒心痛。子都下马,为摩其心。有顷,书生卒。子都视其囊中,有素书一卷,金十饼。乃卖一饼,具葬书生,

2

其余枕之头下，置素书于腹旁。后数年，子都于道上，有乘骢马者逐之。既及，以子都为盗，固问儿尸所在。子都具言，于是相随往。开墓，取儿尸归，见金九饼在头下，素书在腹旁，举家感子都之德义。由是声名大振。"

[7]坠车之祸：《史记·齐太公世家》："齐襄公故尝私通鲁夫人。鲁夫人者，襄公女弟也，自厘公时嫁为鲁桓公妇，及桓公来而襄公复通焉。鲁桓公知之，怒夫人，夫人以告齐襄公。齐襄公与鲁君饮，醉之，使力士彭生抱上鲁君车，因拉杀鲁桓公，桓公下车则死矣。鲁人以为让，而齐襄公杀彭生以谢鲁。……冬十二月，襄公游姑棼，遂猎沛丘。见彘，从者曰'彭生'。公怒，射之，彘人立而啼。公惧，坠车伤足，失屦。"

[8]弊韩之困：《史记·晋世家》："惠公之立，倍秦地及里克，诛七舆大夫，国人不附。二年，周使召公过礼晋惠公，惠公礼倨，召公讥之。四年，晋饥，乞籴于秦。缪公问百里奚，百里奚曰：'天灾流行，国家代有，救灾恤邻，国之道也。与之。'邳郑子豹曰：'伐之。'缪公曰：'其君是恶，其民何罪！'卒与粟，自雍属绛。……　六年春，秦缪公将兵伐晋。晋惠公谓庆郑曰：'秦师深矣，奈何？'郑曰：'秦内君，君倍其赂；晋饥秦输粟，秦饥而晋倍之，乃欲因其饥伐之：其深不亦宜乎！'晋卜御右，庆郑皆吉。公曰：'郑不孙。'乃更令步阳御戎，家仆徒为右，进兵。九月壬戌，秦缪公、晋惠公合战韩原。惠公马骛不行，秦兵至，公窘，召庆郑为御。郑曰：'不用卜，败不亦当乎！'遂去。更令梁繇靡御，虢射为右，辂秦缪公。缪公壮士冒败晋军，晋军败，遂失秦缪公，反获晋公以归。"

[9]宣孟愍翳桑之饥，漂母哀淮阴之惫：《左传》宣公二年：

"秋九月，晋侯饮赵盾酒，伏甲将攻之。其右提弥明知之，趋登曰：'臣侍君宴，过三爵，非礼也。'遂扶以下，公嗾夫獒焉。明搏而杀之。盾曰：'弃人用犬，虽猛何为。'斗且出，提弥明死之。初，宣子田于首山，舍于翳桑，见灵辄饿，问其病。曰：'不食三日矣。'食之，舍其半。问之，曰：'宦三年矣，未知母之存否，今近焉，请以遗。'使尽之，而为之箪食与肉，置诸橐以与之。既而与为公介，倒戟以御公徒，而免之。问何故。对曰：'翳桑之饿人也。'问其名居，不告而退，遂自亡也。"《史记·淮阴侯列传》："信钓于城下，诸母漂，有一母见信饥，饭信，竟漂数十日。信喜，谓漂母曰：'吾必有以重报母。'母怒曰：'大丈夫不能自食，吾哀王孙而进食，岂望报乎！'……信至国，召所从食漂母，赐千金。"

[10]所谓"读史生智慧"，本质上是因为读史可以明报应之理，真实不虚，祸福之证，皆有由缘。

或难曰："报应之事诚皆有征，则周孔之教何不去杀，而少正卯刑[1]，二叔伏诛[2]邪？"

答曰："客可谓达教声而不体教情者也。谓圣人有杀心乎？"曰："无也。"

答曰："子诚知其无心于杀，杀固百姓之心耳。夫时移世异，物有薄淳。结绳之前，陶然太和，暨于唐虞，礼法始兴，爰逮三代，刑网滋彰，刀斧虽严，而犹不惩；至于君臣相灭，父子相害，吞噬之甚，过于豺虎。圣人知人情之固于杀，不可一朝而息，故渐抑以求厥中，犹蝮蛇螫足，斩之以全身，痈疽附体，决之以救命，亡一以存十，亦轻重之所权。故刑依秋冬，所以顺时杀，春蒐夏苗[3]，所以简胎乳；三驱[4]之礼，禽来则韬弓，闻声睹生，肉至则不食[5]。钓而不纲，弋不射宿[6]，其于昆虫每加隐恻。至于议狱缓死，眚灾肆赦，刑疑从轻，宁失有罪，流涕授钺，哀矜勿喜。生育之恩笃矣，仁爱之道尽矣，所谓为而不恃，长而不宰[7]，德被而功不在我，日用而万物不知，举兹以求，足以悟其归矣。"

或难曰："周孔适时而教，佛欲顿去之，将何以惩暴止奸，统理群生者哉？"

答曰："不然，周孔即佛，佛即周礼，盖外内名之耳。故在皇为皇，在王为王。佛者梵语，晋训'觉'也。'觉'之为义，'悟物'之谓，犹孟轲以圣人为先觉[8]，其旨一也。应世轨物，盖亦随时，周孔救极弊，佛教明其本耳，共为首尾，其致不殊，即如外圣有深浅之迹，尧舜世夷。故二后高让，汤武时难。故两君挥戈，渊默之与赫斯。其迹则胡越，然其所以迹者，何尝有际哉？故逆寻者每见其二，顺通者无往不一。"[9]（《弘明集》卷三）

【注释】

[1]少正卯刑：据《史记·孔子世家》，少正卯为春秋时代鲁国大夫，据说孔子三千弟子亦多次被其全部吸引走，致孔门"三盈三虚"，唯有七十二贤中的颜渊不为所动。孔子摄鲁相，七日而诛少正卯。

[2]二叔伏诛：二叔指周武王弟管叔鲜与蔡叔度，并称管蔡。武王崩，成王幼，周公摄政，管蔡流言于国，谓"公将不利于孺子"，周公避居东都，后成王迎周公归，管蔡惧，挟纣子武庚叛，成王命周公讨伐，诛杀武庚与管叔鲜，流放蔡叔度，其乱终平。见《史记·管蔡世家》。

[3]春蒐夏苗：《左传》隐公五年："春蒐夏苗，秋狝冬狩，皆

于农隙以讲事也。"蒐(sōu)，同搜，指帝王春季的射猎。夏苗：苗，为苗除害。本文认为这些行为有助于减少对胎生哺乳动物的杀害。

[4]三驱：古王者田猎之制。谓田猎时须让开一面，三面驱赶，以示好生之德。《易·比》："九五，显比，王用三驱。"孔颖达疏："褚氏诸儒皆以为三面著人驱禽。必知三面者，禽唯有背己、向己、趣己，故左右及于后，皆有驱之。"

[5] 肉至则不食：《孟子·梁惠王上》："君子之于禽兽也，见其生，不忍见其死；闻其声，不忍食其肉。是以君子远庖厨也。"

[6]钓而不纲，弋不射宿：《论语·述而》："子钓而不纲，弋不射宿。"朱熹集注："弋，以生丝系矢而射也。宿，宿鸟。"洪氏曰："孔子少贫贱，为养与祭，或不得已而钓弋，如猎较是也。然尽物取之，出其不意，亦不为也。此可见仁人之本心矣。待物如此，待人可知；小者如此，大者可知。"

[7]为而不恃，长而不宰：《老子》："道生之，德畜之，物形之，势成之。是以万物莫不尊道而贵德。道之尊，德之贵，夫莫之命而常自然。故道生之，德畜之，长之育之，成之熟之，养之覆之。生而不有，为而不恃，长而不宰。是谓玄德。"

[8]先觉：《孟子·万章上》："天之生此民也，使先知觉后知，使先觉觉后觉也。予，天民之先觉者也，予将以斯道觉斯民也，非予觉之而谁也？"

[9]本文明佛道佛三教一致、别无有二之理，平实而深刻。儒道佛三教同根同源，本为一体，只是因为众生的根基和机缘不同而分出三教。这一观念在中国佛教的发展中具有极为重要的意义，实为中国佛教的核心理念。

《十二门经序》

[晋]道安[1]

十二门者，要定之目号，六双之关径也。定有三义焉，禅也、等也、空也。用疗三毒，绸缪[2]重病，婴斯幽厄，其日深矣。贪图恚图[3]，痴城至固，世人游此，犹春登台[4]，甘处欣欣，如居花殿，嬉乐自娱，莫知为苦，尝酸速祸，困惫五道，夫唯正觉乃识其谬耳。哀倒县之苦[5]，伤蓬流之痛，为设方便，防萌塞渐，辟兹慧定，令自浣涤，挫锐解纷，返神玄路，苟非至德，其道不凝也。

夫邪僻之心，必有微著，是故禅法，以四为差焉。贪淫图者，荒色悖蒸[6]，不别尊卑，浑心耽缅，习以成狂，亡国倾身，莫不由之。虚迷空醉，不知为幻，故以死尸散落[7]自悟，渐断微想，以至于寂，味乎无味，故曰四禅也。

嗔恚图者，争纤介之虚声，结沥血之重咎，恩亲绝于快心，交友腐于纵忿，含怒彻髓，不悛灭族。圣人见强梁者[8]不得其死，故训之以等，丹心雠亲，至柔其志，受垢含苦，治之未乱，淳德遂厚，兕不措角[9]，况人害乎？故曰四等也。

愚痴城者，诽古圣，谤真谛，慢二亲，轻师傅，斯病尤重矣。以慧探本，知从痴爱，分别末流，了之为惑，练心攘慝[10]，狂病瘳矣，故曰四空也。

行者挹禅海之深醴[11]，溉昏迷之盛火，激空净之渊流，荡痴尘之秽垢，则皎然成大素[12]矣。行斯三者，则知所以宰身也。所以宰身者，则知所以安神也。所以安神者，则知所以度人也。

然则经无巨细,出自佛口,神心所制,言为世宝。慧日既没,三界丧目,经藏虽存,渊玄难测,自非至精,孰达其微？于是诸开士应真[13],各为训解,释其幽赜,辩其差贯,则烂然易见矣。穷神知化,何复加乎？从十二门已后,则是训传也。

凡学者行十二门,却尽神足,灭外止粗,谓之成五道也。三向诸根,进消内结,谓尽诸漏[14]也。殆入尽漏,名不退转。诸佛嘉叹,记其成号。深不可测,独见晓焉,神不可量,独见精焉。陵云轻举,净光烛幽,移海飞岳,风出电入,浅者如是,况成佛乎？是乃三乘之大路,何莫由斯定也。自始发迹,逮于无漏,靡不周而复始。习兹定也,行者欲崇德广业,而不进斯法者,其犹无柯而求伐,不饭而求饱,难以获矣。醒悟之士,得闻要定,不亦妙乎？

安宿不敏,生值佛后,又处异国,楷范多阙,仰希古烈,滞而未究,痡痡忧悸,有若疾首。每惜兹邦禅业替废,敢作注于句末。虽未足光融圣典,且发蒙者悦易览焉。安世高[15]善开禅数,斯经似其所出,故录之于末。(《出三藏记集》卷六)

【注释】

[1]道安(314~385):东晋高僧,中国佛教的重要开创者之一。常山扶柳(今河北冀县)人。18岁出家,曾师从佛图澄,讲说佛法,东晋永和五年(349)应后赵主石遵之请返邺都。不久石遵被杀,道安又去山西和河南。后应东晋名士习凿齿之请,率弟子慧远等400余人南下襄阳。前后15年间,穷览经典,钩深致远,注般若、道行、密迹、安般诸经;又为四方从学之士制定"僧尼轨范",即行香定座上经上讲之法,六时行道饮食唱时

之法以及布萨差使悔过之法等。东晋太元四年(379),前秦符坚遣符丕攻占襄阳,道安和习凿齿皆被胁迫入长安,道安住五重寺。在长安期间参与佛经翻译,在翻译理论上提出"五失本""三不易"等说,影响很大。道安为当时译出的很多佛经写过序言,概述这些经典的大意,显示其对佛学的深刻理解。《十二门经序》即是其中一篇,《十二门禅经》为后汉安世高所译,主要阐述所谓"十二门禅"法,但此经已失传,赖道安此序而得之其大意。

[2]绸缪:纠缠、连绵不断。

[3]贪恚圁圄:受到贪恚这些欲望的桎梏。《礼记·月令》:"〔仲春之月〕命有司,省囹圄,去桎梏。"

[4]犹春登台:用《老子》第二十章语:"众人熙熙,若享太牢,若春登台。我魄未兆,若婴儿未孩。"这里指众生不以生死轮回为苦,沈溺于贪嗔痴等"三毒"之中,而"困惫五道"。

[5]倒县:即倒悬,为梵语 ullambana 之意译,音译为盂兰盆。人死之后,沈于闇道,有倒悬之苦。佛教谓为救亡灵脱离倒悬之苦,可盛设供具奉施三宝。

[6]悖蒸:悖:昏乱、迷惑。蒸:兴盛貌。

[7]死尸散落:即修习白骨观。禅观之一,观想死尸之筋断骨离,形骸分散,白骨狼藉不净之状,藉以知无常而除却贪欲执着之念。

[8]强梁者:指勇武有力的人。

[9]兕不措角:《老子》第五十章:"盖闻善摄生者,陆行不遇兕虎,入军不被甲兵。兕无所投其角,虎无所措其爪,兵无所容其刃。夫何故?以其无死地。"《淮南子·诠言训》引为:"虎无所

措其爪，咒无所措其角。"措：放。

[10]慝(tè)：奸邪、邪恶。练心攘慝即修炼身心，消除恶念。

[11]挹(yì)：舀，把液体盛出来。醴(lǐ)：甜酒。指从禅修中获得实益。

[12]大素：质朴无饰。《老子》："见素抱朴，少私寡欲。"《淮南子·本经训》："其心愉而不伪，其事素而不饰。"

[13]开士应真：开士为菩萨的异名，以能自开觉，又可开他人生信心，故称。应真为罗汉的意译，意谓得真道的人。

[14]尽诸漏：漏，为漏泄之意，乃烦恼之异名。贪、嗔等烦恼，日夜由眼、耳等六根门漏泄不止，故称为漏。又漏有漏落之意，烦恼能令人落入于三恶道，故称漏。因之称有烦恼之法为有漏；称离烦恼垢染之清净法为无漏，如涅槃、菩提，与一切能断除三界烦恼之法，均属无漏。以圣智断尽烦恼，故称为漏尽或无漏。

[15]安世高：生卒年不详，东汉高僧。名清，以字行之。原安息国太子，后出家为僧。桓帝建和二年来到洛阳，是中国最早的译经家之一。译有《安般守意经》《阴持入经》《人本欲生经》等。其所译之经，义理明晰，文字允正，辩而不华，质而不野。

《沙门不敬王者论》（节选）

[晋]慧远[1]

问曰：论者以化尽为至极，故造极者必违化而求宗。求宗不由于顺化，是以引历代君王使同之佛教，令体极之至以权君统，此雅论之所托，自必于大通者也。求之实当，理则不然。何者？夫禀气极于一生，生尽则消液而同无神，虽妙物故是阴阳之所化耳。既化而为生，又化而为死，既聚而为始，又散而为终，因此而推，故知神形俱化，原无异统；精粗一气，始终同宅。宅全则气聚而有灵，宅毁则气散而照灭，散则反所受于大本，灭则复归于无物。反覆终穷，皆自然之数耳。孰为之哉？若令本则异气，数合则同化，亦为神之处形，犹火之在木，其生必并，其毁必灭，形离则神散而罔寄，木朽则火寂而靡托，理之然矣。假使同异之分，昧而难明，有无之说，必存乎聚散。聚散，气变之总名，万化之生灭。故《庄子》曰："人之生，气之聚。聚则为生，散则为死。若死生为彼徒苦，吾又何患？"[2]古之善言道者，必有以得之。若果然耶？至理极于一生，生尽不化，义可寻也。

答曰：夫神者何耶？精极而为灵者也。精极则非卦象之所图，故圣人以妙物而为言。虽有上智犹不能定其体状，穷其幽致。而谈者以常识生疑，多同自乱，其为诬也，亦已深矣。将欲言之，是乃言夫不可言。今于不可言之中，复相与而依俙。

神也者，圆应无主，妙尽无名，感物而动，假数而行。感物而非物，故物化而不灭；假数而非数，故数尽而不穷。有情则可

11

以物感,有识则可以数求。数有精粗,故其性各异;智有明暗,故其照不同。推此而论,则知化以情感,神以化传,情为化之母,神为情之根。情有会物之道,神有冥移之功。但悟彻者反本,惑理者逐物耳!

古之论道者,亦未有所同,请引而明之。庄子发玄音于《大宗》,曰:"大块劳我以生,息我以死。"又:"以生为人羁,死为反真。"[3]此所谓知生为大患,以无生为反本者也。文子称黄帝之言曰:"形有靡而神不化,以不化乘化,其变无穷。"[4]庄子亦云:"特犯人之形而犹喜之。若人之形,万化而未始有极,此所谓知生不尽于一化,方逐物而不反者也。"[5]二子之论,虽未究其实,亦尝傍宗而有闻焉。论者不寻方生方死之说,而惑聚散于一化;不思神道有妙物之灵,而谓精粗同尽,不亦悲乎?

火木之喻[6]原自圣典,失其流统,故幽兴莫寻。微言遂沦于常教,令谈者资之以成疑。向使时无悟宗之匠,则不知有先觉之明,冥传之功,没世靡闻。何者?夫情数相感,其化无端,因缘密构,潜相传写。自非达观,孰识其变?请为论者验之。以实火之传于薪,犹神之传于形;火之传异薪,犹神之传异形。前薪非后薪,则知指穷之术妙[7];前形非后形,则悟情数之感深。惑者见形朽于一生,便以为神情俱丧,犹睹火穷于一木,谓终期都尽耳。此曲从养生之谈,非远寻其类者也。就如来论,假令神形俱化,始自天本;愚智资生,同禀所受。问所受者,为受之于形耶?为受之于神耶?若受之于形,凡在有形,皆化而为神矣;若受之于神,是以神传。神则丹朱与帝尧齐圣,重华与瞽叟等灵,其可然乎?其可然乎?如其不可,固知冥缘之构,著于在昔,明暗之分,定于形初。虽灵钧善运,犹不能变性之自然,况降兹已

还乎！验之以理，则微言而有征，效之以事，可无惑于大道。（《弘明集》卷五《沙门不敬王者论·形尽神不灭第五》）

【注释】

[1]慧远（334~416）：东晋僧人。雁门楼烦（今山西崞县东部）人，俗姓贾。幼随舅父游学许洛。综博《六经》，尤善老庄之学。成年后从道安出家。24岁时登坛讲说，颇负盛名。东晋太元三年（378），前秦军陷襄阳，道安为前秦所留。慧远率弟子数十人下荆州，途经浔阳（今江西九江），见匡庐清静，遂不复他往。始住庐山龙泉精舍，后住江州刺史桓伊所造东林寺，影不出山，迹不入市。时四方道俗，靡然从风，彭城刘遗民、豫章雷次宗、雁门周续之、新蔡毕颖之、南阳宗炳等，均系一时之秀，咸辞弃世荣，相从游止。慧远积极提倡翻译佛经，宣扬佛教戒律，阐发因果报应思想和净土法门，为佛教在中国广泛传播取得应有地位做出了重大贡献。慧远所作《沙门不敬王者论》，针对当时教沙门是否应对王者礼敬这一争论，站在佛教立场，主张沙门不必礼拜帝王。其中第五篇论"形尽神不灭"，谓肉体终将一死，而精神永不灭绝之理，对后世中国佛教思想的发展产生了重要影响。

[2]语见《庄子·知北游》："生也死之徒，死也生之始，孰知其纪！人之生，气之聚也；聚则为生，散则为死。若死生为徒，吾又何患！"

[3]语见《庄子·大宗师》："夫大块载我以形，劳我以生，佚我以老，息我以死，故善吾生者，乃所以善吾死也。""莫然有间而子桑户死，未葬。孔子闻之，使子贡往侍事焉。或编曲，或鼓

琴，相和而歌曰：'嗟来桑户乎！嗟来桑户乎！而已反其真，而我犹为人猗！'"猗或作"羁"。

[4]语见《文子》卷三《九守》："形有靡而神未尝化，以不化应化，千变万转而未始有极，化者复归于无形也，不化者与天地俱生，俱生者未尝化其所化者即化，此真人之游纯粹素道。"

[5]语见《庄子·大宗师》："若夫藏天下于天下而不得所遁，是恒物之大情也。特犯人之形而犹喜之。若人之形者，万化而未始有极也，其为乐可胜计邪！"又，《庄子·天下》："惠施之才，骀荡而不得，逐万物而不反，是穷响以声，形与影竞走。悲夫！"

[6]火木之喻：佛教中常用火木或薪火之喻比喻形神关系。如《法华经玄赞要集》卷二十谓："薪火之喻各别。小乘薪喻藏识，火喻身智，入无余时，藏识既断，能依身智亦复灭无，如彼薪无火亦随灭。若约大乘，众生善根如薪，如来身智如火，众生善根若在，前类佛出世间，由如有火，众生灭尽，有类薪无，佛入涅槃，如同火灭。"

[7]语见《庄子·养生主》："指穷于为薪，火传也不知其尽也。"意为形体虽化，但真性常存，如薪尽而火存。有形相辉，如薪火相传，因此生生而不已，化化而无穷。

《答桓玄劝罢道书》[1]

[晋]慧远

《远法师答书》

大道渊玄,其理幽深,衔此高旨,实如来谈。然后道出家,便是方外之宾,虽未践古贤之德,取其一往之志,削除饬好[2],落名求实。若使幽冥有在,故当不谢于俗人。外似不尽,内若断金[3],可谓见形不及道,哀哉哀哉!带索枕石[4],华而不实,管见之人,不足羡矣。虽复养素山林,与树木何异?夫道在方寸,假练形为真,卞和号恸[5]于荆山,患人不别故也。昔闻其名,今见其人。故庄周悲慨人生天地之间,如白驹之过隙[6]。以此而寻,孰得久停?岂可不为将来作资!言学步邯郸者,新则无功,失其本质,故使邯郸人匍匐而归[7],百代之中,有此一也,岂混同以通之?

贫道已乖世务,形权于流俗,欲于其中化未化者,虽复沐浴踞傲,奈疑结何?一世之荣,剧若电光,聚则致离,何足贪哉!浅见之徒其惑哉!可谓下士闻道而大笑之[8],真可谓迷而不反也。贫道形不出人,才不应世,是故毁其陋质,被其割截之服,理未能心冥玄化,远存大圣之制,岂舍其本怀,而酬高诲?贫道年与时颓,所患未痊,乃复曲垂光慰,感庆交至。檀越[9]信心,幽当大法所寄,岂有一伤毁其本也?将非波旬试婇[10]之言!辞拙

寡闻,力酬高命,盖是不逆之怀耳。(《弘明集》卷十一)

【注释】

[1]桓玄(369~404),字敬道,又名灵宝,东晋末权臣。因为举兵入京,篡东晋安帝之位而自立,故《晋书》卷九十九将其列为叛逆,后被部将所杀。自东晋成帝咸康年间(335~342)以来,有"沙门不敬王者"之论争,桓玄即为主张沙门应敬王者之一,慧远则著《沙门不敬王者论》以驳斥之。这篇书信,慧远针对桓玄"沙门去弃六亲之情,毁其形骸"等对佛教的攻击言论(见附《桓玄书》),写得义正词严而又不失礼仪。

[2]饬(chì)好:装饰、巧饰等喜好。

[3]断金:用《易经·系辞上》语:"子曰:'君子之道,或出或处,或默或语。二人同心,其利断金。同心之言,其臭如兰。'"这里指出家人虽然外形一般,但内心有坚定信仰,不同流俗。

[4]带索枕石:带索:以绳索为衣带。形容贫寒清苦。《列子·天瑞》:"孔子游于太山,见荣启期行乎郕之野,鹿裘带索,鼓琴而歌。"枕石:枕于石上,喻隐居山林。这是针对桓玄来书中"被褐带索,山栖枕石,永乖世务"等语而言,指出僧人隐居山林,不同于那些普通的隐士,内心情怀完全不一样。

[5]卞和号恸:春秋楚人。相传他得玉璞,先后献给楚厉王和楚武王,都被认为欺诈,受刑砍去双脚。楚文王即位,他抱璞哭于荆山下,文王使人琢璞,得宝玉,名为"和氏璧"。这是说,一般人只见外形,难以识别宝玉,这正是卞和痛哭的原因。

[6]《庄子·盗跖》:"天与地无穷,人死者有时。操有时之具而托于无穷之间,忽然无异骐骥之驰过隙也。"

[7]邯郸人匍匐而归:《庄子·秋水》:"且子独不闻夫寿陵余子之学行于邯郸与？未得国能，又失其故行矣，直匍匐而归耳。"这是针对桓玄来书中"今世道士(指僧人)，虽外毁仪容，而心过俗人，所谓道俗之际，可谓学步邯郸，匍匐而归"等语，指出邯郸学步的人确实有，但绝非出家人，因为邯郸学步是弃内从外，而出家人是弃外从内，怎么会是邯郸学步呢？

[8]用《老子》第四十一章语:"上士闻道，勤而行之；中士闻道，若存若亡；下士闻道，大笑之。不笑不足以为道。故《建言》有之:明道若昧，进道若退，夷道若类，上德若谷，大白若辱。"

[9]檀越:梵语音译，即施主。这里指桓玄。

[10]波旬试娆:波旬:魔王名，为欲界第六天之主，其义为恶者、杀者。常以憎恨佛法，杀害僧人为事。每当有众生即将成佛之时，波旬都会现身，扰乱障碍其修行成道，也可以说是对修道者的一种试验，本文指桓玄。

附:《桓玄书》

夫至道缅邈，佛理幽深，岂是悠悠常徒所能习求？沙门去弃六亲之情，毁其形骸，口绝滋味，被褐带索，山栖枕石，永乖世务，百代之中，庶或有一仿佛之间；今世道士，虽外毁仪容，而心过俗人，所谓道俗之际，可谓学步邯郸，匍匐而归。先圣有言，未知生，焉知死。而令一生之中，困苦形神，方求冥冥黄泉下福，皆是管见，未体大化，迷而知反，去道不远，可不三思。运不居人，忽然将老，可复追哉！聊赠至言，幸能纳之。

《肇论·物不迁论》[1]

[后秦]僧肇[2]

夫生死交谢，寒暑迭迁，有物流动，人之常情。余则谓之不然。何者？《放光》[3]云："法无去来，无动转者。"寻夫不动之作，岂释动以求静？必求静于诸动。必求静于诸动，故虽动而常静。不释动以求静，故虽静而不离动。然则动静未始异而惑者不同。缘使真言滞于竞辩，宗途屈于好异。所以静躁之极，未易言也。何者？夫谈真则逆俗，顺俗则违真。[4]违真故迷性而莫返，逆俗故言淡而无味。缘使中人未分于存亡，下士抚掌而弗顾。近而不可知者，其唯物性乎！然不能自已，聊复寄心于动静之际，岂曰必然！

试论之曰：《道行》[5]云："诸法本无所从来，去亦无所至。"《中观》云："观方知彼去，去者不至方。"斯皆即动而求静，以知物不迁明矣。夫人之所谓动者，以昔物不至今，故曰动而非静。我之所谓静者，亦以昔物不至今，故曰静而非动。动而非静，以其不来；静而非动，以其不去。然则所造未尝异，所见未尝同。逆之所谓塞，顺之所谓通，苟得其道，复何滞哉！

伤夫！人情之惑也久矣，自对真而莫觉。既知往物而不来，而谓今物而可往。往物既不来，今物何所往？何则？求向物于向，于向未尝无；责向物于今，于今未尝有。于今未尝有，以明物不来；于向未尝无，故知物不去。覆而求今，今亦不往。是谓昔物自在昔，不从今以至昔；今物自在今，不从昔以至今。故仲尼曰："回也见新,交臂非故。"[6]如此,则物不相往来明矣。既无往返之微朕,有何物而可动乎?然则旋岚偃岳而常静[7],江河竞注而不流,野马飘鼓而不动,日月历天而不周,复何怪哉?

噫!圣人有言曰:人命逝速,速于川流。是以声闻悟非常以成道,缘觉觉缘离以即真。苟万动而非化,岂寻化以阶道?覆寻圣言,微隐难测。若动而静,似去而留。可以神会,难以事求。是以言去不必去,闲人之常想;称住不必住,释人之所谓往耳,岂曰去而可遣,住而可留也?故《成具》[8]云:"菩萨处计常之中,而演非常之教。"《摩诃衍论》[9]云:"诸法不动,无去来处。"斯皆导达群方,两言一会,岂曰文殊而乖其致哉?是以言常而不住,称去而不迁。不迁,故虽往而常静;不住,故虽静而常往。虽静而常往,故往而弗迁;虽往而常静,故静而弗留矣。然则庄生之所以藏山[10],仲尼之所以临川[11],斯皆感往者之难留,岂曰排今而可往?

是以观圣人心者,不同人之所见得也。何者?人则谓少壮同体,百龄一质,徒知年往,不觉形随。是以梵志出家,白首而归,邻人见之曰:昔人尚存乎?梵志曰:吾犹昔人,非昔人也。[12]邻人皆愕然,非其言也。所谓有力者负之而趋,昧者不觉,其斯之谓欤?是以如来因群情之所滞,则方言以辩惑;乘莫二之真心,吐不一之殊教。乖而不可异者,其唯圣言乎?故谈真有不迁之称,导俗有流动之说。虽复千途异唱,会归同致矣。而征文者闻不迁,则谓昔物不至今;聆流动者,而谓今物可至昔。既曰古今,而欲迁之者,何也?是以言往不必往,古今常存,以其不动。称去不必去,谓不从今至古,以其不来。不来故不驰骋于古今,不动故各性住于一世。然则群籍殊文,百家异说,苟得其会,岂

19

殊文之能惑哉？是以人之所谓住，我则言其去；人之所谓去，我则言其住。然则去住虽殊，其致一也，故经云"正言似反"[13]。谁当信者？斯言有由矣。何者？人则求古于今，谓其不住；吾则求今于古，知其不去。今若至古，古应有今；古若至今，今应有古。今而无古，以知不来；古而无今，以知不去。若古不至今，今亦不至古，事各性住于一世，有何物而可去来？

　　然则四象风驰，璇玑电卷[14]，得意毫微，虽速而不转。是以如来功流万世而常存，道通百劫而弥固。成山假就于始篑，修途托至于初步，果以功业不可朽故也。功业不可朽，故虽在昔而不化。不化故不迁，不迁故则湛然明矣。故经云："三灾弥纶，而行业湛然。"[15]信其言也，何者？果不俱因，因因而果。因因而果，因不昔灭；果不俱因，因不来今。不灭不来，则不迁之致明矣。复何惑于去留，踟蹰于动静之间哉！然则乾坤倒覆，无谓不静；洪流滔天，无谓其动。苟能契神于即物，斯不远而可知矣。（《肇论》卷一）

【注释】

[1]《肇论》：南北朝时期重要佛教哲学论集，现行本《肇论》包含《宗本义》《物不迁论》《不真空论》《般若无知论》《涅槃无名论》，共计五篇。其中《物不迁论》阐明法性之无去来，论即动而静之深意。即一切事物表面上似乎不停在变化、运动，实则其真性是不变，不运动的。因为变化之观念，皆是一心所生，或依认知活动而立，本身非实有的思想，逻辑严密，义理深邃。

[2]僧肇（384~414）：东晋僧人，长安人。初好老庄，及读《维摩经》而感悟，遂出家。闻鸠摩罗什羁留凉土，前往从之，后随

侍罗什入长安,参与经典的翻译、注释。弘始六年(404),罗什译出《大品般若经》,僧肇乃撰《般若无知论》呈之,颇受鸠摩罗什及慧远之赞赏。后又撰述《不真空论》《物不迁论》等,后人汇合编辑为《肇论》。传说僧肇因事得罪前秦皇帝,被捕入狱,并被杀死,临终前,他写下一首《临终偈》:"四大原无主,五阴本来空。将头临白刃,犹如斩春风。"表现了他对于生死毫不执着的信念,同时也体现着他对于佛教"空性"的深刻理解,堪称真正"视死如归"的人。

[3]《放光》:即《放光般若经》,二十卷,西晋无罗叉、竺叔兰等共译,收于《大正藏》第八册,为早期翻译的般若类经典之一,记述般若波罗蜜法及其功德,并劝众生修学之。

[4]谈真则逆俗二句:即明真谛、俗谛之关系。真谛又称胜义谛、第一义谛,指真实平等之理;俗谛又称世俗谛、世谛,指世俗差别之理。真俗亦为事理之异名;因缘所生之事理,称为俗,不生不灭之理性,称为真。

[5]《道行》:即《道行般若经》,十卷,后汉支娄迦谶译,为现存般若经译本之最古者。内容阐明般若波罗蜜之法,并叙及其受持之功德。

[6]回也见新,交臂非故:化用《庄子·田子方》语:"仲尼曰:'吾终身与汝(指颜回)交一臂而失之,可不哀与!'"意为:颜回你所见的事物虽是新的,但在我和你执手交臂的刹那之间,现在的事物就已经不是原有的事物了。

[7]旋岚偃岳而常静:旋岚:梵文音译,又作旋兰,意为大猛风。这一句是说,能够吹倒山岳的大猛风本质上非常安静。印光法师《观河集重刻序》:"夫心者,世出世间诸法之本也。若能

彻悟自心,则观一切法,悉是自心之所流露。观一切生灭迁变境界,悉是常住寂灭真如实相。《楞严》所谓'观河之见,无有童耄',肇公所谓'旋岚偃岳而不动,江河竞注而不流',皆示此即生灭而见真常之微旨也。果能了此,则可谓了事凡夫,达本道人。"

[8]《成具》:指《成具光明定意经》,后汉支曜译。

[9]《摩诃衍论》:即《大乘起信论》之异名。

[10]藏山:《庄子·大宗师》:"夫藏舟于壑,藏山于泽,谓之固矣。然而夜半有力者负之而走,昧者不知也。藏小大有宜,犹有所遁。若夫藏天下于天下而不得所遁,是恒物之大情也。"

[11]临川:《论语·子罕》:"子在川上曰:'逝者如斯夫,不舍昼夜!'"

[12]参看《肇论新疏》:"西域净行梵志十五游学,三十归娶,五十入山。今言出家,谓入山也。白发复归,邻人以常情问之云:'昔人尚在耶?'见今问昔,亦已误矣。故梵志答之:'但似昔人,岂今之新吾,是昔之故吾哉?'邻人不达随变之理,执今白首是昔朱颜。"

[13]《佛说太子瑞应本起经》卷下:"凡人意异,计身万物谓可常有,设当为说,目之所见,万物无常,有身皆苦,身为非身,空无所有,亲戚家属,悉非人所。正言似反,谁能信者?"

[14]璇玑电卷:璇玑:北斗前四星。也叫魁。《楚辞·王逸〈九思·怨上〉》:"谣吟兮中野,上察兮璇玑。"这里指日月星辰的运转。

[15]三灾弥纶:即小三灾、大三灾,大三灾是世界将毁坏时所起的火水风三灾,小三灾是指在住中劫时,每一小劫中的饥

馑、疾疫、刀兵三灾。佛教认为,世界系依成劫(成立期)、住劫
(存续期)、坏劫(破坏期)与空劫(空漠期)等四期无穷地循环
不息。其中,有情出现于住劫之一定期;至坏劫之终末期,世界
全遭破坏。这一句是说,尽管众生的身体为虚幻,但是因果不
虚,故众生应敬畏因果,不可为恶而遭受轮回之苦。

《维摩诘经序》[1]

[后秦]僧肇

《维摩诘不思议经》者,盖是穷微尽化,妙绝之称也。其旨渊玄,非言像所测,道越三空[2],非二乘所议。超群数之表,绝有心之境,眇莽无为而无不为,罔知所以然而能然者,不思议也。何则?夫圣智无知,而万品俱照;法身无像,而殊形并应;至韵无言,而玄藉弥布;冥权无谋,而动与事会。故能统济群方,开物成务,利现天下,于我无为。而惑者睹感照因谓之智,观应形则谓之身,觌[3]玄藉便谓之言,见变动而谓之权。夫道之极者,岂可以形、言、权、智而语其神域哉!然群生长寝,非圣莫晓;道不孤运,弘之由人。是以如来命文殊于异方,召维摩于他土,爰集毗耶[4],共弘斯道。此经所明,统万行则以权智为主,树德本则以六度为根,济蒙惑则以慈悲为首,语宗极则以不二[5]为言。凡此众说,皆不思议之本也。至若借座灯王,请饭香土,手接大千,室包乾像,不思议之迹也。然幽关难启,圣应不同。非本无以垂迹,非迹无以显本。本迹虽殊,而不思议一也。故命侍者标以为名焉。

大秦天王[6]隽神超世,玄心独悟,弘至治于万机之上,扬道化于千载之下。每寻玩兹典,以为栖神之宅。而恨支、竺所出[7],理滞于文,常恐玄宗坠于译人。北天之运,运通有所在也。以弘始八年,岁次鹑火,命大将军常山公、右将军安城侯[8],与义学沙门千二百人,于长安大寺,请罗什法师重译正本。什以高世之量，冥心真境，既尽环中，又善方言。于时手执胡文，口自宣译。道俗虔虔，一言三复。陶冶精求，务存圣意。其文约而诣，其旨婉而彰，微远之言，于即显然。余以闇短，时预听次。虽思乏参玄，然粗得文意。辄顺所闻，为之注解。略记诚言，述而不作，庶将来君子异世同闻焉。（《出三藏记集》卷八）

【注释】

[1]《维摩诘经序》：此文为僧肇为鸠摩罗什所译《维摩诘经》所作序言，阐发《维摩诘经》的大意，并对鸠摩罗什译本给予高度赞叹。本经旨在阐说维摩所证之不可思议解脱法门，故又称《不可思议解脱经》。系基于般若空之思想，以阐扬大乘菩萨之实践道，说明在家信徒应行之宗教德目。全经以在家居士维摩为中心人物，透过其与文殊师利等共论佛法之方式，以宣扬大乘佛教真理。僧肇还与鸠摩罗什一起注解《维摩诘经》，阐发其深奥义理，对后世佛教发展影响甚大。

[2]三空：依所执而分空为三种。即：（一）我空，又作人空。于五蕴之法强立主宰，称为我执；若推求色、受、想、行、识皆无自性，不见我体，称为我空。（二）法空，于五蕴之法计为实有，称为法执；若推求五蕴之法如幻如化，皆从缘生，无有自性，称为法空。（三）俱空，我法二执既遣，能空之空亦除，空执两亡，契于本性，称为俱空。

[3]觌（dí）：见到。

[4]毗耶：即毗耶离，亦译作毗舍离、吠舍离等。古印度城名，位于恒河北岸，与南方的摩揭陀国相对。据此经，维摩诘与宝积皆为居于毗耶离城的大居士，也是演说《维摩诘经》的所

在地。

[5]不二：指显示超越相对、差别之一切绝对、平等真理之教法。即在佛教八万四千法门之上，能直见圣道者。《维摩经·入不二法门品》载有三十三种之不二法门。

[6]大秦天王：指姚兴(366~416)，后秦国主，字子略。父姚苌叛符坚，据关中称帝，是为后秦。姚兴继父位，都长安，领有雍、梁、晋、豫，在位二十二年。姚兴自幼聪慧，信奉佛法，能自讲经。迎鸠摩罗什入长安，聚僧徒数万人，从事讲译禅修，一时关中义学大盛。

[7]支、竺所出：指鸠摩罗什译本之前的支谦、竺叔兰的两种译本，分别名为《维摩诘说不思议法门经》和《毗摩罗诘经》，认为这些译本存在"理滞于文"，即文字不能完全表达其义理的问题。

[8]常山公、安城侯：指姚显与姚嵩，皆为姚兴之弟，当时佛教之大护法。

《明佛论》（节选）

[南朝宋]宗炳[1]

今自抚踵至顶，以去陵虚，心往而勿已，则四方上下，皆无穷也，生不独造，必传所赍，仰追所传，则无始也。奕世[2]相生而不已，则亦无竟也。是身也，既日用无垠之实，亲由无始而来，又将传于无竟而去矣，然则无量无边之旷，无始无终之久，人固相与陵之以自敷者也。是以居赤县[3]于八极，曾不疑焉，今布三千日月，罗万二千天下[4]，恒沙阅国界，飞尘纪积劫，普冥化之所容，俱眇末其未央[5]，何独安我而疑彼哉。

夫秋毫处沧海，其悬犹有极也，今缀彝伦[6]于太虚，为藐胡可言哉？故世之所大，道之所小，人之所迩，天之所迹，所谓轩辕之前，遐哉邈矣者。体天道以高览，盖昨日之事耳。《书》称知远，不出唐虞，《春秋》属辞，尽于王业，《礼》《乐》之良敬，《诗》《易》之温洁，今于无穷之中，焕三千日月以列照，丽万二千天下以贞观，乃知周、孔所述，盖于蛮触[7]之域，应求治之粗感，且宁乏于一生之内耳，逸乎生表者，存而未论也。若不然也，何其笃于为始形，而略于为神哉？登蒙山而小鲁，登太山而小天下，是其际矣。且又坟典已逸，俗儒所编，专在治迹，言有出于世表，或散没于史策，或绝灭于坑焚。若老子、庄周之道，松、乔、列、真之术，信可以洗心养身，而亦皆无取于六经。而学者唯守救粗之阙文，以《书》《礼》为限断，闻穷神积劫之远化，炫目前而永忽，不亦悲夫。呜呼，有似行乎层云之下，而不信日月者也。

今称一阴一阳之谓道，阴阳不测之谓神者，盖谓至无为道，阴阳两浑，故曰一阴一阳也。自道而降，便入精神，常有于阴阳之表，非二仪所究，故曰阴阳不测耳。君平[8]之说，一生二，谓神明是也。若此二句，皆以明无，则以何明精神乎？然群生之神，其极虽齐，而随缘迁流，成粗妙之识，而与本不灭矣。今虽舜生于瞽，舜之神也，必非瞽之所生，则商均之神，又非舜之所育。[9]生育之前，素有粗妙矣，既本立于未生之先，则知不灭于既死之后矣。又，不灭则不同，愚圣则异，知愚圣生死不革不灭之分矣，故云精神受形，周遍五道，成坏天地，不可称数也。夫以累瞳之质，诞于顽瞽，嚚均之身，受体黄中，[10]愚圣天绝，何数以合乎？岂非重华之灵，始粗于在昔，结因往劫之先，缘会万化之后哉？今则独绝其神。昔有接粗之累，则练之所尽矣。神之不灭，及缘会之理，积习而圣，三者鉴于此矣。

若使形生则神生，形死则神死，则宜形残神毁，形病神困，据有腐败其身，或属圹临尽[11]，而神意平全者，及自牖执手[12]，病之极矣。而无变德行之主，斯殆不灭之验也。若必神生于形，本非缘合，今请远取诸物，然后近求诸身，夫五岳四渎[13]，谓无灵也，则未可断矣，若许其神，则岳唯积土之多，渎唯积水而已矣。得一之灵，何生水土之粗哉？而感托岩流，肃成一体，设使山崩川竭，必不与水土俱亡矣。

神非形作，合而不灭，人亦然矣。神也者，妙万物而为言矣。若资形以造，随形以灭，则以形为本，何妙以言乎？夫精神四达[14]，并流无极，上际于天，下盘于地，圣之穷机，贤之研微。逮于宰、赐、庄、嵇、吴札、子房[15]之伦，精用所乏，皆不疾不行，坐彻宇宙，而形之臭腐，甘嗜所资，皆与下愚同矣。宁当复禀之以生,随之以灭邪?又宜思矣。周公郊祀后稷,宗祀文王,世或谓空以孝,即问谈者,何以了其必空,则必无以了矣。苟无以了,则文、稷之灵,不可谓之灭矣。斋三日,必见所为斋者,[16]宁可以常人之不见,而断周公之必不见哉。嬴博之葬,曰"骨肉归于土,魂气则无不之"[17],非灭之谓矣。

【注释】

[1]宗炳(375~443):南朝宋时佛教居士,字少文,南阳涅阳(河南南阳镇平)人。善于书、琴、绘画,好游观。早年仕宦,义熙八年(412年)以后,入庐山,从慧远修净土。后辞慧远,隐遁江陵,与慧坚道交。研学般若空观,奉持观音及弥陀信仰。晚年,治城沙门慧琳著《白黑论》,主张形体凋弊心神亦随之散灭;另有何承天著《达性论》,批判佛教之报应说。宗炳针对这些议论,著《明佛论》《难白黑论》等,阐述人死精神不灭等佛教理论。

[2]奕世:累世。《国语·周语上》:"奕世载德,不忝前人。"

[3]赤县:即赤县神州,指中国。战国齐人邹衍创立"大九州"学说,谓:"中国名曰赤县神州。赤县神州内自有九州,禹之序九州是也,不得为州数。中国外如赤县神州者九,乃所谓九州也。"这一句是说,按照中国传统的宇宙观,以中国为中心,是难以理解佛教那种更为宏观的、无量无边的宇宙观的。

[4]布三千日月,罗万二千天下:佛教宇宙观,相当于三千大千世界。如《修行本起经》卷上:"迦夷卫者,三千日月、万二千天地之中央也,过去来今诸佛,皆生此地。"

[5]未央:无边无际。《老子》:"唯之与阿,相去几何?善之与

恶,相去何若? 人之所畏,不可不畏。荒兮其未央哉!"

[6]彝伦:常理、常道。《书·洪范》:"王乃言曰:'呜呼,箕子!惟天阴骘下民,相协厥居,我不知其彝伦攸叙。'"

[7]蛮触:《庄子·则阳》:"有国于蜗之左角者,曰触氏;有国于蜗之右角者,曰蛮氏。时相与争地而战,伏尸数万,逐北,旬有五日而后反。"后以"蛮触"为典,常以喻指为小事而争斗。这一句是说,人类居住的地球相对于广大的宇宙而言,只是蛮触而已。

[8]君平:即严遵,汉代道家学者,撰有《老子指归》,释《老子》第四十二章之"道生一,一生二"之"一"为神明。

[9]这一句据《史记·五帝本纪》的记载:舜父"瞽叟顽","常欲杀舜",而舜子商均不肖,指舜和瞽叟、商均有愚圣之别。瞽叟生舜,舜又生商均,他们所生的只是形体而不是神识。

[10]累瞳:指舜,因其生有重瞳;黄中:圣人,亦指舜。

[11]属纩:谓用新绵置于临死者鼻前,察其是否断气。《礼记·丧大记》:"属纩以俟绝气。"郑玄注:"纩,今之新绵,易动摇,置口鼻之上以为候。"属纩临尽即指临终之时。

[12]自牖执手:《论语·雍也》:"伯牛有疾,子问之,自牖执其手,曰:'亡之,命矣夫! 斯人也而有斯疾也! 斯人也而有斯疾也!'"

[13]五岳四渎:五岳为东岳泰山、西岳华山、南岳衡山、北岳恒山和中岳嵩山;四渎为长江、黄河、淮河、济水的合称。中国古人认为五岳四渎皆有神灵主宰。

[14]精神四达:《庄子·刻意》:"精神四达并流,无所不极,上际于天,下蟠于地,化育万物,不可为象。"

[15]宰、赐、庄、嵇、吴札、子房：古代几位贤人，分别指宰我、子贡、庄周、嵇康、季札、张良。

[16]《礼记·郊特牲》："君子三日斋，必见其所祭者。"

[17]《礼记·檀弓》："延陵季子适齐，于其反也，其长子死，葬于嬴博之间。孔子曰：'延陵季子，吴之习于礼者也。'往而观其葬焉，其坎深不至于泉，其敛以时服，既葬而封，广轮揜坎，其高可隐也。既封，左袒，右还其封，且号者三，曰：'骨肉归复于土，命也。若魂气则无不之也，无不之也。'而遂行。孔子曰：'延陵季子之于礼也，其合矣乎！'"

夫至治则天，大乱滔天，其要心神之为也。尧无理不照，无欲不尽，其神精也。桀无恶不肆，其神悖也，桀非不知尧之善，知己之恶，恶已亡也。体之所欲，悖其神也，而知尧恶亡之识，常含于神矣。若使不居君位，千岁勿死，行恶则楚毒交至，微善则少有所宽，宁当复不稍灭其恶，渐修其善乎？则向者神之所含，知尧之识，必当少有所用矣。又加千岁而勿已，亦可以其欲都澄，遂精其神，如尧者也。[1]

夫辰月变则律吕动，晦望交而蚌蛤应，分至[2]启闭，而燕、雁、龙、蛇，飒焉出没者，皆先之以冥化，而后发于物类也。凡厥群有，同见陶于冥化矣，何数事之独然，而万化之不尽然哉？今所以杀人而死，伤人而刑，及为缧绁[3]之罪者，及今则无罪，与今有罪而同然者，皆由冥缘前遘，而人理后发矣。夫幽显一也，衅遘[4]于幽而丑发于显，既无怪矣；行凶于显，而受毒于幽，又何怪乎？今以不灭之神，含知尧之识，幽显于万世之中，苦以创恶，乐以诱善，加有日月之宗，垂光助照，何缘不虚己钻仰[5]，一变至道乎？自恐往劫之桀纣，皆可徐成将来之汤、武。况今风情之伦，少而泛心于清流者乎。由此观之，人可作佛，其亦明矣。[6]

夫生之起也，皆由情兆。今男女构精，万物化生者，皆精由情构矣。情构于己，而则百众神受身，大似知情为生本矣。至若五帝三后，虽超情穷神，然无理不顺。苟昔缘所会，亦必循俯入精化，相与顺生，而敷万族矣。况今以情贯神，一身死坏，安得不复受一身，生死无量乎？识能澄不灭之本，禀日损之学[7]，损之又损，必至无为，无欲欲情，唯神独照，则无当于生矣。无生则无身，无身而有神，法身之谓也。

今黄帝虞舜，姬公孔父，世之所仰而信者也，观其纵辔升天，龙潜鸟飏，反风起禾，绝粒弦歌，[8]亦皆由穷神为体，故神功所应，倜傥无方也。今形理虽外，当其随感起灭，亦必有非人力所致而至者。……夫《洪范》庶征休咎[9]之应，皆由心来。逮白虹贯日，太白入昴[10]，寒谷生黍，崩城陨霜[11]之类，皆发自人情而远形天事，固相为形影矣。夫形无无影，声无无响，亦情无无报矣。岂直贯日陨霜之类哉？皆莫不随情曲应，物无遁形，但或结于身，或播于事，交赊纷纶，显昧渺漫，孰睹其际哉？众变盈世，群象满目，皆万世已来，精感之所集矣。故佛经云："一切诸法，从意生形。"又云："心为法本，心作天堂，心作地狱。"[12]义由此也。是以清心洁情，必妙生于英丽之境；浊情滓行，永悖于三途之域，何斯唱之迢遰，微明有实，理而直疏，魂沐想飞，诚悚志者哉。虽然，夫亿等之情，皆相缘成识，识感成形，其性实无也。自有津悟已来，孤声谼然，灭除心患，未有斯之至也。请又述而明之。

【注释】

[1]这一段用尧与桀为例,说明神不灭之理。尧善而桀恶,但恶的桀也并非不懂什么叫做善,只是由于"体之所欲,悖其神也",说明"神"自身无所谓善恶,只是随缘而已。当"其欲都澄"之时,桀也可以成为尧。

[2]分至:指春分、秋分、夏至、冬至四个节气。各种生物会随节气的变化而变化,包含微妙的天人感应的至理。

[3]缧絏:本为捆绑犯人的绳索,借指监狱、囚禁。

[4]衅(xìn):罪过、争端。遘(gòu):遇到、造成。这几句是说,罪业往往是在暗中造下的,而后果显现出来,人们往往看不到其中的因果关系。

[5]虚己钻仰:虚己:虚心。《韩诗外传》卷二:"君子盛德而卑,虚己以受人。"钻仰:研求。《论语·子罕》:"仰之弥高,钻之弥坚。"用此二典形容虚心求道。

[6]论证"众生皆有佛性""人人皆可成佛"之理,这一观点正是中国佛教的根本信仰。

[7]日损之学:《老子》第四十八章:"为学日益,为道日损,损之又损,以至于无为。无为无不为。取天下常以无事,及有其事,不足以取天下。"

[8]纵辔升天等四句:叙黄帝等事迹。纵辔升天指黄帝乘龙升天之事,见《史记·孝武本纪》:"黄帝采首山铜,铸鼎荆山下。鼎既成,有龙垂胡须下迎黄帝。黄帝上骑,群臣后宫从上龙七十余人,龙乃上去。余小臣不得上,乃悉持龙须,龙须拔,堕黄帝之弓。百姓仰望黄帝既上天,乃抱其弓与龙胡须号,故后世因名其处曰鼎湖。"龙潜鸟眺:指舜受父亲虐待而脱险之事。反

风起禾指周成王启周公《金縢》之书而获上天之助,见《尚书·周书·金縢》:"秋,大熟,未获,天大雷电以风,禾尽偃。……王出郊,天乃雨,反风,禾则尽起。"绝粒弦歌指孔子受困而歌诗之事,见《庄子·让王》:"孔子穷于陈蔡之间,七日不火食,藜羹不糁,颜色甚惫,而弦歌于室。"

[9]休咎:吉凶、善恶。《尚书·周书·洪范》:"初一日五行,次二日敬用五事,次三日农用八政,次四日协用五纪,次五日建用皇极,次六日乂用三德,次七日明用稽疑,次八日念用庶征,次九日向用五福,威用六极。"又谓:"庶征:曰雨,曰旸,曰燠,曰寒,曰风。"上天根据王者的政治表现而示现休咎,以警示统治者。佛教认为,这一切皆由人心而来。

[10]白虹贯日,太白入昴:昴(mǎo):白虎宿星。《史记·鲁仲连邹阳列传》:"昔者荆轲慕燕丹之义,白虹贯日,太子畏之;卫先生为秦画长平之事,太白蚀昴,而昭王疑之。"

[11]崩城陨霜:崩城指杞梁妻哭崩城墙事。陨霜:《论衡·感虚篇》:"邹衍无罪,见拘于燕,当夏五月,仰天而叹,天为陨霜。此与杞梁之妻哭而崩城,无以异也。"

[12]此处所引佛典为意引,类似说法在佛典中常见,如《法句经》:"心为法本,心尊心使。"《佛般泥洹经》:"心所欲图恶者莫听,当捡心,心当随人,人莫随心,心者误人,心杀身,心取罗汉,心取天,心取人,心取畜生虫蚁鸟兽,心取地狱,心取饿鬼,作形貌者,皆心所为。寿命,三者相随,心最是师。"

夫圣神玄照,而无思营之识者,由心与物绝,唯神而已。故虚明之本,终始常住,不可凋矣。今心与物交,不一于神,虽以颜子之微微,而必乾乾钻仰,好仁乐山,庶乎屡空[1]。皆心用乃识,必用用妙接,识识妙续,如火之炎炎,相即而成焰耳。今以悟空息心,心用止而情识歇,则神明全矣。则情识之构,既新故妙续,则悉是不一之际,岂常有哉?使庖丁观之,必不见全牛[2]者矣!佛经所谓变易离散之法,法识之性空,梦幻影响,泡沫水月,岂不然哉!颜子知其如此,故处有若无,抚实若虚,不见有犯而不校也。今观颜子之屡空,则知其有之实无矣。况自兹以降,丧真弥远,虽复进趋大道,而与东走之疾,同名狂者[3],皆违理谬感,遁天妄行,弥非真有矣。况又质味声色,复是情伪之所影化乎?且舟壑潜谢[4],变速奔电,将来未至,过去已灭,已在不住,瞬息之顷,无一毫可据,将欲何守而以为有乎?甚矣!伪有之蔽神也。今有明镜于斯,纷秽集之,微则其照蔼然,积则其照朏然[5],弥厚则照而昧矣。质其本明,故加秽犹照,虽从蔼至昧,要随镜不灭以之辩,物必随秽弥失,而过谬成焉。人之神理,有类于此。伪有累神,成精粗之识,识附于神,故虽死不灭。渐之以空,必将习渐至尽,而穷本神矣,泥洹[6]之谓也。是以至言云富,从而黥以空焉。夫岩林希微,风水为虚,盈怀而往,犹有旷然,况圣穆乎空,以虚授人,而不清心乐尽哉?是以古之乘虚入道,一沙一佛,未讵多也。(《弘明集》卷二)

【注释】

[1]屡空:《论语·先进》:"子曰:'回也其庶乎,屡空。赐不受命,而货殖焉,亿则屡中。'"朱熹《集注》:"屡空,数至空匮也。不以贫窭动心而求富,故屡至于空匮也。言其近道,又能安贫也。"

[2]不见全牛：《庄子·养生主》："臣之所好者道也，进乎技矣。始臣之解牛之时，所见无非全牛者。三年之后，未尝见全牛也。"

[3]东走之疾，同名狂者：《韩非子·说林上》：田伯鼎好士而存其君，白公好士而乱荆。其好士则同，其所以为则异。公孙友自刖而尊百里，竖习自宫而谄桓公。其自刑则同，其所以自刑之为则异。慧子曰："狂者东走，逐者亦东走。其东走则同，其所以东走之则异。故曰：'同事之人，不可不审察也。'"《淮南子·说山训》："狂者东走，逐者亦东走，东走则同，所以东走则异。溺者入水，拯者亦入水，入水则同，所以入水者则异。故圣人同死生，愚人亦同死生。圣人之同死生，通于分理；愚人之同死生，不知利害所在。"

[4]舟壑潜谢：《庄子·大宗师》："夫大块载我以形，劳我以生，佚我以老，息我以死，故善吾生者，乃所以善吾死也。夫藏舟于壑，藏山于泽，谓之固矣。然而夜半有力者负之而走，昧者不知也。"

[5]朏(fěi)然：微明貌。《庄子·德充符》："鉴明则尘垢不止，止则不明也。"

[6]泥洹：涅槃之古译，意为"灭度""寂灭"。佛教指诸佛证得的彻底地断除烦恼，具备一切功德，超脱生死轮回的境界。

《究竟慈悲论》

[梁]沈约[1]

释氏之教，义本慈悲，慈悲之要，全生为重。恕己因心，以身观物，欲使抱识怀知之类、爱生忌死之群，各遂厥宜，得无遗夭。而俗迷日久，沦惑难变，革之一朝，则疑怪莫启，设教立方，每由渐致。又以情嗜所染，甘腴为甚。嗜染于情，尤难顿革。是故开设三净[2]，用申权道。及《涅槃》后说，立言将谢，则大明隐恻，贻厥将来。

夫肉食蚕衣，为方未异，害命夭生，事均理一。燋[3]茧烂蛾，非可忍之痛。悬庖登俎[4]，岂偏重之业。而去取异情，开抑殊典，寻波讨源，良有未达。渔人献鲔[5]，肉食同有其缘。桑妾登丝，蚕衣共颁其分。假手之义未殊，通闭之详莫辩。访理求宗，未知所适。外典云："五亩之宅，树之以桑，则六十者可以衣帛矣；鸡豚狗彘勿失其时，则七十者可以食肉矣。"然则五十九年已前，所衣宜布矣。六十九年已前，所食宜蔬矣。[6]轻暖于身，事既难遣，甘滋于口，又非易亡，封而为言，非有优劣。宜枲麻果菜，事等义同，攘寒实腹，曾无一异。偏通绘纩，当有别途。

请试言之：夫圣道隆深，非思不洽，仁被群生，理无偏漏。拯粗去甚[7]，教义斯急，缯[8]衣肉食，非已则通。及晚说大典[9]，弘宣妙训，禁肉之旨，载现于言，黜缯之义，断可知矣。而禁净之始，犹通蚕革，盖是敷说之仪，各有次第。亦犹阐提二义，俱在一经，两说参差，各随教立。若执前迷后，则阐提无入善之涂；

37

禁净通蚕,则含生无有顿免之望。难者又以阐提入道,闻之后说,蚕革宜禁,曾无概理,大圣弘旨,义岂徒然!

夫常住密奥,传译遐阻,泥洹始度,咸谓已穷。中出河西,方知未尽。关中晚说,厥义弥畅[10]。仰寻条流,理非备足。又案《涅槃》,初说阿阇世王、大迦叶、阿难三部徒众,独不来至。既而二人并来,惟无迦叶。迦叶,佛大弟子,不容不至,而经无至文,理非备尽。昔《涅槃》未启,十数年间,庐阜名僧已有蔬食者矣,岂非乘心闇践,自与理合者哉。且一朝裂帛,可以终年,烹牢[11]待膳,亘时引日。然则一岁八蚕,已惊其骤,终朝未肉,尽室惊嗟。拯危济苦,先其所急,敷说次序,义实在斯。外圣又云:"一人不耕,必有受其饥者。"故一人躬稼,亦有受其饱焉。桑野渔川,事虽非已,炮肉裂缯,咸受其分。自《涅槃》东度,三肉罢缘,服膺至训,操概弥远,促命有殚,长蔬靡倦。秋禽夏卵,比之如浮云;山毛海错,事同于腐鼠。而茧衣纩服[12],曾不惟疑。此盖虑穷于文字,思迷于弘旨。通方深信之客,庶有鉴于斯理。斯理一悟,行迷克反。断蚕肉之因,固蔬枲[13]之业,然则含生之类,几于免矣。(《广弘明集》卷二十六)

【注释】

[1]沈约(441~513):南朝梁文学家。字休文,吴兴武康(今浙江德清)人。历仕宋、齐、梁三代,在梁代官至尚书令,封建昌县侯。死后谥号为隐。沈约为当时著名文人,所著《宋书》为"二十四史"之一。信奉佛教,撰有文集百余卷,有关佛学之论著多收于《广弘明集》中。《究竟慈悲论》一文,呼应梁武帝《断酒肉文》的提倡,从佛教和儒家经典中找到佛教徒应慈悲不杀,坚

持素食布衣的依据。文章典雅精湛，言简义丰，阐发深入。

[2]三净：即三净肉。根据小乘佛教的戒律，佛教徒可以食用三净肉。《十诵律》卷三七："我听啖三种净肉。何等为三？不见，不闻，不疑。"大乘佛教认为这是因为一般佛教信徒难以立即断除肉食，故小乘戒中设变通之法，允许食用不见杀、不闻杀、不疑为我杀三种肉食。后因称这三种肉为"三净肉"。

[3]爚(yuè)：用火烧。这里指制作蚕丝。

[4]悬庖登俎：庖为厨房，俎为切肉时垫在下面的砧板。这里指为了食用动物肉体而杀生。

[5]鲔(wěi)：鲟鱼和鳇鱼的古称。《诗经·周颂·臣工之什》"有鳣有鲔"句，《毛诗正义》谓："季冬荐鱼，春献鲔也。冬鱼之性定，春鲔新来，荐献之者，谓于宗庙也。"

[6]《孟子·梁惠王上》："五亩之宅，树之以桑，五十者可以衣帛矣。鸡豚狗彘之畜，无失其时，七十者可以食肉矣。"沈约引用此语，解释说：既然说五十者可以衣帛，七十者可以食肉，那么就证明在四十九岁之前和六十九岁之前就不可以衣帛和食肉。这虽然是对儒家经典的一种曲解，但为了证明其戒杀的用意是可以理解的。

[7]甚：过分。《老子》第二十九章："是以圣人去甚，去奢，去泰。"

[8]缯(zēng)：古代对丝织品的总称。

[9]晚说大典：指佛陀临终前演说《大般涅槃经》，是为大乘了义之经，彻底演畅如来之本怀。在这部经中，明确指出佛教徒应该断肉食，也成为中国佛徒自此后断肉素食的根本经典一句。此经卷四提出"净肉"为临时所制的方便："善男子，从今

日始,不听声闻弟子食肉;若受檀越信施之时,应观是食如子肉想。"迦叶菩萨复白佛言:"世尊,云何如来不听食肉?""善男子,夫食肉者断大慈种。"迦叶又言:"如来何故先听比丘食三种净肉?""迦叶,是三种净肉,随事渐制。"迦叶菩萨复白佛言:"世尊,何因缘故,十种不净乃至九种清净而复不听?"佛告迦叶:"亦是因事渐次而制,当知即是现断肉义。"此外,如《梵网经·菩萨心地戒品》云:"若佛子故食肉,一切肉不得食,断大慈悲佛性种子,一切众生见而舍去,是故一切菩萨不得食一切众生肉,食肉得无量罪。"都认为杀生即断大悲种,这是佛法最根本的教诫。其根本的理论依据即"一切众生皆有佛性",既然如此,就不应该杀害一切众生。

[10]关中晚说,厥义弥畅:这是说中国人对于《大般涅槃经》的理解有一个过程,所谓"关中晚说"指昙无谶于公元412年后译出的《北本涅槃经》,只有这部经典才鲜明地揭示了"一切众生皆有佛性","阐提亦能成佛"等大乘佛教的根本要旨。

[11]牢:原为古代祭礼用的牛、羊、豕三牲,这里应泛指各种肉食动物。

[12]纩服:用蚕丝织品制成的衣服。因丝织品成衣的过程亦伤害蚕的生命,故佛教不但提倡素食,也提倡不穿丝织衣物,而代之以麻布。

[13]枲(xǐ):麻布。"固蔬枲之业"指提倡农耕,以满足衣食之需。

《童蒙止观》[1]（节选）

[隋]智顗[2]

夫行者初学坐禅，欲修十方三世佛法者，应当先发大誓愿，度脱一切众生，愿求无上佛道，其心坚固，犹如金刚，精进勇猛，不惜身命，若成就一切佛法，终不退转。然后坐中思维一切诸法真实之相。所谓善、不善、无记法，内外根尘[3]妄识一切有漏烦恼法，三界有为生死因果法，皆因心有。故《十地经》云："三界无别有，唯是一心作。若知心无性，则诸法不实。"心无染著，则一切生死业行止息。作是观已，乃应如次起行修习也。

云何名调和？今借近譬，以况斯法。如世间陶师，欲造众器，须先善巧调泥，令使不强不懦[4]，然后可就轮绳；亦如弹琴，前应调弦，令宽即得所，方可入弄，出诸妙曲。行者修心，亦复如是，善调五事，必使和适，则三昧易生；有所不调，多诸妨难，善根难发。

一、调食者。夫食之为本，本欲资身进道。食若过饱，则气急心满，百脉不通，令心闭塞，坐念不安；若食过少，则身羸心悬，意虑不固。此二皆非得定之道。若食秽触之物，令人心识昏迷；若食不宜之物，则动宿病，使四大违反[5]。此为修定之初，须深慎也。故《经》云："身安则道隆，饮食知节量，常乐在空闲，心静乐精进，是名诸佛教。"

二、调睡眠者。夫眠是无明惑覆，不可纵之。若其眠寐过多，非唯废修圣法，亦复丧失功夫，而能令心闇昧，善根沉没。

当觉悟无常[6],调伏睡眠,令神气清白,念心明净,如是乃可栖心圣境,三昧现前。故《经》云:"初夜后夜[7],亦勿有废,无以睡眠因缘,令一生空过,无所得也。"当念无常之火,烧诸世间,早求自度,勿睡眠也。

三、调身,四、调息,五、调心。此三应合用,不得别说;但有初中后方法不同,是则入住出相有异也。

夫初欲入禅调身者:行人欲入三昧调身之宜,若在定外,行住进止,动静运为,悉须详审。若所作粗犷,则气息随粗,以气粗故,则心散难录,兼复坐时烦愦,心不恬怡[8]。身虽在定外,亦须用意逆作方便。后入禅时,须善安身得所。

初至绳床[9],即须先安坐处,每令安稳,久久无妨。

次当正脚。若半跏坐,以左脚置右脚上,牵来近身,令左脚指与右脚齐,右脚指与左齐。若欲全跏,即正右脚置左脚上。

次解宽衣带周正,不令坐时脱落。次当安手。以左手掌置右手上,重累手相对,顿置左脚上,牵来近身,当心而安。

次当正身,先当挺动其身,并诸支节,作七八反,如似按摩法,勿令手足差异如是已则端直,令脊骨勿曲勿耸。

次正头颈,令鼻与脐相对,不偏不斜,不低不昂,平面正住。

次当口吐浊气。吐气之法,开口放气,不可令粗急,以之绵绵,恣气而出,想身分中百脉不通处,放息随气气而出。闭口,鼻纳清气。如是至三。若身息调和,但一亦足。次当闭口,唇齿才相拄著,舌向上龈。次当闭眼,才令断外光而已。当端身正坐,犹如奠石,无得身首四肢切尔摇动。是为初入禅定调身之法。举要言之,不宽不急,是身调相。

四、初入禅调息法者：

息有四种相：

一风、二喘、三气、四息。前三为不调相，后一为调相。

云何为风相？坐时则鼻中出入觉有声，是风也。

云何喘相？坐时息虽无声，而出入结滞不通，是喘相也。

云何气相？坐时息虽无声，亦不结滞，而出入不细，是气相也。

云何息相？不声不结不粗，出入绵绵，若存若亡，资神安稳，情抱悦豫[10]，此是息相也。守风则散，守喘则结，守气则劳，守息则定。坐时有风喘气三相，是名不调，而用心者，复为心患，心亦难定。

若欲调之，当依三法：一者下著安心，二者宽放身体，三者想气遍毛孔出入，通同无障。若细其心，令息微微然。息调则众患不生，其心易定。是名行者初入定时调息方法。举要言之，不涩不滑，是调息相也。

五、初入定时调心者：

有三义：一入、二住、三出。

初入有二义：一者调伏乱想，不令越逸[11]，二者当令沈浮宽急得所。何等为沈相？若坐时心中昏暗，无所记录，头好低垂，是为沈相。尔时当系念鼻端，令心住缘中，无分散意，此可治沈。何等为浮相？若坐时心好飘动，身亦不安，念外异缘，此是浮相。此时宜安心向下，系缘脐中，制诸乱念，心即定住，则心易安静。举要言之，不沈不浮，是心调相。

其定心亦有宽急之相：定心急病相者，由坐中摄心用念，因此入定，是故上向胸臆急痛。当宽放其心，想气皆流下，患自差矣。若心宽病相者,觉心志散慢,身好逶迤,或口中涎流,或时闇晦。尔时应当敛身急念,令心住缘中,身体相持,以此为治。心有涩滑之相,推之可知,是为初入定调心方法。

夫人定是从粗入细,是身既为粗,息居其中,心最为细静。调粗就细,令心安静,此则入定初方便也,是名初入定时调三事也。

二、住坐中调三事者:

行人当于一坐之时,随时长短,十二时,或经一时,或至二三时,摄心用念。是中应须善识身息心三事调不调相。若坐时向虽调身竟,其身或宽或急,或偏或曲,或低或昂,身不端直,觉已随正,令其安隐,中无宽急,平直正住。

复次一坐之中,身虽调和,而气不调和。不调和相者,如上所说,或风、或喘、或复气急,身中胀满,当用前法随而治之,每令息道绵绵,如有如无。

次一坐中,身息虽调,而心或沈浮宽急不定,尔时若觉,当用前法调令中适。此三事的无前后,随不调者而调适之,令一坐中,身息及心三事调适,无相乖越,和融不二,此则能除宿患,妨障不生,定道可克。

三、出时调三事者:

行人若坐禅将竟,欲出定时,应前放心异缘,开口放气,想从百脉随意而散,然后微微动身,次动肩膊及手头颈,次动二足,悉令柔软,次以手遍摩诸毛孔,次摩手令暖。以合两眼,然后开之。待身热稍歇,方可随意出入。若不尔者,坐或得住心,出既顿促,则细法未散,住在身中,令人头痛,百骨节疆,犹如风劳,于后坐中烦燥不安。是故心欲出定,每须在意。此为出定调身息心方法。以从细出鹿故,是名善入住出。如偈说:进止有次第,粗细不相违,譬如善调马,欲往而欲去。

《法华经》云:"此大众诸菩萨等,已于无量千万亿劫,为佛道故,勤行精进,善入住出无量百千万亿三昧,得大神通,久修梵行,善能次第习诸善法。"(《童蒙止观·调和第四》)

【注释】

[1]《童蒙止观》:又名《修习止观坐禅法要》《小止观》等。隋代智𫖮述,相传乃智者大师为其俗兄陈针所作。计分具缘、诃欲、弃盖、调和、方便、正修、善发、觉魔、治病、证果十章。本书即《摩诃止观》之梗概,为入道之枢机,历来天台家极为推重。本书所选为其中《调和》一篇,阐述禅坐时调和身心的方法,层次分明,结构严谨。佛门中这种偏于实用的文体对于中国文学的影响也值得重视。

[2]智𫖮(538~597):陈、隋时僧人,天台宗实际开创者。出家后依慧思学四安乐行,证悟法华三昧。陈亡后,移住庐山。隋开皇十一年(591),应晋王杨广之请到扬州为之授戒,受智者称号,人称智者大师。智𫖮宣扬教法30余年,提倡止观双运和解行并进,一变当时南重义解、北重禅观的学风,博得朝野和佛教四众的敬仰。主要著作有《法华玄义》《法华文句》和《摩诃止观》各20卷,合称天台三大部。

[3]根尘:佛家谓眼、耳、鼻、舌、身、意为六根,色、声、香、味、触、法为六尘。色之所依而能取境者谓之根;根之所取者,谓之尘。合称根尘。《楞严经》卷五:"根尘同源,缚脱无二。"

[4]懦:柔软。《韩非子·内储说上》:"夫火形严,故人鲜灼;

水形懦,人多溺。"

[5]四大违反:即四大不调。四大为佛教之元素说,谓物质(色法)系由地、水、火、风等四大要素所构成,包括:(一)本质为坚性,而有保持作用者,称为地大。(二)本质为湿性,而有摄集作用者,称为水大。(三)本质为暖性,而有成熟作用者,称为火大。(四)本质为动性,而有生长作用者,称为风大。人的身体亦由四大构成,当地、水、火、风不调和便会生病,称为四大不调。

[6]无常:佛教谓一切有为法皆由因缘而生,依生、住、异、灭四相,于刹那间生灭,而为本无今有、今有后无,故总称无常。

[7]初夜后夜:古代印度将昼夜分为六时,即晨朝、日中、日没(以上为昼三时)、初夜、中夜、后夜(以上为夜三时),每段为4个小时,佛典亦沿承其说。

[8]恬怡:安静快乐。

[9]绳床:一种可以折叠的轻便坐具。以板为之,并用绳穿织而成,又称"胡床""交床"。

[10]悦豫:喜悦,愉快。班固《两都赋》序:"是以众庶悦豫,福应尤盛。"

[11]越逸:逃窜,指心神散乱。

《破邪论》[1]（节选）

[唐]法琳[2]

　　夫释迦者，译云能仁[3]，言德充道备，堪济万物也。然法身二义，一曰真实，二谓权应。真身谓至极之体，妙绝拘累，不得以方处期，不可以形量限，有感斯应，体常湛然。应身者，积劫行因，亿生求果，和光六道，同尘万类，生灭随时，修短为物。形由感生，体非实有，权形虽谢，法体不迁。但时无妙感，故莫得常见也。世说云："鲁人尚不贵东家丘[4]，邪见岂信有西方佛？"根深难拔，悲夫！

　　或者问曰："岂其然耶？请喻斯旨。"论者对曰："子不闻乎？夫瞽者无以与乎文章之观，聋者无以与乎钟鼓之声。盖知十恶[5]波浪，易动心源，万善枝条，难抽意树。良以凡夫颠倒，渴爱所烧，妄想攀缘，身心放逸。激五欲浪，漂二死[6]河，常在黑闇崖下、无明波底，长夜睡眠，处于梦宅。莫醒回天之醉，讵知迷乱之色。昏昏永劫，役役偷生。乃复随逐邪师，亲近恶友，咆哮狂象[7]，放恣心猿[8]。起六十二之见山[9]，泛九十八之使海[10]。耽湎行厕，恋著画瓶[11]。扇八魔风，吹三毒火，纵六入[12]贼，盗五阴城。不忧二鼠之危，恒兴四蛇之怒。[13]信其牛羊之眼，发其枭镜[14]之凶。于是立我慢幢，声自大鼓，翻覆毁誉之口，夸企儒墨之谈，反表为里，颠裳为衣[15]。败俗伤真，间朋乱友，陵辱三宝，欺侮二亲。轻忽冥只，呵骂风雨。与鬼神为仇隙，与骨肉为怨憎。自矜自高，不仁不孝，恃其管见，愚谓指南。何异蚏蛆之甘臭蟥,鸱枭之嗜腐鼠[16]。以毒为美,深可畏哉!靡虑将来之辜,不愁地狱之报。嗟乎!肆一言之祸,招万劫之殃。致使沉滞幽涂,沦历恶道,入铜狗铜蛇之网,居八寒八热之城[17]。锯解磨磨,炉烧镬煮,餐灰食火,啖雪吞冰,处处燋然,心心苦楚,百骸九窍,撩乱刀锋,五脏四肢,纷披剑锷。所以然者,皆由拨无因果,谤出世间,破和合僧,不信正法,邪见根深之所致也。况复舍身受身,常婴[18]三界,从狱至狱,不离三涂。大圣观已兴悲,至人为之流恸。故知善恶之理,如响应声,报施之征,似形带影,可不慎欤!可不慎欤!(《破邪论》卷下)

【注释】

[1]《破邪论》:二卷,唐代法琳撰。唐武德四年(621年),太史令傅奕上书唐高祖,以为寺塔、僧尼多于国有害,列述十一条,极力排佛,主张废除佛教、沙门还俗,充满鄙视和歧视佛教僧徒的言论。法琳著此论辨破之,据理反驳傅奕之邪说,傅奕之议因而不行,为唐代佛教之发展创造了条件。

[2]法琳(572~640):唐初僧人,俗姓陈,原籍颍川。唐初,住济法寺,著《破邪论》,反驳傅奕排佛邪见。此论出后,虞世南特为写了一篇序文,风行一时。又,武德初年亦有道士李仲卿、刘进喜等著《十异九迷论》和《显正论》等论贬量佛教,法琳为此又造论破斥,成《辩正论》八卷十二篇。因此论被认为有讪谤皇帝祖宗之言辞,唐太宗大怒,下令逮捕法琳,并亲自审问,当时问答有二百余集。太宗又下诏,令法琳念观音七天,届期行刑,看有无灵感。到期又遣人询问,法琳对答从容。太宗闻报欢喜,谕令免刑,又召法琳细问佛道优劣,法琳对答如流,太宗遂释

其罪。法琳堪称唐代初期为佛教争取地位的一位杰出的辩士和勇士。

[3]译云能仁："能仁"为"释迦"之意译,有守护身、语、意业,远离不善烦恼之意。

[4]鲁人尚不贵东家丘:据《孔子家语》载,孔丘的西邻不知孔丘的才学出众,轻蔑地称之为"东家丘"。颜之推《颜氏家训·慕贤》:"世人多蔽,贵耳贱目,重遥轻近,少长周旋,如有贤哲,每相狎侮,所以鲁人谓孔子为东家丘。"陈善《扪虱新话·传记夫子神怪》:"夫子方无恙之日,伐木于宋,削迹于卫,穷于商周,阨于陈蔡,人以为是东家丘也。"后常用为才高而不被世人所识者的典故。本文用"东家丘"对"西方佛",相当巧妙,表示俗人难解大道。

[5]十恶:佛教以杀生、偷盗、邪淫、妄语、两舌、恶口、绮语、贪欲、瞋恚、邪见为十恶。《南齐书·高逸传论》:"今则十恶所坠,及五无间,刀树剑山,焦汤猛火,造受自贻,罔或差贰。"

[6]二死:指分段生死和变易生死。一切众生,在三界六道中,由于善恶业所感,其寿命皆有分限,其身形皆有段别,故其生死,名"分段生死";三乘圣者,已断见思惑,了分段生死,但因修道的结果,迷想渐灭,证悟渐增,此迷悟的迁移,每一期皆不同,其中由前期移入后期,恰如一度生死,名为"变易生死"。

[7]狂象:佛典以众生妄心之狂迷,譬之狂象。《涅槃经》卷三十一:"心轻躁动转,难捉难调。驰骋奔逸,如大恶象。"

[8]心猿:佛典以喻众生攀缘外境、浮躁不安之心有如猿猴。《维摩经·香积佛品》:"以难化之人,心如猿猴,故以若干种法,制御其心,乃可调伏。"

[9]六十二之见山:指古代印度外道所执之六十二种错误见解,有各种不同说法,一般多以《大智度论》的说法为准:于五蕴之上皆作四句,即过去之五蕴各有常、无常、常无常、非常非无常四句,成二十句;现在之五蕴各有有边、无边、有边无边、非有边非无边四句,成二十句;未来之五蕴各有如去、不如去、如去不如去、非如去非不如去四句,成二十句,合为六十句,加神与身一、神与身异等断、常二句,总成六十二见。

[10]九十八之使海:又作"九十八随眠",随眠为烦恼之异称。烦恼常随逐于人,故称随;其状体幽微难知,如眠性,故称为眠。其中,见惑有八十八随眠,修惑有十随眠。此乃以贪、嗔、痴、慢、疑、身、边、邪、取、戒等十随眠,配于三界五部,即欲界见苦所断之十种、见集所断七种、见灭所断七种、见道所断八种及欲界修惑所断之四种,共为三十六种,又色、无色界于五部各有三十一种,合为九十八种。

[11]画瓶:绘画精美的瓶。佛教以喻虚幻易坏的人身。又谓人身如盛粪的画瓶,身为幻相,乃诸苦所集。梁简文帝《六根忏文》:"愿舍此画瓶,得彼金色,净宝珠之法饰,煎瑠璃之慧体,长归五分,永等十身。"

[12]六入:又作六处。指眼、耳、鼻、舌、身、意等六根,或色、声、香、味、触、法等六境。六根为内之六入,六境为外之六入,总称十二入,亦作十二处。

[13]二鼠四蛇:佛教以白鼠喻白昼、太阳,以黑鼠喻黑夜、月亮,又以四蛇喻四大。

[14]枭镜:即枭獍,旧说枭为恶鸟,生而食母;獍为恶兽,生而食父。比喻忘恩负义之徒或狠毒的人。

[15]颠裳为衣:《诗·齐风·东方未明》:"东方未明,颠倒衣裳。原意谓急促惶遽中不暇整衣,后引申为举止失措,是非颠倒。

[16]鸱枭之嗜腐鼠:《庄子·秋水》:"鸱得腐鼠,鹓雏过之,仰而视之曰'吓'!"

[17]八寒八热之城:指八寒地狱和八热地狱。八寒地狱又名八寒冰地狱,即额浮陀、尼罗浮陀、呵罗罗、阿婆婆、呕睺睺、郁波罗、波头摩、芬陀利,此八狱在铁围山底;八热地狱又名八炎火地狱,即等活、黑绳、众合、叫唤、大叫唤、炎热、众热、无间,此八狱在阎浮地下,五百由旬处,重累而住。

[18]婴:纠缠,羁绊。

《辩正论》[1]（节选）

[唐]法琳

儒生问曰："圣人制法，皆有所因，请为详之，愿闻厥趣。"

开士喻曰："昔有无名野老，不知何许人，未详其姓字。住青溪千仞之南，紫台七盘之北，地居形胜，山号膏腴，门枕危峰，檐临碧涧。忘忧长乐，既霏靡[2]于闲庭，荷盖莲衣，亦纷披于曲沼。云楼暂起，影丽朝川，霞锦才舒，光含近日。布濩[3]扫坛之竹，争列翠于中园，葳蕤覆井之桐，竞垂阴于野院。阶繁倒柳，户挂悬萝。卧石似床，久横林下，飞泉若雨，每洒窗前。松风将鹤唳俱哀，春鸟共樵歌并韵。实栖心之福地，遁世之桃源者矣。余久承灵异，始遂经过。以己未之年、仲夏之月，担簦[4]策杖，自远造焉。野老乃抚汲郡之鸣琴，动苏门[5]之鼓吹，因歌白雪之曲，乍咏青山之篇，其辞曰：'元淑世位卑，长卿宦情寡。二顷且营田，三钱聊饮马。悬峰白云上，挂月青山下。中心欲有言，未得忘言者。'余因让曰：'夫象以表意，得意则象忘[6]。言以显理，入理则言息。故知以言得理，不待请而自谈，假象会意，必藉机而后动。彼以无言言之，此亦无听听之。言其不言，理自玄会，听无所听，归乎大通。所以口无择言，故天下则之，言不虚运，故世界仰之。'"

于是野老放琴避席，执手而喜曰："仆得人矣！仆得人矣！"便引余临风亭，游月馆，开文苑，肆书厨。阅孔壁之遗经，睹汲冢之余记。[7]寻东观、南宫[8]之典，讨玉函、丹枕[9]之方。寓目久之，因而问曰："贫道受身不利，恒抱沉痼，且病入膏肓，医药无效。累年将饵，未觉有瘳。至于照雪聚萤[10]，筋力已倦，九流七略，难甚攀天。万卷百家，杳犹行海。先生既明白四达，世号通人，请问人间之书凡有几许？窥读利己，何者最益？"野老闻之，怆然改容，良久而言曰："昔习郁屈弥天之对[11]，阚泽推登地之言[12]，匠者之前，难为斤斧。虽然，《礼》云无言不酬，岂应结舌，今粗扬搉[13]，奉报德音。观夫遂古无书，刊符著信，既龟负文来，鸟行字出[14]。圣人命而作记，苍颉[15]采以成书。而无书不要，无智不览。"余乃又诘之曰："未见佳人不读书，读书未必令人佳，奚斯言之异耶？"野老重答余曰："本资识敏，事兼木雁，琢玉成器，岂虚言哉！昔牛首蛇身之君，结网茹毛之后，淳朴自然，曾无典则。及离连纪号，栗陆[16]肇兴，而夫子所知七十余代，此外绵远，圣不能忆。庖炎[17]既降，轩顼[18]递兴，封建骤启，因存简册。及乎文质相贸，道踬词华，于是虞置上庠，夏开西序，殷称右学，周设东郊。[19]洎亡秦坑爇，篇籍泯弃，鸿汉聿修，尊儒重业。有济南伏生[20]，口以传授。或逢漆书，开于汲冢，或值残经，出于孔壁。寻祚鸠聚，坟素[21]稍多。……法师，佛教可得闻乎？请试言之，以开未悟。"

余对之曰："内将外反，真与俗乖，虽迹异九流，理难一致，唯达观之士，方能会通。若欲统其指归，详其始末者，则性相[22]无以涉其门，色心不能到其境，忘言绝虑，既杜口于毗耶，尽照穷神，爰掩室于摩竭。冲邃幽简，羲和[23]之职讵知？微密希夷，上林[24]之书不载。寻夫真土应土，皆沐慈风，上方下方，咸沾圣教。创于鹿野，终彼鹤林[25]。则有三藏三轮之文，四乘四阶[26]之说，半字满字[27]之弘旨，贯花散花[28]之别谈。滔滔焉涌难竭之泉,湛湛焉垂长生之露。其言巧妙,其义深远,譬八河之归海,犹万象之趋空。难解难入,称诸佛任理之经,随类随宜,号至人权化之典。自雒水纡玺书[29]之颂,芳园立华盖之祠,朱士行[30]之高流,饮耨池之八味。郄嘉宾[31]之世族,佩伽陀之一丸,莫不同悟己身等有佛性,体兹烦恼即是菩提。假令疏通知远之书,玉洞金章之字,子房授履之术[32],文喜[33]问道之篇。语未涉于空空,事终沦于有有。并挂八魔之网,还萦四倒之笼,先生向谈,孰为尽善?"野老谢曰:"谓老将智,耄又及之,略听法音,恍焉如失。敬闻命矣,当具奉行!"(《辩正论》卷七《品藻众书篇》)

【注释】

[1]《辩正论》:参看上篇"法琳"注释。本节所选,假托佛门法师与一位儒门无名野老相互谈论儒佛典籍,而颂扬佛教典籍至大至圣,其他众书难以企及。其中所谓"达观之士,方能会通",即寓有佛教包含众理,无有遗漏的含义。清人龚自珍所谓"儒但九流一,魁儒安足为?西方大圣书,亦扫亦包之"(《集外未刻诗·题梵册》),实即此意。法琳的文章词采华美,而论理深刻,实为唐初骈文大家,而一般文学史甚少关注。

[2]霍(huò)靡:草木茂密貌。

[3]布濩(hù):遍布、布散。

[4]担簦:背着伞,谓奔走、跋涉。张孝祥《卜算子》:"万里去担簦,谁识新丰旅。"

[5]苏门:山名,在河南省辉县西北,又名苏岭、百门山。晋代孙登曾隐居于此。《晋书·阮籍传》:"籍尝于苏门山遇孙登,与商略终古及栖神导气之术,登皆不应,籍因长啸而退。至半

岭,闻有声若鸾凤之音,响乎岩谷,乃登之啸也。"

[6]得意则象忘:谓只取其精神而忽略其形式,意同于《庄子·外物》:"言者所以在意,得意而忘言。"梁肃《止观统例议》:"非夫聪明深达,得意忘象,其孰能知乎?"

[7]孔壁汲冢:孔子故宅的墙壁。据传古文经出于壁中,故著称。《汉书·鲁恭王馀传》:"恭王初好宫室,坏孔子旧宅以广其宫,闻钟磬琴瑟之声,遂不敢复坏,于其壁中得古文经传。"晋太康二年,汲郡人不准盗发魏襄王墓所得的数十车竹书。内有《纪年》《易经》《易繇阴阳卦》等计七十五篇,竹书皆先秦科斗字。在此指挖掘出来的儒家经典。

[8]东观、南宫:东观指宫中藏书之所。南宫则为皇室及王侯子弟的学宫。庚信《皇夏乐》:"南宫学已开,东观书还聚。"

[9]玉函、丹枕:玉制的匣子和枕头,一般指道教典籍。葛洪《抱朴子·地真》:"九转丹、金液经、守一诀,皆在昆仑五城之内,藏以玉函,刻以金札,封以紫泥,印以中章焉。"

[10]照雪聚萤:映着雪光、收聚萤光以照明读书。

[11]习郁屈弥天之对:习指东晋名士、史学家习凿齿,他对当时的高僧道安非常敬仰。慧皎《高僧传》卷五《道安传》载:"及闻(道)安至止,即往修造,既坐,称言:'四海习凿齿。'安曰:'弥天释道安。'时人以为名答。"屈弥天之对指习凿齿对于道安的妙答非常折服。

[12]阚泽推登地之言:阚泽,会稽山阴人,东汉末及三国时期的学者。《佛祖统纪》卷五十一:"吴主(孙)皓问佛法于阚泽。答曰:'孔老法天,诸天奉佛。'"

[13]扬榷(què):榷同"推",扼要论述。

[14]龟负文来,鸟行字出:张彦远《法书要录》卷七:"颉首四目,通于神明,仰观奎星圆曲之势,俯察龟文鸟迹之象,博彩众美,合而为字,是曰古文。"

[15]苍颉:又作仓颉,古代传说中的汉字创造者。《史记》据《世本》以为是黄帝时的史官。

[16]栗陆:传说中的上古帝王名,在女娲氏之后。

[17]庖炎:伏羲(又作"庖牺")与炎帝。

[18]轩顼:传说中的古代帝王轩辕和颛顼的并称。

[19]上庠、西序、右学、东郊:《礼记·王制》:"有虞氏养国老于上庠,养庶老于下庠。夏后氏养国老于东序,养庶老于西序。殷人养国老于右学,养庶老于左学。周人养国老于东胶,养庶老于虞庠,虞庠在国之西郊。"

[20]伏生:汉时济南人,名胜,或云字子贱。原秦博士,治《尚书》。始皇焚书,伏生以书藏壁中。汉兴后,求其书已散佚,仅得二十九篇,以教于齐鲁间。文帝即位,闻其能治《尚书》,欲召之。然伏生年已九十余,老不能行,乃诏太常使掌故晁错往受之。西汉《尚书》学者,皆出其门下。

[21]坟素:泛指古代典籍。《三国志·魏志·管宁传》:"敷陈坟素,坐而论道。"

[22]性相:性指事物的本质,相指事物的表象,佛教用以概括事物的两个层面。《大智度论》卷三一:"有人言性相小有差别。性言其体,相言可识……如火,热是其性,烟是其相。"

[23]羲和:羲氏和和氏的并称。传说尧曾命羲仲、羲叔、和仲、和叔两对兄弟分驻四方,以观天象,并制历法。《书·尧典》:"乃命羲和,钦若昊天,历象日月星辰,敬授人时。"

[24]上林:古宫苑名。秦旧苑,汉初荒废,至汉武帝时重新扩建。司马相如《上林赋》铺写上林苑之景物影响甚大。

[25]鹤林:指佛入灭之处。佛于娑罗双树间入灭时,林色变白,如白鹤之群栖,故称。

[26]四阶:即四阶成佛,指小乘菩萨得道成佛之四阶段,包括三祇、百劫、菩萨最后身断、三十四心断结成道等漫长的阶段。

[27]半字满字:指梵语悉昙章之生字根本,如摩多(母音)十二字、体文(子音)三十五字等各别偏立,未成全字,以义未具足,故称半字;摩多、体文相合而成全字,以义理皆具足,故称满字。这里应泛指梵文经典。

[28]贯花散花:佛教传说,佛祖说法时,感动天神散落各色香花。后因以"贯花散花"喻佛教的精义妙旨。

[29]雒水纡玺书:指所谓河图雒书,古代儒家关于《周易》卦形来源及《尚书·洪范》"九畴"创作过程的传说。《易·系辞上》:"河出图,洛出书,圣人则之。"

[30]朱士行:三国魏僧人。汉族地区僧人最早西行求法者。出家后感佛典文句艰涩,难以理解,因而发愿西行寻找原本。甘露五年(260年)从长安出发,到当时大乘经典集中地于阗得《放光般若经》梵本,其后由无罗叉和竺叔兰等译出。朱士行终身未回汉地,80岁病死于阗。

[31]郗嘉宾:即郗超(336~378),东晋名士,字景兴,小字嘉宾。原信奉天师道,然与支遁、竺法汰等高僧交游,渐对佛教起信。曾任大司马桓温之参军。于丧母之后辞去司徒左长史之职,此后不再任官。著有佛教论著《奉法要》《明感论》《全生论》

等。以上用朱士行和郗超分别代指早期的僧人和居士。

[32]子房授履之术：张良，西汉初年的重要谋臣，字子房。《史记·张良传》："良尝间从容步游下邳圯上，有一老父，衣褐，至良所，直堕其履圯下，顾谓良曰：'孺子下取履！'良愕然，欲殴之。为其老，乃强忍，下取履，因跪进。父以足受之，笑去。良殊大惊。父去里所，复还，曰：'孺子可教矣。后五日平明，与我期此。'……出一编书，曰：'读是则为王者师。后十年兴。十三年，孺子见我，济北谷城山下黄石即我已。'遂去不见。旦日视其书，乃《太公兵法》。良因异之，常习读诵。"这里指秘传的兵书。

[33]文喜：即尹喜。《史记·老子韩非列传第三》载："老子修道德，其学以自隐无名为务。居周久之，见周之衰，乃遂去。至关，关令尹喜曰：'子将隐矣，彊为我著书。'于是老子乃著书上下篇，言道德之意五千余言而去，莫知其所终。"道教中称尹喜为文始真人，故又称文喜。

《内德论》[1]（节选）

[唐] 李师政[2]

有辩聪书生谓忠正君子曰："盖闻释迦生于天竺，修多[3]出自西胡，名号无传于周孔，功德靡称于典谟。寔[4]远夷所尊敬，非中夏之师儒。逮摄摩腾之入汉，及康僧会[5]之游吴，显舍利于南国，起招提于东都，自兹厥后，乃尚浮图。沙门盛洙泗[6]之众，精舍[7]丽王侯之居。既营之于爽垲[8]，又资之以膏腴。擢修幢而曜日，拟甲第而当衢。王公大人助之以金帛，农商富族施之以田庐。其福利之焉在？何尊崇之有余也！未若销像而绝镌铸，货泉可以无费；毁经以禁缮写，笔纸不为之贵；废僧以从编户，益黍稷之余税；坏塔以补不足，广赈恤之仁惠。欲诣阙[9]而效愚忠，上书而献斯计，窃谓可以益国而利民矣，吾子以为何如乎？"

忠正君子曰："是何言之过欤！非忠孝之道也。夫忠臣奉国，愿受福之无疆。孝子安亲，务防灾于未兆。闻多福之因缘，求之如不及，睹速祸之萌抵，避之若探汤。国重天地之祈，祈于福也。家避阴阳之忌，忌于祸也。福疑从取，祸疑从去，人之情也，忠之道焉。子乃去人之所谓福，取人之所谓殃，岂忠臣奉国之计，非孝子安亲之方也！观匹夫之自爱，尚不反医而违卜，况忠臣之爱君，如何劝殃而阻福乎？何异采药物以荐君，而取农岐[10]之所忌，求医术以奉亲，而反和鹊[11]之深致。彼劝取忌而用毒，良非重慎之至意，施诸己而犹惧矣，矧[12]敢安于所天乎！"

59

"若夫废宗庙之粢盛[13],供子孙之鱼肉。毁蒸尝之黻冕[14],充仆妾之衣服。苟求惠下之恩,不崇安上之福,恨养亲之费膳,思废养以润屋,如此者可谓忠乎?可谓孝乎?且夫周弃[15]弘播殖之教,遂配稷以长尊,勾龙[16]立水土之功,亦为社而恒敬。坊墉[17]小益,尚参八蜡[18]之祭,林泽微灵,犹行一献之祀。况夫三达[19]无阂之智,百神无以俦,十力[20]无等之尊,千圣莫之匹。万惑尽矣,万德备矣,梵天仰焉,帝释师焉,道济四生,化通三界。拔生死于轮回,示涅槃之常乐。身光赫奕,夺朗日之流晖。形相端严,具圣人之奇表。微妙玄通,周孔未足拟议。博施兼济,尧舜其犹病诸[21]。等慈而无弃物,可不谓之仁乎?具智而有妙觉,可不谓之圣乎?夫体仁圣之德者,岂为谲诳之说哉,静而思之,蔑[22]不信矣。至如立寺功深于巨海,度僧福重于高岳,法王之所明言,开士之所笃信。若兴之者增庆益国,不亦大乎!敬之者生善利民,不亦广乎!或小损而大益,岂非国之所宜崇乎?或小益而大损,岂非民之所当避乎?法眼明了,睹福报之无量。金口信实,说咎因之不朽[23]。凡百士民皆非目见,纵未能信其必尔,亦何以知其不然哉?冥昧不可以意决,深远唯当以圣证,岂不冀崇之福资于君父,畏毁之累及于家国乎!臣无斯慎于其君,非忠臣也;子无此虑于其亲,非孝子也。子欲苟遂娼嫉之褊心,不弘忠慎之深虑,阻祈福之大缘,毁安上之善业,乃取咎之道也,岂尽忠之义哉!余昔笃志于儒林,又措心于文苑,颇同吾子之言论,良由闻法之迟晚,赖指南以去惑。幸失途之未远,每省过而责躬,则临餐而忘饭。子若博考而深计,亦将悔迷而知返矣。窃闻有太史令傅君者,又甚余曩日之惑焉,内自省于昔迷,则十同其五矣。请辩傅君之惑言,以释吾子之邪执。"

"傅谓佛法本出于西胡，不应奉之于中国，余昔同此惑焉，今则悟其不然矣。夫由余[24]出自西戎，辅秦穆以开霸业。日磾[25]生于北狄，侍汉武而除危害。臣既有之，师亦宜尔，何必取其同俗而舍于异方乎？师以道大为尊，无论于彼此，法以善高为胜，不计于遐迩。若夫尚仁为美，去欲称高，戒积恶之余殃，劝为善以邀福，百家之所同，七经无以易，但褊浅而未深至，龌龊[26]而不周广。其恕己接物，孰与佛之弘乎？其睹末知本，孰与佛之远乎？其劝善惩恶，孰与佛之广乎？其明空析有，孰与佛之深乎？由此观之，其道妙矣，圣人之德何以加焉！岂得以生于异域而贱其道，出于远方而弃其宝？夫绝群之骏，非唯中邑之产；旷世之珍，不必诸华之物。汉求西域之名马，魏收南海之明珠。贡犀象之牙角，采翡翠之毛羽。物生远域，尚于此而为珍，道出遐方，独奈何而可弃？若药物出于戎夷，禁咒起于胡越，苟可以蠲[27]邪而去疾，岂以远来而不用之哉！夫灭三毒以证无为，其蠲邪也大矣。除八苦而致常乐，其去疾也深矣，何得拘夷夏而计亲疏乎？况百亿日月之下，三千世界之内，则'中'在于彼域，不在于此方矣。"

"傅氏誉老子而毁释迦，赞道书而非佛教，余昔同此惑焉，今又悟其不然也。夫释老之为教，体一而不二矣。同蠲有欲之累，俱显无为之宗。老氏明而未融，释典言臻其极。道若果是，佛固同是而无非；佛若果非，道亦可非而无是。理非矛盾之异，人怀向背之殊。既同众狙之喜怒[28]，又似叶公之爱畏[29]。至如柱下道德之旨，漆园内外之篇，雅奥而难加，清高而可尚，窃常读之无间然矣，岂以信奉释典而苟訾之哉！抑又论之：夫生死无穷之缘，报应不朽之旨，释氏之所创明，黄老未之言及。不知今之道书,何因类于佛典,论三世以劝戒,出九流之轨躅。若目睹而言之,则同佛而等其照。若耳闻而仿之,则师佛而遵其说。同照则同不当非,相师则师不可毁,誉道而非佛,何谬之甚哉!"

(《内德论·辩惑篇第一》)

【注释】

[1]《内德论》:唐高祖武德四年(621),太史令傅奕首先对佛教发难,上表罗列佛教罪状,请求罢废。除法琳著论予以回击外,当时朝廷中很多士大夫也为论对傅奕的言论加以批评,《内德论》便是其中的一篇。所谓"内"之佛教,源于佛教将自身经典称为"内典",因此这是一篇阐述佛教之"德"的论辩文字,仍采用主客论辩的方式,层层揭示出佛教对于社会、国家、个人等的重要意义。

[2]李师政:生卒年不详,唐代山西上党(今长治)人。曾任扶沟令、门下典仪、东宫学士等职。为济法寺法琳之弟子。曾著《内德论》与《正邪论》(已佚)驳斥傅奕的言论,为佛教辩护。

[3]修多:梵语音译,指佛教经典,也译为"苏怛啰""修单兰多"等。《法门名义集·理教品》:"修多罗者是一切本经一切论法,从如是我闻至欢喜奉行,无问卷数多少,皆言修多罗。"

[4]寔:通"实"。

[5]康僧会(?~280):三国吴僧人。祖籍康居,世居天竺,后移居交趾。年十余丧父母,服满出家。好学博览,通内外典籍。时江东佛法未盛,他立志东游弘法。吴赤乌十年(247,一作赤乌四年)至建业(今江苏南京),用神通变现舍利,设像行道,孙权为之立建初寺。译有《六度集经》8卷、《旧杂譬喻经》2卷,现

均存。事迹见《高僧传》卷一。

[6]洙泗:洙水和泗水。古时二水自今山东省泗水县北合流而下,至曲阜北,又分为二水,洙水在北,泗水在南。春秋时属鲁国地。孔子在洙泗之间聚徒讲学。《礼记·檀弓上》:"吾与女事夫子于洙泗之间。"后因以"洙泗"代称孔子及儒家。这句是说,佛教的兴盛超过儒家。

[7]精舍:僧众住处、寺院或佛堂的别称,意为智德精练者的舍宅。《释迦谱》卷三僧祐释云:"息心所栖,是曰精舍。竹林祇树爰始基构,遗风余制扇被于今。"

[8]爽垲(kǎi):高爽干燥。《左传·昭公三年》:"子之宅近市,湫隘嚣尘,不可以居,请更诸爽垲者。"

[9]诣阙:谓赴朝堂。

[10]农岐:指神农与岐伯,传说中的古代农业、药草、医术等的创始者。

[11]和鹊:古代名医医和与扁鹊的并称。

[12]矧(shěn):语助词,且。

[13]粢(zī)盛:古代盛在祭器内以供祭祀的谷物。

[14]蒸尝之黻冕:蒸尝本指秋冬二祭,后泛指祭祀。黻冕(fú miǎn):古代祭服。

[15]周弃:周之始祖名弃,即后稷。《尚书·舜曲》:"帝曰:'弃,黎民阻饥,汝后稷,播时百谷。'"

[16]勾龙:社神名。蔡邕《独断》卷上:"社神,盖共工氏之子勾龙也,能水土,帝颛顼之世,举以为土正。天下赖其功,尧祠以为社。"

[17]坊墉:坊间城镇,指一般百姓。

[18]八蜡:周代每年农事完毕,于建亥之月(十二月)举行的祭祀名称。《礼记·郊特牲》:"八蜡以记四方,四方不成,八蜡不通,以谨民财也。"

[19]三达:佛教谓能知宿世为宿命明,知未来为天眼明,断尽烦恼为漏尽明,彻底通达三明谓之三达。

[20]十力:佛教谓佛所具有的十种力用。

[21]尧舜其犹病诸:借用《论语·雍也》语:子贡曰:"如有博施于民而能济众,何如?可谓仁乎?"子曰:"何事于仁,必也圣乎!尧、舜其犹病诸!夫仁者,己欲立而立人;己欲达而达人。能近取譬,可谓仁之方也已。"朱熹《集注》:"病,心有所不足也。言此何止于仁,必也圣人能之乎!则虽尧舜之圣,其心犹有所不足于此也。"

[22]蔑:无;没有。《史记·孔子世家》:"夫子循循然善诱人,虽欲从之,蔑由也已。"

[23]金口信实,说咎因之不朽:咎因,即罪业的由来。这一节是说,佛教明世间因果报应之理,这往往是一般人所看不到的深层道理,而佛能以天眼查见,理应信受。

[24]由余:春秋时期帮助秦穆公成为霸主的大臣之一,原本是西戎绵诸国的大臣。

[25]日䃅(dī):金日䃅,原为匈奴诸侯休屠王的太子,西汉元狩年间被汉朝军队俘虏,沦为官奴,被送到黄门署饲养马匹。后升马监、侍中驸马都尉光禄大夫,赐姓金,深受宠爱,以功拜车骑将军。后元元年,因揭发侍中仆射莽何罗和重合侯马通兄弟谋反有功,被封为侯,官至太子太傅,其子孙世受封侯。

[26]龌龊:器量局促;狭小。

[27]蠲(juān)：除去。

[28]众狙之喜怒：《庄子·齐物论》："何谓朝三？狙公赋芧，曰：'朝三而暮四。'众狙皆怒。曰：'然则朝四而暮三。'众狙皆说。名实未亏而喜怒为用，亦因是也。"是说众生往往顾名忽实，因为一个名而生喜怒之心，是为愚蠢。

[29]叶公之爱畏：刘向《新序·杂事五》："叶公子高好龙，钩以写龙，凿以写龙，屋室雕文以写龙。于是天龙闻而下之，窥头于牖，施尾于堂。叶公见之，弃而还走，失其魂魄，五色无主。是叶公非好龙也，好夫似龙而非龙者也。"后以"叶公好龙"比喻表面上爱好某事物，实际上并不真爱好。本文是说，那些表面上推崇老庄的人，其实并不真正理解老庄，也如叶公好龙一样。

或有恶取于空以生断见[1]，无所惭惧，自谓大乘，此正法所深戒也。其断见者曰："经以法喻泡影，生同幻化。又云：罪福不二，业报非有，故知殖因收果之谈，天堂地狱之说无异，相如述上林之橘树[2]，孟德指前路之梅园[3]，权诱愚蒙，假称珍怪，有其语焉，无其实矣。至如冉疾颜夭[4]，彭寿聃存，贵贱自然而殊，苦乐偶其所遇，譬诸草木区以别矣。若乃异臭殊味，千品万形，何业而见重？何因而被轻？何由而速毙？何功而久生？人之殊命盖亦如是。然则无是无非，大乘之深理；明善明恶，小乘之浅教，何为舍恶趣善，而起分别之心乎？"

论曰：若夫如梦如幻，如响如泡，无一法而不尔，总万像而俱包。上士观之以至圣，至圣体之而独超，大浸[5]稽天而不溺，大风偃岳而无飘，具六通而自在，越三界而逍遥。然理不自了，正观以昭，心不自寂，静摄斯调，障不自遣，对治方消，德不自备，勤修乃饶。六蔽既除，则真如可显，三障未灭，则菩提极遥。故真谛离垢净之相，俗谛立是非之条。指事必假于分别，论法岂宜于混淆。六度[6]不可为坠苦之业，三毒不可为出世之桥，投谷难以无坠，赴火何由不烧？何得同因果于兔角，匹罪福于龟毛[7]乎？虽引大乘之妙言，不得妙之真致，说之于口若同，用之于心则异。正法以空去其贪，邪说以空资其爱；智者观空以除恚，惑者论空而肆害；达者行空而慧解，迷者取空以狂悖；大士体空而进德，小人说空而善退。其殊若此，岂同致乎？良由反用正言以生邪执矣！

夫妙道之元致，即群有以明空，既触实而知假，亦就殊而照同。譬如对明镜而旁观，临碧池而俯映。众像粲而在目，可见而无实性；缘生有而成形，有离缘而表质；水遇寒而冰壮，冰涉温而坚失。凡从缘而为有，虽大有其何实？故天与我皆虚，我与万物为一。菩提不得谓为有，何况群生与众术。故察于物而非物，取诸身而非身。善恶殊途而不二，圣凡异等而常均。寻夫经论之大旨也，从缘以明非有，缘起以辨非无，事有而无妙实，义空而非太虚。[8]道智了空而绝缚，俗情滞有以常拘。人与业报而非有，业报随人而不无。何乃取空言而背旨，援卉木而比诸，独谓鄙行空而不戒，善法空而不遵，三惑应舍而未悛，五德应修而反弃。不观空以遣累，但取空而废善，此岂净名不二[9]之深致，庄周齐物之玄旨乎？

大矣哉！至人之体空也，证万物之本寂，知四大之为假。视西施如行厕，比南金[10]于碎瓦，五欲不能乱其心，四魔无以变其雅。智日明而德富，惑日除而过寡。截手足而无憾，乞头目而能舍。八法[11]不生二相，万物观如一马[12]，故能证无上智为萨婆若[13]。得其理也，解脱如此；失其旨者，过患如彼。何得为非而不惧、崇邪以为是？

夫见舟见水，皆非真谛，而将涉大川，非舟不济。病体药性，均是空虚，而人由病陨，病因药除。罪福之性，平等不二，而福以善臻，祸因恶致。善恶诸法，等空无相，而善法助道，恶法生障。故知万法真性同一如矣，因缘法中有万殊矣，空有二门不相违矣，真俗二谛同所归矣。若谓小乘有罪福之言，大乘无是非之语，似胡越之殊趣，若矛盾之相拒。童子尚羞翻覆，圣人岂为首鼠，良以道听而涂说，遂使谬量而恶取，若博考而深思，必疑释而迷愈矣！

若夫方等[14]一乘，波若[15]八部，圣慧之极，大乘之首，莫不广述受持之利，深陈毁谤之咎。经又云："深信因果，不谤大乘。"何谓大乘之理都无因果乎？夫取相而为善，则善而未精，见相而断恶，则断已复生。若悟善性寂而无作，了恶体空而何断，乃令三障水消而寂灭，万德云集以弥满。智慧如海，不可酌之以一蠡；道迈人天，岂得窥之以寸管。夫说空而恣情者，不能无所苦也，疾痛恼之，则寝不安矣；刀锯伤之，则体不完矣；终日不食，则受其饥矣；无裘御冬，则苦其寒矣。然则致苦之业，岂可轻而不避乎？千品万端，皆业为主，三界六趣，随业而处。百卉无情，故美恶非关于业报；四生有命，则因缘不同于草莽。斤斧伐木不惊，刀杖加人则惧，比有情于无知，何非伦而引喻。三世因果，佛不我欺，十方劝戒，闻当不疑。劝之者应修，戒之者宜远。抑凡情之所耽，行圣智之所愿。何得违经论之所明，以胸臆而为断，而谓善恶都空，无损益乎？夫法眼明了，无法不悉,舌相广长[16],言无不实。其析有也,则一毫为万,其等空也,则万象皆一,防断常之死生,兼空有以除疾。彼菩提之妙理,实甚深而微密,厌尘劳而求解慧,当谨慎而无放佚。非圣者必凶,顺道者终吉,勿谓不信,有如皎日。(《内德论·空有篇第三》)

【注释】

[1]断见:《空有篇》之意旨即在于破除众生断见,故上来即以客之身份将断见观点做一番表述,然后破斥之。概要而言,所谓断见即偏执世间及我终归断灭之邪见,盖诸法之因果各别亦复相续,非常亦非断,执断见者则唯执于一边,谓无因果相续之理,世间及我仅限于生之一期,无善、无恶,亦无善恶之报,死后即归于断灭。现代人之所谓"唯物主义"多堕于断见。本篇批判了那种认为无是无非才是大乘之深理,而明善明恶是小乘之浅教的错误观点,指出"三世因果,佛不我欺,十方劝戒,闻当不疑"。这才是真正建立于大乘佛教理论基础之上的空有观。

[2]上林之橘树:司马相如《上林》《子虚》等赋,对山林树木等作出种种详尽描写,最后声称皆是"子虚乌有"之言,即根本就不存在,只是一种言辞表述而已。

[3]孟德指前路之梅园:孟德:曹操。《世说新语·假谲》:"魏武行役失汲道,军皆渴,乃令曰:'前有大梅林,饶子,甘酸可以解渴。'士卒闻之,口皆出水,乘此得及前源。"比喻用空想来安慰自己。

[4]冉疾颜夭:孔子两个得意弟子冉伯牛有疾,颜回则早夭,孔子亦感痛心疾首而无可奈何。见《论语·雍也》:"伯牛有

疾,子问之,自牖执其手,曰:'亡之,命矣夫! 斯人也而有斯疾也! 斯人也而有斯疾也!'"《论语·先进》:"颜渊死。子曰:'噫! 天丧予! 天丧予!'颜渊死,子哭之恸。从者曰:'子恸矣!'曰:'有恸乎? 非夫人之为恸而谁为?'"

[5]大浸:大水。语源于《庄子·逍遥游》:"之人也,物莫之伤,大浸稽天而不溺;大旱金石流土山焦而不热。"

[6]六度:大乘菩萨道精神的六种表现。"度"为梵文"波罗蜜多"的意译,指使人由生死之此岸度到涅槃(寂灭)之彼岸的六种法门,包括:布施、持戒、忍辱、精进、禅定、般若。

[7]兔角龟毛:兔生角而龟长毛,比喻不可能存在或有名无实的东西。《楞严经》卷一:"无则同于龟毛兔角,云何不著?"这里指出:因果、罪福并非兔角龟毛,而是一种真实的存在。

[8]"从缘以明非有,缘起以辨非无,事有而无妙实,义空而非太虚"这四句是对大乘佛教空有关系的高度概括,言简意赅,圆融无碍。

[9]净名不二:净名即维摩诘之意译,《维摩诘经·入不二法门品》:"如我意者,于一切法无言无说,无示无识,离诸问答,是为入不二法门。"

[10]南金:南方出产的铜。后亦借指贵重之物。《诗·鲁颂·泮水》:"元龟象齿,大赂南金。"

[11]八法:佛教将地、水、火、风等四大,与色、香、味、触等四微,总称为八法。

[12]万物观如一马:《庄子·齐物论》:"是亦一无穷,非亦一无穷也。故曰莫若以明以指喻指之非指,不若以非指喻指之非指也;以马喻马之非马,不若以非马喻马之非马也。天地一指

也，万物一马也。"

[13]萨婆若：意译为"一切种智"，即诸佛究竟圆满果位的大智慧。

[14]方等：谓所说之理方正而平等，为一切大乘经教的通名。《百喻经·师患脚付二弟子喻》："方等学者非斥小乘，小乘学者复非方等，故使大圣法典二途兼亡。"

[15]波若：即般若，佛教谓离一切分别执着的大智慧。《金刚仙论》卷一中有"八部般若"之说，意指一切般若类经典。

[16]舌相广长：佛典谓诸佛与转轮圣王之舌广长而柔软细薄，能覆至发际，乃"语必真实"与"辩说无穷"之表征。

《大唐三藏圣教序》[1]

[唐]李世民[2]

盖闻二仪[3]有象,显覆载以含生;四时无形,潜寒暑以化物。是以窥天鉴地,庸愚皆识其端;明阴洞阳,贤哲罕穷其数。然天地包乎阴阳,而易识者,以其有象也;阴阳处乎天地,而难穷者,以其无形也。故知象显可征,虽愚不惑;形潜莫睹,在智犹迷。况乎佛道崇虚,乘幽控寂。弘济万品[4],典御十方。举威灵而无上,抑神力而无下;大之则弥于宇宙,细之则摄于毫厘。无灭无生,历千劫而亘古;若隐若显,运百福而长今。妙道凝玄,遵之莫知其际;法流湛寂,挹[5]之莫测其源。故知蠢蠢凡愚,区区庸鄙,投其旨趣,能无疑惑者哉!

然则大教之兴,基乎西土。腾汉庭而皎梦[6],照东域而流慈。古者分形分迹[7]之时,言未驰而成化;当常见常隐[8]之世,民仰德而知遵。及乎晦影归真,迁移越世,金容掩色,不镜三千之光;丽象开图,空瑞四八之相。于是微言广被,拯禽类于三途;遗训遐宣,导群生于十地[9]。

佛有经,能分大小之乘,更有法,传讹邪正之术。我僧玄奘法师者,法门之领袖也。幼怀慎敏,早悟三空之功;长契神清,先包四忍[10]之行。松风水月,未足比其清华;仙露明珠,讵能方其朗润!故以智通无累,神测未形。超六尘而迥出,使千古而传芳。凝心内境,悲正法之陵迟[11];栖虑玄门,慨深文之讹谬。思欲分条振理,广彼前闻;截伪续真,开兹后学。是以翘心净土,法游西域。乘危远迈，策杖孤征。积雪晨飞，途间失地;惊沙夕起，空外迷天。万里山川，拨烟霞而进步;百重寒暑，蹑霜雨而前踪。诚重劳轻，求深欲达。周游西宇，十有四年[12]。穷历异邦，询求正教。双林[13]八水，味道餐风;鹿苑鹫峰[14]，瞻奇仰异。承至言于先圣，受真教于上贤。探赜妙门，精穷奥业。三乘六律之道，驰骤于心田;一藏百箧之文，波涛于海口。

爰自所历之国无涯，求取之经有数。总得大乘要文，凡三十五部，计五千四十八卷，译布中华，宣扬胜业。引慈云于西极，注法雨于东陲。圣教缺而复全，苍生罪而还福。湿火宅之乾焰[15]，共拔迷途;朗金水之昏波，同臻彼岸。是知恶因业坠，善以缘升。升坠之端，惟人自作。譬之桂生高岭，云露方得泫[16]其花;莲出绿波，飞尘不能染其叶。非莲性自洁而桂质本贞，良由所附者高，则微物不能累;所凭者净，则浊类不能沾。夫以卉木无知，犹资善而成善，矧乎人伦有识，宁不缘庆而成庆?方冀真经传布，并日月而无穷;景福遐敷，与乾坤而永大也欤!(《广弘明集》卷二十二)

【注释】

[1]《大唐三藏圣教序》:本文为贞观二十二年(648)玄奘法师译完《瑜伽师地论》一百卷之后，请唐太宗李世民为新译诸经所作的总序。在这篇序文中，唐太宗回顾了玄奘只身前往印度求取大乘经典的经历，对佛法的微妙宗旨给予高度赞叹，表现了晚年唐太宗尊崇佛教的心态。

[2]李世民(598~649):即唐太宗。唐高祖第二子，名世民。武德九年(626)即位并统一全国。在政治上锐意图治，轻赋宽

刑,海内升平,威及域外,世称贞观之治。玄奘西行求法,本属偷渡越禁,太宗非但未加追问,反更优礼有加,敕令住锡西京弘福寺,寺内置翻经院,一切经费由国家供给,并亲赐《瑜伽师地论》之序,即今之《大唐三藏圣教序》,勒石于碑,不仅成就玄奘大师之译经事业,且亦奠定唐宋以降千百年来佛教弘化之基础。

[3]二仪:指天地。曹植《惟汉行》:"太极定二仪,清浊始以形。"《周书·武帝纪上》:"二仪创辟,玄象著明。"《宏智禅师广录》:"二仪同根。万物一源。机活静枢之白。象成玄牝之门。"

[4]万品:即万物,万类。《尹文子·大道下》:"过此而往,虽弥纶天地,笼络万品,治道之外,非群生所餐挹,圣人错而不言也。"

[5]挹:舀取。这一句是说,大道的源头深远,人们可以取用,却难以测知。

[6]腾汉庭而皎梦:指永平八年,因汉明帝梦见金人,遣蔡愔等人赴西域求佛法,在月氏遇到来自天竺的迦叶摩腾等二人用一匹白马驮著佛像和一部分经典,蔡愔等人便将二人迎入中国,宏扬佛教。一般将此事作为佛教传入中国的开端。

[7]分形分迹:谓呈现各种形态。张衡《西京赋》:"奇幻倏忽,易貌分形。"薛综注:"易貌分形,变化异也。"

[8]常见常隐:见即"现",指佛的应身应化于世间,或隐或现。

[9]十地:佛教谓菩萨修行所经历的十种境界。大乘菩萨十地为欢喜地、离垢地、发光地、焰慧地、极难胜地、现前地、远行地、不动地、善慧地、法云地。

[10]四忍:忍,即菩萨之智于理予以忍可或安忍之义,亦即菩萨修行时,面对他人之侮辱、恼害等而不生嗔恨心,或遇苦难而不动摇信心。四忍包括无生法忍、无灭忍、因缘忍、无住忍。

[11]陵迟:败坏;衰败。《诗·王风·大车序》:"《大车》,刺周大夫也。礼义陵迟,男女淫奔,故陈古以刺今。"

[12]十有四年:指玄奘于贞观三年(629)西行求法,至贞观十九年(645)返回中国,共计17年时间。这里谓十四年,应是指在印度实际的时间。

[13]双林:指释迦牟尼涅槃处。杨衒之《洛阳伽蓝记·法云寺》:"神光壮丽,若金刚之在双林。"周祖谟《校释》:"佛在拘尸那城阿夷罗跋提河边娑罗(sala)双树前入般涅槃。"

[14]鹿苑鹫峰:鹿苑即鹿野苑,释迦牟尼佛成道处。鹫峰:灵鹫山之异名,又译为耆阇崛山,释迦牟尼讲经说法处,以上所举印度地名,泛指玄奘周游印度,参访圣迹。

[15]火宅之乾焰:佛教以火宅喻充满众苦的尘世。《法华经·譬喻品》:"三界无安,犹如火宅……众苦所烧,我皆拔济。"乾焰即阳焰,春初之原野日光映浮尘而四散之物。《维摩经·方便品》:"是身如焰,从渴爱生。"

[16]泫(xuàn):露珠晶莹发亮。

《大唐西域记》[1]（节选）

[唐]玄奘[2]

初，受拘摩罗王[3]请白，自摩揭陁国往迦摩缕波国。时戒日王巡方在羯朱嗢祇逻国[4]，命拘摩罗王曰："宜与那烂陁[5]远客沙门速来赴会。"于是隧与拘摩罗王往会见焉。

戒日王劳苦已曰："自何国来，将何所欲？"对曰："从大唐国来，请求佛法。"王曰："大唐国在何方？经途所亘，去斯远近？"对曰："当此东北数万余里，印度所谓摩诃至那国[6]是也。王曰："尝闻摩诃至那国有秦王天子[7]，少而灵鉴，长而神武。昔先代丧乱，率土分崩，兵戈竞起，群生荼毒，而秦王天子早怀远略，兴大慈悲，拯济含识，平定海内，风教遐被，德泽远洽，殊方异域，慕化称臣。氓庶荷其亭育，咸歌《秦王破阵乐》[8]。闻其雅颂，于兹久矣。盛德之誉，诚有之乎？大唐国者，岂此是耶？"对曰："然。至那者，前王之国号；大唐者，我君之国称。昔未袭位，谓之秦王；今已承统，称曰天子。前代运终，群生无主，兵戈乱起，残害生灵。秦王天纵含弘，心发慈愍，威风鼓扇，群凶殄灭[9]，八方静谧，万国朝贡。爰育四生，敬崇三宝，薄赋敛，省刑罚，而国用有余，氓俗无宄[10]，风猷大化，难以备举。"戒日王曰："盛矣哉！彼土群生，福感圣主。"（《大唐西域记》卷五《玄奘会见戒日王》）

【注释】

[1]《大唐西域记》：记述当时唐朝迤西各国风土国情及佛教事项的史地书志。玄奘法师于唐贞观三年(629)西行求法，经历西域各地，于贞观十九年初还国。他到洛阳第一次会见唐太宗时，太宗即要他叙述西游经历，而编写一部西域传。于是玄奘根据自己游历见闻，口授他门下的辩机，编撰此书，到次年七月告成。本书记述西域和印度各国情况，自以玄奘游历期间的情况为主，但对各国政教兴衰、旧史往事以至民间传说，也有闻必录，保留了很多珍贵的古代史料。

[2]玄奘(602~664)：唐代高僧。洛州缑氏县(河南偃师)人，俗姓陈，名祎，世称唐三藏。为我国杰出之译经家，法相宗之创始人。于贞观三年(629)西行，孤身涉险，历尽艰难，至印度后，留学那烂陀寺，入戒贤论师门下，习《瑜伽师地论》等。贞观十七年东归，经由今之新疆南路、于阗、楼兰而回国，往返共历十七年，行程五万里。归国后，为唐太宗、唐高宗所钦重，供养于大内，赐号"三藏法师"，翻译多种佛教经典。

[3]拘摩罗王：梵文 Kumara 之音译，又译为鸠摩罗等。

[4]戒日王巡方在羯朱嗢祇逻国：戒日王(590~647)，印度北部大帝国的统治者，皈依佛教，施诸贫困，广建伽蓝，本人也是一位诗人。羯朱嗢(wà)祇逻国，中印度的一个国家。

[5]那烂陁：即那烂陀，梵语名 Nâlandâ 之音译。古代印度摩揭陀国的佛寺名。唐玄奘、义净等入天竺求佛经，皆曾停居此寺。那烂陀寺规模宏大，建筑壮丽，藏书丰富，学者辈出，是古代印度的最高学府。

[6]摩诃至那国：摩诃为梵语"大"，"至那"即"支那"，当时

印度人对中国的称呼。

[7]秦王天子：即李世民，其父李渊称帝后，任尚书令，封秦王。

[8]《秦王破阵乐》：唐代著名乐舞。或名《秦王破阵舞》，又称《七德舞》。《新唐书·礼乐志十一》："《七德舞》者，本名《秦王破阵乐》。太宗为秦王，破刘武周，军中相与作《秦王破阵乐》曲。及即位，宴会必奏之。"

[9]殄(tiǎn)灭：消灭殆尽。

[10]宄(guǐ)：奸邪。

烈士池西有三兽窣堵波[1]，是如来修菩萨行时烧身之处。劫初[2]时，于此林野，有狐、兔、猿，异类相悦。时天帝释欲验修菩萨行者，降灵应化[3]为一老夫，谓三兽曰："二三子善安隐[4]乎？无惊惧耶？"曰："涉丰草，游茂林，异类同欢，既安且乐。"老夫曰："闻二三子情厚意密，忘其老弊[5]，故此远寻。今正饥乏，何以馈食？"曰："幸少留此，我躬驰访。"于是同心虚已[6]，分路营求。狐沿水滨，衔一鲜鲤，猿于林树，采异花果，俱来至止，同进老夫。惟兔空还，游跃左右。老夫谓曰："以吾观之，尔曹未和。猿狐同志，各能役心，惟兔空还，独无相馈。以此言之，诚可知也。"兔闻讥议，谓狐、猿曰："多积樵苏[7]，方有所作。"狐、猿竞驰，衔草曳木，既已蕴崇[8]，猛焰将炽。兔曰："仁者，我身卑劣，所求难遂，敢以微躬，充此一餐。"辞毕入火，寻即致死。是时老夫复帝释身，除烬收骸，伤叹良久，谓狐、猿曰："一何至此！吾感其心，不泯其迹，寄之月轮，传乎后世。"故彼咸言，月中之兔，自斯而有。[9]后人于此建窣堵波。(《大唐西域记》卷七

《三兽窣堵波》)

【注释】

[1]窣(sū)堵波:梵语 stūpa 的音译,即佛塔。

[2]劫初:佛教之宇宙观,一个世界之成立、持续、破坏,又转变为另一世界之成立、持续、破坏,其过程可分为成、住、坏、空四时期,称为四劫。劫初指成劫之初,即欲界有情世界成立之初。

[3]应化:谓佛、菩萨随宜化身,教化众生。此处所说天帝释,即帝释天,又称帝释、因陀罗、称释提桓因等。原为印度教神明,主管雷电与战斗,后为佛教所吸收,成为佛教的护法神。他也经常应化在世间。

[4]安隐:即安稳、平安。佛经中,"稳"字常写作"隐"。

[5]老弊:年老衰弱。

[6]同心虚己:同心协力,奋不顾身。

[7]樵苏:柴草。潘岳《马汧督诔》:"城中凿穴而处,负户而汲,木石将尽,樵苏乏竭,刍荛馨绝。"

[8]蕴崇:积聚、堆积。

[9]《大唐西域记》所述本则传说,实为月兔神话的一个印度文本。见于佛经的,则有《生经》卷四的《佛说兔王经》等。季羡林先生谓:"中国也有月中有兔的说法,这个说法来源于何处呢?根据这个故事在印度起源之古、传布之广、典籍中记载之多,说它起源于印度,是比较合理的。"(《中印文化交流史》)

78

《顿悟入道要门论》[1]（节选）

[唐]慧海[2]

问："其义云何是戒、定、慧？"

答："清净无染是戒，知心不动、对境寂然是定，知心不动时，不生不动想，知心清净时，不生清净想，乃至善恶皆能分别，于中无染，得自在者，是名为慧也。若知戒定慧体俱不可得时，即无分别者，即同一体，是名三学等用。"

问："若心住净时，不是著净否？"

答："得住净时，不作住净想，是不著净。"

问："心住空时，不是著空否？"

答："若作空想，即名著空。"

问："若心得住无住处时，不是著无所处否？"

答："但作空想，即无有著处。汝若欲了了识无所住心时，正坐之时，但知心莫思量一切物，一切善恶都莫思量。过去事已过去而莫思量，过去心自绝，即名无过去事。未来事未至，莫愿莫求，未来心自绝，即名无未来事。现在事已现在，于一切事但知无著，无著者，不起憎爱心，即是无著，现在心自绝，即名无现在事。三世不摄，亦名无三世[3]也。心若起去时，即莫随去，去心自绝。若住时，亦莫随住，住心自绝，即无住心，即是住无住处也。若了了自知住在住时，只物住亦无住处，亦无无住处也。若自了了知心不住一切处，即名了了见本心也，亦名了了见性也。只个不住一切处心者，即是佛心，亦名解脱心，亦名菩提心，亦名无生心，亦名色性空。经云"证无生法忍"[4]是也。汝若未得如是之时，努力，努力，勤加用功，功成自会。所以会者，一切处无心，即是会言无心者，无假不真也。假者，爱憎心是也。真者，无爱憎心是也。但无憎爱心，即是二性空，二性空者，自然解脱也。"

又云："如来五眼者何？"

答："见色清净，名为肉眼。见体清净，名为天眼。于诸色境，乃至善恶悉能微细分别，无所染著，于中自在，名为慧眼。见无所见，名为法眼。无见无无见，名为佛眼。"

问："云何是见佛真身？"

答："不见有无，即是见佛真身。"

问："云何不见有无，即是见佛真身？"

答："有因无立，无因有显，本不立有，无亦不存。既不存无，有从何得？有之与无，相因始有。既相因而有，悉是生灭也。但离此二见，即是见佛真身。"

问："云何是常不离佛？"

答："心无起灭，对境寂然，一切时中，毕竟空寂，即是常不离佛。"

问："何者是无为法？"

答："有为是。"

问："今问无为法，因何答有为是？"

答："有因无立，无因有显，本不立有，无从何生？若论真无为者，即不取有为，亦不取无为，是真无为法也。何以故？经云：'若取法相，即著我人；若取非法相，即著我人。'[5]是故不应取法，不应取非法，即是取真法也。若了此理，即真解脱，即会不

80

二法门。"

问："何者是中道义？"

答："边义是。"

问："今问中道，因何答边义是？"

答："边因中立，中因边生，本若无边，中从何有？今言中者，因边始有，故知中之与边，相因而立，悉是无常，色、受、想、行、识，亦复如是。"

……

又问："真如之性为实空？为实不空？若言不空，即是有相。若言空者，即是断灭，一切众生当依何修而得解脱？"

答："真如之性，亦空亦不空，何以故？真如妙体，无形无相，不可得也，是名亦空。然于空无相体中，具足恒沙之用，即无事不应，是名亦不空。经云：'解一即千从，迷一即万惑，若人守一万事毕。'是悟道之妙也。经云：'森罗[6]及万像，一法之所印。'云何一法中而生种种见？如此功业，由行为本，若不降心，依文取证，无有是处，自诳诳他，彼此俱坠。努力！努力！细细审之。只是事来不受，一切处无心，得如是者，即入涅槃，证无生法忍，亦名不二法门，亦名无诤，亦名一行三昧。何以故？毕竟清净无我人故，不起爱憎，是二性空，是无所见，即是真如无得之辩。"（《顿悟入道要门论》卷上）

【注释】

[1]《顿悟入道要门论》：唐代禅僧大珠慧海撰。原为一卷，现存本则有上、下二卷。下卷又称《诸方门人参问语录》，或称《诸宗所问语录》。从禅宗角度对一些佛教常见概念如"戒定

慧""佛心""佛身""五眼"等作出解答,简明扼要,一语破的,体现出南宗洪州一系禅法简易、直捷、究竟的特色。

[2]慧海:生卒年不详。建州(福建)人,俗姓朱,世称大珠和尚、大珠慧海。出家后游诸方,参谒马祖道一,马祖曰:"自家宝藏不顾,抛家散走作什么?"师于言下自识本性,遂事马祖六载。马祖赞曰:"越州有大珠,圆明光透,自在无遮障。"其后归返越州阐扬洪州宗禅旨。

[3]无三世:这一段话从根本上阐释众生解脱生死轮回的原理,所谓"无三世"也就是断绝了时间之流,也就是断绝了生死轮回。

[4]无生法忍:谓观诸法无生无灭之理而谛认之,安住且不动心,又作无生忍,即《金刚经》所谓"无诤三昧"。

[5]若取法相句:《金刚经》:"是诸众生若心取相,即为着我人众生寿者。若取法相,即着我人众生寿者。何以故?若取非法相,即着我人众生寿者。"

[6]森罗:纷然罗列。

《贞元新译华严经疏序》[1]

[唐]澄观[2]

大哉真界，万法资始，包空有而绝相，入言象而无迹。妙有得之而不有，真空得之而不空，生灭得之而真常，缘起[3]得之而交映。我佛得之，妙践真觉，廓净尘习，寂寥于万化之域，动用于一虚之中。融身刹以相含，流声光以遐烛。我皇得之，灵鉴虚极，保合大和，圣文掩于百王，淳风吹于万国。敷玄化以觉梦，垂天真以性情。是知不有大虚[4]，曷[5]展无涯之照，不有真界，岂净等空之心？《大方广佛华严经》者，即穷斯旨趣，尽其原流。故得恢廓[6]宏远，包纳冲邃，不可得而思议矣。

指其原也，情尘有经，智海无外，妄惑非取，重玄[7]不空。四句[8]之火莫焚，万法之门皆入。冥二际而不一，动千变而非多，事理交彻而两亡，以性融相而无尽。若秦镜之互照[9]，犹帝珠[10]之相含，重重交光，历历齐现。故得圆至功于顷刻，见佛境于尘毛。诸佛心内众生，新新作佛，众生心中诸佛，念念证真。一字法门，海墨书而不尽，一毫之善，空界尽而无穷。

语其定也，冥一如之无心，即万动之恒寂。海湛真智，光含性空，星罗法身，影落心水。圆音非扣而长演，果海[11]离念而心传，万行忘照而齐修，渐顿无得而双入。虽四心[12]被广，八难[13]顿超，而一极唱高，二乘绝听。

当其器也，百城询友[14]，一道栖神。明正为南，方尽南矣，益我为友，人皆友焉。遇三毒而三德圆，入一尘而一心净。千化不变其虑，万境顺通于道。契文殊之妙智，宛是初心；入普贤之玄门，曾无别体。失其旨也，徒修因于旷劫；得其门也，等诸佛于一朝。杳矣妙矣！广矣大矣！实乃声诸佛之灵府，拔玄根之幽致。升慧日以廓妄，扇慈风以长春。包性相之洪流，掩群经之光彩，岂唯明逾朝彻，静越坐忘而已耶？

　　然玄籍百千，幽关半掩。我皇御宇，德合乾坤，光宅万方，重译来贡[15]。东风入律，西天轮越海之诚；南印御书，北阙献朝宗之敬。特回明诏，再译真诠，光阐大猷，增辉新理。(澄观)顾多天幸，钦瞩盛明，奉诏译场，承旨幽赞，抃跃兢惕[16]，三复竭愚。露滴天池，喜合百川之味；尘陪华岳，无增华仞之高。大方广者，所证法也。佛华严者，能证人也。极虚空之可度，体无边涯，大也。竭沧溟之可饮，法门无尽，方也。碎尘刹而可数，用无能测，广也。离觉所觉，朗万法之幽邃，佛也。芬敷万行，荣曜众德，华也。圆兹行德，饰彼十身，严也。贯摄玄妙，以成真光之彩，经也。[17]总斯七字，为一部之宏纲，则无尽法门，思过半矣。

(《贞元新译华严经疏》卷一)

【注释】

[1]《贞元新译华严经疏序》:《大方广佛华严经》:大乘佛教重要经典，也是中国佛教华严宗所依据的根本经典。此经以法界缘起、事事无碍等妙义为宗旨，为佛法之根本法轮，故称"称性本教"。此经有三种汉译本，即:(一)六十华严。凡六十卷。东晋佛驮跋陀罗译。又称《旧华严》。(二)八十华严。凡八十卷。唐代武则天时期实叉难陀译。又称《新华严》。较之旧译文辞流畅，义理更周，故流通较盛。一般所称《华严经》多指八十华严。

（三）四十华严。凡四十卷。唐代贞元年间般若译。全称《大方广佛华严经入不思议解脱境界普贤行愿品》,《略称普贤行愿品》。内容记述善财童子历参五十五善知识,而成就普贤之行愿。此经只有这一品,但《普贤行愿品》非常重要,唯见于此译本,故一般将四十华严视为八十华严的补译。本序所指即为般若所译之《四十华严》。

[2]澄观(737~838):唐代华严宗高僧。越州山阴(浙江绍兴)人,居五台山清凉寺。发愿撰新《华严经疏》,从德宗兴元元年(784)正月开始,到贞元三年(787)十二月,历时四年,撰成《华严经疏》二十卷,即是现行的《大方广佛华严经疏》。又协助般若翻译《四十华严》,并撰成《贞元新译华严经疏》。唐德宗诞辰,讲经内殿,以妙法清凉帝心,赐号清凉国师,为中国佛教华严宗之第四祖。

[3]缘起:佛教之根本教义,指一切诸法(有为法),皆因种种条件(即因缘)和合而成立,此理称为缘起。中国华严宗对"缘起论"有新的发挥,据华严宗之说,当宇宙诸法现起时,由"佛因位"之立场言,称为缘起,即"因缘生起"之意;若由"佛果位"而言,以其由悟界之本性产生,则称性起。华严宗又结合判教,分缘起为四种:(一)小乘之业感缘起(二)大乘始教之阿赖耶缘起(三)大乘终教之如来藏缘起(真如缘起)(四)华严经圆教之法界缘起。

[4]大虚:即太虚。指宇宙万物最原始的实体。张载《正蒙·太和》:"太虚无形,气之本体,其聚其散,变化之客形尔。"

[5]曷:通"何"。

[6]恢廓:宽宏,宽阔。曹植《释愁文》:"吾将赠子以无为之

药……安子以恢廓之宇,坐子以寂寞之床。"

[7]重玄:宇宙之微妙甚深之道。语本《老子》:"玄之又玄,众妙之门。"《晋书·隐逸传·索袭》:"味无味于慌惚之际,兼重玄于众妙之内。"

[8]四句:即以肯定、否定、复肯定、复否定等四句来分类诸法之形式,又作四句法。第一句"是 A(非非 A)",第二句"非 A",第三句"亦 A 亦非 A",第四句"亦非 A 亦非非 A"。佛教认为真谛之理乃"离四句,绝百非"。百非即是对有无等一切概念一一加上"非"字,以表示否定之意,即谓佛教之真理不仅不宜以四句分别,亦乃超越百非之否定。故称之为"四句之火莫焚"。

[9]若秦镜之互照:澄观《大方广佛华严经疏》卷二:"一切法互为镜像,如镜互照,而不坏本相。"《宋高僧传》卷五《法藏传》载华严宗创始人法藏曾"取鉴十面八方安排,上下各一,相去一丈余,面面相对中安一佛像,燃一炬以照之,互影交光,学者因晓刹海涉入无尽之义"。

[10]帝珠:即摩尼珠,可以变现种种妙境。

[11]果海:比喻佛之智慧、功德深广如海。

[12]四心:指慈、悲、喜、舍四无量心。

[13]八难:佛教谓难于见佛闻法,凡有八端,故名八难。按即地狱、饿鬼、畜生、北拘卢洲、长寿天、盲聋瘖哑、世智辩聪、佛前佛后八种。

[14]百城询友:指《华严经》中所记善财童子依弥勒菩萨之教,渐次于南方经由百十余城,参访五十三善知识求法。《性灵集》卷七:"故能访朋百城,勇锐之心弥励。"

[15]重译来贡:指贞元年间《华严经》梵本再次由般若等僧人翻译。

[16]抃跃兢惕:抃(biàn)跃:犹言手舞足蹈,欢欣鼓舞。兢惕:戒惧。

[17]以上解释《大方广佛华严经》七字之含义,言简意赅,可对这部经典之大概有一了解,堪称“为一部之宏纲”,这本身也是华严宗“一多相即”之理的体现。

《送灵澈上人庐山回归沃洲序》[1]

[唐]权德舆[2]

昔庐山远公、钟山约公,皆以文章广心地,用赞后学,俾学者乘理以诣,因言而悟,得非元津之一派乎?吴兴长老昼公[3],掇六义之清英,首冠方外,入其室者,有沃洲灵澈上人。上人心冥空无,而迹寄文字,故语甚夷易,如不出常境,而诸生思虑,终不可至。其变也,如风松相韵,冰玉相叩,层峰千仞,下有金碧。耸鄙夫之目,初不敢视,三复则淡然天和,晦于其中。故睹其容览其词者,知其心不待境静而静。况会稽山水,自古绝胜,东晋逸民,多遗身世于此。夏五月,上人自炉峰言旋,复于是邦。予知夫拂方袍,坐轻舟,溯沿镜中,静得佳句。然后深入空寂,万虑洗然,则向之境物,又其稊稗[4]也。鄙人方景慕企尚之不暇,焉敢以离群为叹?

【注释】

[1]灵澈(749~816):一作灵彻。俗姓汤,字源澄,会稽(今浙江绍兴)人,长于律学,尤善诗文。贞元、元和年间,先后住庐山东林寺和宣州开元寺,与当时文人交往甚多。上人即上德之人,佛门对比丘的尊称。

[2]权德舆(759~818):唐代文学家,字载之,天水略阳(今甘肃秦安)人。唐宪宗时,拜礼部尚书、同中书门下平章事,后徙刑部尚书。以文章著称,《旧唐书·权德舆传》说他"于述作特

盛。六经百氏,游泳渐渍,其文雅正而弘博,王侯将相洎当时名人薨殁,以铭纪为请者什八九,时人以为宗匠焉"。亦信仰佛教,喜与僧人交往。

[3]吴兴长老昼公:即皎然,生卒年不详。俗姓谢,字清昼,吴兴(今属浙江)人。南朝谢灵运十世孙。活动于大历、贞元年间,诗名甚著,所著《诗式》为当时诗格一类作品中较有价值的一部。

[4]稊稗:一种形似谷的草,喻卑微之物。《庄子·知北游》:"东郭子问于庄子曰:'所谓道,恶乎在?'庄子曰:'在稊稗。'"这句是说,相对于那种"万虑洗然"的禅悟之境而言,外在的景物是微不足道的。本文揭示心与境的关系,认为心是主,境是从,体现了佛教的文艺观。

《三如来画像赞(并序)》[1]

[唐]梁肃[2]

　　法王之身有三:曰法、曰报、曰应。报身从无边功德生,应身从无边众生生,法身从如如无有生。分别说三,其极一贯。原夫大道之体,离一切相,是其本也。积大德,施大慧,合大道,成大身,是其报也。出入十界,随所利见,如水月镜像,是其应也。自因至果,故不得不有其报;疗一切病,故不得不行其应。应亦名也,报亦名也。名乎哉,其实相之宾乎?经云:"观身实相,观佛亦然。"尝试思之,以为众生盖反佛者[3]也。是三相在佛为三德,在凡为三障:一者生死,生死即空寂,空寂即法身也;二者烦恼,烦恼即智慧,智慧即报身也;三者结业,结业即解脱,解脱即应身也。三德成于悟,三障成于迷。迷而不复也,遂自绝于佛乘。哀哉!予尝斋心命工,裂素[4]作绘,圣德之形容,可举目而见,见而后思,思而后知至。知至之路,盖由是矣。瞻仰之不足,遂为之赞,庶观者有以知三如来不在心外,不可以有无心取。赞曰:

　　大哉法体,体如虚空。不始不终,不垢不净,不边不中。是谓涅槃,是谓法身。诸佛性海,是无上正真。(右赞毗卢遮那佛)

　　妙哉报体,体法而大。由清净功,得色无碍。得色无碍,成实智慧。范围法界,尽未来际。(右赞卢舍那佛)

　　神哉化功,其化无方。休有烈光,以百亿色身,播百亿国

90

上。启权显实,或默或语。示我寂灭,双林之下。(右赞释迦牟尼佛)

三圣一身,本无有异。恒沙诸佛,其道一致。众生唯妄,觉妄斯至。悬象著明,用鉴心地。(右总赞)

【注释】

[1]三如来:即下所论法身毗卢遮那佛、报身卢舍那佛、应身释迦牟尼佛三身像。毗卢遮那,梵语音译,意译为遍一切处,佛之本有道体,无形无相。卢舍那,梵语音译,意译为光明遍照,佛的智慧功德所成之报身。释迦牟尼,佛为度化众生而于世间显现之应身佛。本文根据天台宗的教义,阐发了上述三如来的意义和关系,并解释了佛与如来之不同处,论述简明扼要,言简意赅。

[2]梁肃(753~793):字敬之,世居陆浑(河南嵩县东北)。以儒学著称,大历、贞元时之复兴古学,以梁肃最称渊奥。建中年间,官至翰林学士、守右补阙,又奉召为皇太子之侍读。早归佛门,就湛然学天台宗,深极心要。著有《天台止观》六卷、《止观统例》等。

[3]众生盖反佛者:即谓众生因迷惑颠倒造业,而使佛之三德变为众生之三障,故称之为"反"。实际上,生死即空寂,烦恼即智慧,结业即解脱,众生若明此理,能再反归自性,即能成佛。当时儒门所言"复性"亦即此义,可参看下文《天台止观统例序》。

[4]裂素:裁剪白绢以绘画作文。

《天台止观统例序》(节选)

[唐]梁肃

夫止观何为也？导万法之理而复于实际者也。实际者何也，性之本也。物之所以不能复者，昏与动使之然也。照昏者谓之明，驻动者谓之静。明与静，止观之体也，在因谓之止观[1]，在果谓之智定。因谓之行，果谓之成。行者，行此者也，成者，证此者也。厚夫！圣人有以见惑足以丧志，动足以失方，于是乎止而观之，静而明之，使其动而能静，静而能明。因相待以成法，即绝待[2]以照本。立大车以御正，乘大事而总权。消息乎不二之场，鼓舞于说三[3]之域。至微以尽性，至赜以体神。语其近，则一毫之善可通也，语其远，则重玄之门可窥也。用至圆以圆之，物无偏也；用至实以实之，物无妄也。圣人举其言，所以示也，广其目，所以告也。优而柔之[4]，使自求之，拟而议之，使自至之，此止观所由作也。

夫三谛[5]者何也？一之谓也。空假中者何也？一之目也。空假者，相对之义，中道者，得一之名。此思议之说，非至一之旨也。至一即三，至三即一，非相合而然也，非相生而然也，非数义也，非强名也，自然之理也。言而传之者，迹也，理谓之本，迹谓之末。本也者，圣人所至之地也，末也者，圣人所示之教也。由本以垂迹，则为小为大，为通为别[6]，为顿为渐，为显为秘，为权为实[7]，为定为不定。循迹以返本，则为一为大，为圆为实，为无住，为中，为妙，为第一义，是三一之蕴也。所谓空也者，通万法而为言者也;假也者,立万法而为言者也;中也者,妙万法而为言者也。破一切惑,莫盛乎空,建一切法,莫盛乎假,究竟一切性,莫大乎中。举中则无法非中,目假则无法非假,举空则无法不空。成之谓之三德,修之谓之三观。举其要,则圣人极深研几[8],穷理尽性之说乎!(《天台止观统例》卷一)

【注释】

[1]止观:天台宗所创立的修行法门,"止"为梵文奢摩他之意译,意为扫除妄念,专心一境;"观"为梵文毗钵舍那的意译,意为在"止"的基础上发生智慧,辨清事理,主张通过"止观"即可"悟"到"性空"而成佛。

[2]绝待:又称绝待不二,于他无可比对、唯一之谓。绝待,或作绝对,反之则为相待、相对。

[3]说三:"说"同"悦","三"指三乘佛法。

[4]优而柔之:宽和、温厚、仁慈。《国语·周语下》:"布宪施舍于百姓,故谓之嬴乱,所以优柔容民。"

[5]三谛:即下文所说空谛、假谛、中谛。本文即对"三谛"之旨意做详尽阐说。

[6]为通为别:指讨论某一问题时,有通、别之区分。义相上之一般共通,称为通;各各别异,称为别。天台宗将佛教演变判为藏、通、别、圆四教。

[7]为权为实:权实乃中国古代重要哲学概念。《论语·子罕》:"可与立,未可与权。"皇侃《义疏》:"权者,反常而合于道者。王弼曰:'权者道之变;变无常体,神而明之,存乎其人,不可豫设,尤至难者也。'"《孟子·离娄》:"男女授受不亲,礼也;

嫂溺援之以手者,权也。"赵歧注:"权者,反经而善者也。"权即"权宜"之意。佛教借用权实概念,谓佛法之二教,权教为小乘说法,取权宜义,法理明浅;实教为大乘说法,显示真要,义理高深。

[8]研几:穷究精微之理。《易·系辞上》:"夫易,圣人之所以极深而研几也。"韩康伯注:"极未形之理则曰深,动适微之会则曰几。"

《原人论》[1]（节选）

[唐]宗密[2]

　　万灵蠢蠢皆有其本，万物芸芸各归其根，未有无根本而有枝末者也，况三才中之最灵[3]而无本源乎？且知人者智，自知者明，今我禀得人身而不自知所从来，曷能知他世所趣乎？曷能知天下古今之人事乎？故数十年中学无常师，博考内外以原自身，原之不已，果得其本。

　　然今习儒道者，只知近则乃祖乃父，传体相续，受得此身；远则混沌一气，剖为阴阳之二，二生天地人三，三生万物，万物与人皆气为本。习佛法者，但云："近则前生造业，随业受报，得此人身；远则业又从惑展转，乃至阿赖耶识[4]为身根本。"皆谓已穷，而实未也。

　　然孔、老、释迦皆是至圣，随时应物，设教殊涂。内外相资，共利群庶。策勤万行，明因果始终；推究万法，彰生起本末。虽皆圣意而有实有权，二教唯权，佛兼权实[5]。策万行，惩恶劝善，同归于治，则三教皆可遵行；推万法，穷理尽性，至于本源，则佛教方为决了。

　　然当今学士各执一宗，就师佛者，仍迷实义，故于天地人物不能原之至源。余今还依内外教理推穷万法，初从浅至深，于习权教者，斥滞令通而极其本；后依了教，显示展转生起之义，会偏令圆而至于末，末即天地人物。文有四篇，名《原人》也。（《原人论序》）

【注释】

[1]《原人论》：中国唐代华严宗五祖宗密的重要佛教哲学著作，全名《华严原人论》。对宇宙、生命、人类的起源以及社会贫富贵贱不平等的由来，作出宗教上的论证，并比较了佛教与中国儒道两家思想的异同，认为佛教的解释较之儒道两家更为透彻、究竟。

[2]宗密(780~841)：中国华严宗五祖，因常住圭峰兰若，世称圭峰禅师。俗姓何，果州西充(今属四川)人。少通儒书，出家后澄观所著《华严经疏》，从其所学。其佛学上主张融会教禅，盛倡禅教一致。又因早年学儒，亦主张佛儒一源，极力贯通三教学说。曾将各家所述诠表禅门根源道理的文字句偈集录成书，称为《禅源诸诠集》(全书已佚)，并作《都序》四卷，主张"顿悟资于渐修"。

[3]三才中之最灵：三才指天地人，最灵者即人。这一句是说：人需要对人自身之本源、由来有一个透彻的了解，方能称得上觉悟。

[4]阿赖耶识：意译为"藏识"，为佛教大乘唯识宗的内在心识的第八识，是世界和众生"自我"的本源，它含藏着一切事物的种子，也是轮回的主体和解脱的依据。

[5]二教唯权，佛兼权实：有关"权实"，参看梁肃《天台止观统例序》注释[7]。这一句是说，佛教兼有权教与实教，而儒家、道家相对于佛教而言，皆为权教。

儒道二教说人畜等类，皆是虚无大道生成养育。谓道法自然生于元气[1]，元气生天地，天地生万物，故愚智、贵贱、贫富、苦乐，皆禀于天，由于时命[2]，故死后却归天地，复其虚无。然外教宗旨，但在乎依身立行，不在究竟身之原由。所说万物不论象外，虽指大道为本，而不备明顺逆起灭染净因缘，故习者不知是权，执之为了。今略举而诘之。

所言万物皆从虚无大道而生者，大道即是生死贤愚之本，吉凶祸福之基。基本既其常存，则祸乱凶愚不可除也，福庆贤善不可益也，何用老庄之教耶？又道育虎狼、胎桀纣[3]，夭颜冉、祸夷齐，何名尊乎？

又言万物皆是自然生化非因缘者，则一切无因缘处悉应生化，谓石应生草，草或生人，人生畜等。又应生无前后，起无早晚，神仙不藉丹药，太平不藉贤良，仁义不藉教习，老庄周孔何用立教为轨则乎？

又言皆从元气而生成者，则欻生之神未曾习虑，岂得婴孩便能爱恶骄恣焉[4]？若言欻有自然便能随念爱恶等者，则五德六艺[5]悉能随念而解，何待因缘学习而成？

又若生是禀气而欻有，死是气散而欻无，则谁为鬼神乎？且世有鉴达前生追忆往事，则知生前相续，非禀气而欻有；又验鬼神灵知不断，则知死后非气散而欻无。故祭祀求祷，典籍有文，况死而苏者说幽途事，或死后感动妻子仇报怨恩，今古皆有耶？

外难曰："若人死为鬼，则古来之鬼填塞巷路，合有见者，如何不尔？"[6]

答曰："人死六道，不必皆为鬼，鬼死复为人等，岂古来积鬼常存[7]耶？"

且天地之气本无知也，人禀无知之气，安得欻起而有知乎？草木亦皆禀气，何不知乎？

又言贫富贵贱贤愚善恶吉凶祸福皆由天命者，则天之赋命奚有贫多富少、贱多贵少，乃至祸多福少？苟多少之分在天，天何不平乎？况有无行而贵、守行而贱，无德而富、有德而贫，逆吉义凶、仁夭暴寿，乃至有道者丧、无道者兴？既皆由天，天乃兴不道而丧道？何有福善益谦之赏，祸淫害盈之罚[8]焉？

又既祸乱反逆皆由天命，则圣人设教，责人不责天，罪物不罪命，是不当也！然则《诗》刺乱政，《书》赞王道，《礼》称安上，《乐》号移风[9]，岂是奉上天之意，顺造化之心乎？是知专此教者，未能原人。(《原人论·斥迷执第一》)

【注释】

[1]生于元气：指儒道二家的元气本体论。宗密将其概括为"万物唯气，离气无物，禀神于天，受形于地，故形神者，粗妙之质，粗妙者，清浊之气，散则反至本，聚则成于物，聚散虽异，而其气一焉"。(《圆觉经大疏钞》卷九之下)元气生天地：这在道家有老子的"一生二"说，一即混沌未分的元气，二即天和地。在儒家有太极生两仪说，两仪即阴阳，或天地。天地生万物：这在道家有老子的"二生三，三生万物"之说，天地相互作用，加上人的作用，就有万物的产生。

[2]时命：即命运。严忌《哀时命》："哀时命之不及古人兮，夫何予生之不遘时。"儒道两家皆主天命决定论，天命是主宰有命令，有时也把天和命分为两者，如儒家有"死生有命，富贵在天"之论。

[3]虎狼：泛指一切类似的恶类。大道能生万物，也生虎狼等类，但虎狼等类却是残害人畜的，这不是大道的不仁之处吗？胎：生养。桀纣：夏朝之桀，商朝之纣，都是比虎狼还要残暴的国君，泛指一切昏君庸臣。大道生养这样的暴君，不是大道的不仁吗？

[4]歘（xū）生：忽然而生。神：人的认识能力。习虑：学习，思虑。爱恶骄恣：爱，指染著。恶，指憎嫌。骄，指矜傲，恣，指纵情恣放。以上都是指婴儿的一些情感表现，特别是一些生理本能，宗密把它们看作是婴儿的认识行为，由此证明认识的先天性，进而证明前世的存在。

[5]五德六艺：五德指仁、智、义、礼、信。六艺指礼、乐、射、御、书、数。皆为儒家用以教人之法。

[6]这里所举为王充的论难，《论衡·论死篇》谓："天地开辟，人皇以来，随寿而死。若中年夭亡，以亿万数。计今人之数不若死者多，如人死辄为鬼，则道路之上，一步一鬼也。人且死见鬼，宜见数百千万，满堂盈廷，填塞巷路，不宜徒见一两人也。"

[7]岂古来积鬼常存：佛教认为，不仅人会死，鬼也有死，鬼死后也会转生为其他生命类型。积鬼：儒道所理解的鬼不能再转化为其他生命类型，所以逐渐积压下来了。

[8]福善益谦句：福善，给善良的人以幸福。益谦：给谦虚的人以利益。《尚书·大禹谟》有"满招损，谦受益"之说，《易·谦卦》有"天道亏盈而益谦"之说。祸淫害盈：祸淫，给淫邪的人以灾祸。害盈，给骄盈者以灾害。《尚书》中有"天道福善祸淫"之说。《易·谦卦》有"鬼神害盈而福谦"之说。通过对社会现象的

分析,则问天赋命的不公,即给人们不公正的社会生活命运,揭示天命论在解释社会现实时所遇到的困难。

[9]《诗》刺乱政等句:《诗》指《诗经》。《诗经》中包含着许多对君王乱政的批评,对暴虐的统治者的批评。《书》指《尚书》,《尚书》中对上古三王夏禹、商汤、周文王等充满了赞颂。《礼》指《礼记》,其所规定的礼制是使君王的统治得以稳定的条件。《孝经》中有"安上治民,莫善于礼"之说。《乐》指《乐记》,其所倡导的高雅音乐对于社会的移风易俗很有积极意义,《孝经》中有"移风易俗,莫善于乐"的说法。

《裴相劝发菩提心文序》[1]

[唐]宗密

发菩提心者,崇德广业,虚心外身,圆觉之谓也。自非达恢廓之道,禀仁恕之性,怀远大之志者,其谁能发斯意焉!岂其如来灭后,后五百岁佛法衰,末世[2]人少信。时有儒门上士、河东裴公而当此仁。吾与裴公交佛道久已,知其入佛门、到佛境。及览《劝发菩提心文》,知其为佛使[3]、行佛事。吾为佛子[4],宁不感之而踊跃乎!凡归佛者可宝之为龟镜。

然佛门难入,失在偏邪,佛境难到,失在怠速。心外求法,或身中计我,邪也。唯尚理性,或但宗因缘,偏也。持解迷行,或沈空住寂,怠也。劳形苦神,而克期待证,速也。今裴公所得、所行、所演、所劝,金[5]异于是。所谓洞了自心,德等于佛,非心外求也。洞了形识,空如幻化,非自计我。真如本觉,是其所宗,非但缘也。四谛六度,是其所弘,非唯性也。礼供赞念,率身励人,非速行也。福智悲愿,孜孜是务,非沉住也。气和神适,乘缘应事,非劳苦也。以时消息,为而不待,非求证也。如是备众德,离诸病,非入佛门、到佛境何耶?吾久同其愿,又览其文,咏歌不足,故辄为序。今而后有欲入佛门、造佛境者,宜信受奉行。(**裴休《普劝僧俗发菩提心文》卷一**)

【注释】

[1]《裴相劝发菩提心文》:裴相为裴休(797~870),字公美。

唐孟州济源(今河南省济源县)人，唐宣宗年间拜相，著名崇佛居士。自中年后断肉食，斋居焚香诵经，以习歌呗为业。会昌法难后，斐休以重臣出而翼护，故不数年间，佛教得复旧观。尝撰《劝发菩提心文》一卷，并辑录禅宗语录《传法心要》《黄檗断际禅师宛陵录》等。其所撰《劝发菩提心文》一卷，收入《卍续藏》第 58 册。

[2]末世：即末法时期，指佛法衰颓之时代。佛教称如来灭度后五百年内，教法住世，依教法修行，即能证果，称为正法。其后一千年，虽有教法及修行者，多不能证果，称为像法。再其后一万年内，教法垂世，人虽有秉教，而不能修行证果，称为末法时期。

[3]佛使：佛教之使者。《法华经·法师品》："我灭度后，能窃为一人说《法华经》乃至一句，当知是人即如来使，如来所遣行如来事。"

[4]佛子：本指信顺佛之教法而承其家业，即欲成佛而使佛种不断绝者，乃大乘佛教对菩萨之美称，也泛指一切信仰佛教者甚至一切众生，皆为佛子。

[5]佥(qiān)：全，都。

《东海若》[1]

[唐]柳宗元[2]

东海若陆游,登孟猪之阿[3],得二瓠[4]焉,剖而振其犀[5]以嬉,取海水杂粪壤蛣蝈[6]而实之,臭不可当也。窒以密石,举而投之海。逾时焉而过之,曰:"是故弃粪耶?"其一彻声而呼曰:"我大海也。"东海若呀然笑曰:"怪矣,今夫大海,其东无东,其西无西,其北无北,其南无南,旦则浴日而出之,夜则滔列星,涵太阴[7],扬阴火珠宝之光以为明,其尘霾之杂不处也,必泊之西滢[8],故其大也、深也、洁也、光明也,无我若者。今汝,海之弃滴也,而与粪壤同体,臭朽之与曹[9],蛣蝈之与居,其狭咫也,又冥暗若是,而同之海,不亦羞而可怜哉!子欲之乎?吾将为汝抉石破瓠,荡群秽于大荒之岛,而同子于向之所陈者可乎?"粪水泊然不悦曰:"我固同矣,吾又何求于若?吾之性也,亦若是而已矣。秽者自秽,不足以害吾洁;狭者自狭,不足以害吾广;幽者自幽,不足以害吾明。而秽亦海也,狭亦海也,幽亦海也,突然而往,于然[10]而来,孰非海者?子去矣,无乱我!"

其一闻若之言,号而祈曰:"吾毒是久矣!吾以为是固然不可异也。今子告我以海之大,又目我以故海之弃粪也,吾愈急焉。涌吾沫不足以发其窒,旋吾波不足以穴瓠之腹也,就能之,穷岁月耳,愿若幸而哀我哉!"

东海若乃抉石破瓠,投之孟猪之陆,荡其秽于大荒之岛,而水复于海,尽得向之所陈者焉。而向之一者,终与臭腐处而不变也。

今有为佛者二人，同出于毗卢遮那之海，而汨于五浊[11]之粪，而幽于三有之瓠，而窒于无明之石，而杂于十二类[12]之蜎蚑。人有问焉，其一人曰："我佛也，毗卢遮那、五浊、三有、无明、十二类，皆空也、一也，无善无恶，无因无果，无修无证，无佛无众生，皆无焉，吾何求也！"问者曰："子之所言，性也，有事焉。夫性与事，一而二、二而一者也，子守而一定，大患者至矣！"其人曰："子去矣，无乱我！"

其一人曰："嘻，吾毒之久矣！吾尽吾力而不足以去无明，穷吾智而不足以超三有[13]、离五浊，而异大十二类也。就[14]能之，其大小劫之多不可知也，若之何？"

问者乃为陈西方之事，使修念佛三昧、一空有之说。于是圣人怜之，接而致之极乐之境，而得以去群恶，集万行，居圣者之地，同佛知见矣。向之一人者，终与十二类同而不变也。夫二人之相远也，不若二瓠之水哉！今不知去一而取一，甚矣！(《柳宗元集》卷二十)

【注释】

[1]《东海若》：柳宗元所撰阐述佛教净土原理的寓言性杂文。内容叙述一海神东海若，登上孟猪冈，拾有二瓠，中混海水且满粪壤蜎蚅，海神将之密封投海。后一瓠从海神之教，于荒岛破瓠，去群秽而令海水复归于大海；一瓠则不知己之臭秽，犹以海水自负，遂令海水不复归大海。这一寓言，后者寓意我即本来佛，拨无现实之五浊、三有、无明、十二类等，固执于无善无恶、无因无果、无修无证、无佛无众生等性空之立场；前者

寓意从圣人之教,修念佛三昧,舍去群恶,广集万行,居圣者之地,得同于佛之智见。

[2]柳宗元(773~819):唐代河东(山西永济)人,字子厚,世称柳河东。自幼精敏绝伦,博通能文,登第进士后三年,任蓝田尉。历任监察御史里行、监察御史、礼部员外郎。永贞元年(805)九月因王叔文失势受牵连,贬为邵州刺史。赴任途中,又贬为永州司马。流窜僻地,又自放于荒疬悠悠山泽间,从此深寄其心于佛教,交游诸禅师,胸中虑慨悉化为文,当时南方诸大德之碑铭多出其手。

[3]东海若:东海神名。孟猪,泽名。《汉书·地理志》:孟猪在梁国睢阳县东北。《周礼》作"望诸"。

[4]瓠(hù):瓠瓜,一年生草本植物,茎蔓生,夏天开白花,果实长圆形,嫩时可食。

[5]犀:瓜瓣。《诗经·卫风·硕人》:"齿如瓠犀。"

[6]蛲蛔:蛲虫和蛔虫,泛指人体寄生虫。

[7]太阴:月。杨炯《盂兰盆赋》:"太阴望兮圆魄皎。"

[8]澨(shì):岸。

[9]曹:同类。《后汉书·班超传》:"卿曹与我俱在绝域。"

[10]于然:舒徐宽广貌。

[11]五浊:佛教谓尘世中烦恼痛苦炽盛,充满五种浑浊不净,即劫浊、见浊、烦恼浊、众生浊和命浊,亦泛指充满罪恶痛苦的尘世。

[12]十二类:佛对生命的分类,谓众生由颠倒妄想起惑造业,随业感报,各各不同,共有十二种类型:(一)卵生(二)胎生(三)湿生(四)化生(五)有色(六)无色(七)有想(八)无想

105

(九)非有色(十)非无色(十一)非有想(十二)非无想。

[13]三有:即三界,包括:一、欲有,欲界之生死;二、色有,色界之生死;三、无色有,无色界之生死。佛教认为三界之生死境界有因有果,故谓之有。

[14]就:即使。

【附录】《东海若解》

[唐]柳宗元　著　[清]实贤[1]　注解

东海若者,昔有唐名儒柳子厚,愍学佛者知见不同,于净土法门,信毁不一,其间利害,不啻天渊。欲令知所去取,以造乎心性之极致,故作此文也。第习儒者既以佛理而置之弗究;学佛者又以文字而漫不经心。间有聪明之士,多阙信根,设具信根,复无智慧,致使深文奥义,韬晦于残编断简中,莫之通达,岂不惜哉!因申明其义,以为解释,庶几为初机劝发之一助云。

【原文】东海若陆游登孟诸之阿,得二瓠焉,刳而振其犀以嬉。取海水,杂粪壤蛲蛔而实之,臭不可当也。窒以密石,举而投之海。逾时焉而过之曰:"是故弃粪邪?"

【解】东海若,海神名,喻宏法大士。盖海神主海,犹大士主法,故以此喻之也。陆游者,谓离净土海,到娑婆岸,犹海神离海而游陆也。孟诸,地名,曲阜曰阿,高下不平之处,以喻三界险道,谓自既出生死,复入三界,度苦众生,故曰登孟诸之阿也。二瓠,喻信毁二机。众生五阴,名之为瓠,因缘会遇,故言得。刳而振其犀以嬉,谓大士游戏神通,不取众生相也。刳,空也。振,去也。犀,子也。言空去其子,以瓠为嬉,正喻离众生相,以度生为游戏也。取海水者,为说法也。杂粪壤者,众生闻法,智慧与无明杂也。粪壤喻烦恼,蛲蛔喻生死。烦恼因果,不出五浊,生死种类,不离十二。臭,犹苦也,生死烦恼,其苦难忍,故

107

言臭不可当。密石,喻根本无明,一念不了,故曰窒。投海,喻入生死,众生过去,虽曾闻法,种少善根,但以无明所覆,长在生死,不得解脱。纵遇知识劝导,其根生熟不同,亦有发不发者。发则顺教修行,不发则违教执理,故取二弧为喻也。然大士度生,如父母教子,不以孝子而偏教,不以逆子而置之。故虽不信,亦为说法,又常伺察其机而开发之。逾时焉而过之者,此伺机也。久经轮转,故曰逾时。夙缘相植,故名曰过。曰“是故弃粪邪”,此开发之辞也,谓汝于过去曾种善根,今犹遗弃生死邪?意欲令其发心念佛,故问之也。

【原文】其一彻声而呼曰:“我大海也。”

【解】此喻违教执理之人,彻声而呼,即惊疑不信之状;“我大海也”,即执理废事之言。

【原文】东海若呀然笑曰:“怪矣!今夫大海,其东无东,其西无西,其北无北,其南无南。旦则浴日而出之,夜则滔列星太阴,扬阴火珠宝之光以为明,其尘霾之杂不处也,必汩之西瀣。故其大也、深也、洁也、光明也,无我若者。

【解】此喻大士为说佛真性海以显真谛也。呀然,张口貌。怪矣,是责之也。今夫下,具示正理。夫性海无涯,故无东西南北,性海光明,故外日月星辰,内具众宝,外是神通,内具是智慧,所谓万德悉圆也。又日喻应身,星月喻随类化身。应身出世名旦,涅槃名夜。应迹虽有生灭,法体常自湛然。众生机熟,则现佛身而度脱之,缘尽入灭,则又现随类化身而引导之。虽种种示现,总皆不出性海之外,是外也。阴火喻神通,珠宝喻定慧,三皆全性发生,是内具也。性海清净,故尘霾不处。尘霾,指五住烦恼,所谓诸恶都尽也。太阴是月,大海之中,火光常起,名为阴火。潆,水涯也,谓大海不与尘霾同处,必漂之涯岸,犹佛智慧海,不与烦恼同住,必断之令尽而后已耳。深、大、光、洁四字,总结上文。无四方是深大,内具是光,无尘是洁。无我若者是赞辞,谓除佛已还,皆未得此深大光洁之用者。即有之,是少分而已,非究竟也。

【原文】今汝,海之弃滴也,而与粪壤同体,臭朽之与曹,蛲蛔之与居。其狭㬪也,又冥暗若是,而同之海,不亦羞而可怜哉!子欲之乎?吾将为汝抉石破瓠,荡群秽于大荒之岛,而同子于向之所陈者可乎?

【解】此喻斥其偏见,而示以正修行路也。夫众生与佛,虽同一心,但众生迷倒,弃海认沤,指沤为海,闻说真海,反以为非,是则名为可怜愍者。今夫执空之人,计五阴身中方寸妄心,谓是本来面目,与佛无二,如瓠中粪水,计为大海,与海无别。不知心体广大,含裹十方虚空世界,众生诸佛,一念遍收,不局在方寸内,如大海不局瓠内。闻说西方净土,弥陀性海,计为心外,反生疑谤,如闻真海反以为非。弥陀虽不舍众生,众生自弃耳。如大海不拒一滴,一滴自弃大海,故曰海之弃滴。众生五阴,烦恼为体,故云粪壤同体。臭即是苦,朽即无常。曹,伍也,言此身者,无常众若之为伴侣,非真实也。蛲蛔,身中虫也,喻十二类,言此身者,十二类之所同住,非解脱也。蕞尔六尺,故言㬪,蒙然无智,故言暗。执此方寸妄心,六尺妄身,谓同佛妙用,非颠倒耶?故斥之曰羞而可怜。

问:经云:"诸佛解脱,当于众生心行中求。"又云:"观身实相,观佛亦然。"岂非众生身心,与佛无别,而子乃欲分迷分悟,论圣论凡,得无眼见空华耶?

答：如经所云，盖是即妄观真，不执妄以为真。如将一滴观海，不执一滴是海。且如一滴之水，与大海水，湿性何别？然既离大海，又与粪壤交杂，岂得谓之即是海耶？即妄观真而不执，意亦如是。故知水性无别，而求归海之计，则可也；若守定一滴谓为大海，则不可也。请试思之：子欲之乎以下，略示修行利益以劝之，言吾将为汝者，非是为彼修行，盖谓化功归己，利及他人也。抉石，喻断根本无明。破瓠，喻出三界。荡秽，喻离五浊。大荒，喻寂光真境，恢廓无际。岛，喻同居极乐，高出十方。向之所陈，即诸佛深大光洁之用，知其不信，而复强为说法者，盖大士悲心太切，现虽无益，亦为未来，得度因缘也。

【原文】粪水泊然不说，曰："我固同矣，吾又何求于若？吾之性也，亦若是而已矣。秽者自秽，不足以害吾洁。狭者自狭，不足以害吾广。幽者自幽，不足以害吾明。而秽亦海也，狭幽亦海也，突然而往，于然而来，孰非海者？子去矣，无乱我！"

【解】此喻闻教不信，执辞以拒也。博地凡夫，虽有小慧，不断烦恼，故名粪水。闻教不信，故云不说。"我固同矣"，此执理之言。克论理体，生佛不二，故曰固同。"吾又何求于若"，此自足之语。前文所陈，乃诸佛境界，盖是以修德而显性德。今执理者谬解，单言性德而废修德。故曰吾之性也亦若是而已矣。谓我心亦具深、大、光、洁之用，曾无欠少。不知说食画饼，无益饥肠，徒劳身口。下文具出偏空之见：秽不害洁，言性体清净，不为生死所污也。狭不害广，言性体广大，不为形器所局也。幽不害明，谓性体光明，不为烦恼所覆也。秽狭幽暗，即具海之全体，无二无别，故云亦也。突然、于然，往来貌，以喻出没生死，皆本性妙理，故云孰非海者。

问曰：如上所陈，未尝不是，何子过之深也？

答曰：诚如所问。其言虽是，其意则非，祇如三不害。大乘经论中，亦有此语，然诸佛菩萨，未尝拨弃修行，单言理性。今谬人守定秽狭幽暗，自谓光洁广大，不知烦恼现前，洁斯害矣；量不容物，广斯害矣；颠倒是非，明斯害矣！现前一念，尚不能保其无害，况未来生死，安能自知？虽曰不害，乃所以为大害也！如诸佛菩萨有时化度众生，示现烦恼，而心无分别，斯真秽不害洁矣。刀割香涂，等无憎爱，罗云调达，并济均慈，斯真狭不害广矣。行于非道，通达佛道，斯真幽不害明矣。而今乃以凡夫小智，滥同佛智，自取愆尤，岂非谬之甚者邪？"子去矣，无乱我"，是拒绝之辞。盖宗门执理之士，乍闻教理，辄大拂其心，故云然也。

【原文】其一闻若之言，号而祈曰："吾毒是久矣！吾以为是固然不可异也。今于告我海之大，又目我以故海之弃粪也，吾愈急焉。涌吾沫，不足以发其室。旋吾波，不足以穴瓠之腹也。就能之，穷岁月耳，愿若幸而哀我哉！"

【解】此喻顺教修行之士，初闻佛法，生大悔悟，心期解脱，故号泣而祈求焉。吾毒是久矣，毒，害也。生死烦恼，丧我法身，亡我慧命，名之曰毒。沉沦多劫，故曰久矣。又言久者，谓常有厌苦之心，未得出离之路。所谓善根将熟，机欲发动也。固然，真实貌。未闻教前，意谓生死烦恼，真实不可变异，徒厌无益。今闻佛功德海，广大难量，则知生可作佛，故曰告我以海之大。又知凤曾下种，与佛结缘，我自迷背于佛，遗弃生死，故曰目我以故海弃粪。是则出离有路，解脱有方，求之厌之，当复弥切，故云愈急。下皆自知分量之辞。涌沫，喻小慧分别。发室，喻破

111

无明。旋波，喻微功转动。穴腹，喻出三界。就能之，是假借之辞。穷岁月，是迁延旷劫。幸而哀我，是求佛摄受。

【原文】东海若乃抉石破瓠，投之孟猪之陆，荡其秽于大荒之岛，而水复于海，尽得向之所陈者焉。

【解】此喻顺教修行之利，无明顿破，如抉石生死永亡，如破瓠。三界长揖，故曰投之孟猪。九莲亲到，故曰大荒之岛。即凡心而见佛心，故云水复于海。

【原文】而向之一者，终与臭腐处而不变也。

【解】此喻违教执空之害。向执葫芦之水，与大海无别，不知石未去而秽未除，水未归于海。水虽无二，宽狭净秽乃殊。又执秽狭皆海，不知终于臭腐而不能变化，岂不哀哉！今夫执理者，谓我心是佛，何须更见弥陀；即心净土，岂必更生极乐。不知无明生死，业相炽然，虽有妙心，尚未亲证，未得佛之大用。又执生死烦恼，皆是菩提涅槃，谁非佛法？不知生死现前，依旧茫然无据，何处当有涅槃？无明瞥起，仍复颠倒是非，谁是菩提觉者？一期浪语，长劫沉沦，能不为之痛心哉！

【原文】今有为佛者二人，同出于毗卢遮那之海，而汩于五浊之粪，而幽于三有之瓠，而窒于无明之石，杂于十二类之蛲蛔。人有问焉，其一人曰："我佛也，毗卢遮那，五浊三有，无明十二类，皆空也、一也，无善无恶，无因无果，无修无证，无佛无众生。皆无焉，吾何求也？"

【解】此合上文之譬也。同是学佛，知见不同，故皆言为佛者，二人，即信毁二机。毗卢遮那，此云遍一切处，是佛法身，亦名真如性海。此之法身，生佛同体，故言同出。五浊者，一劫浊，乃至五命浊，此五皆以染污为义，故喻之如粪。三有，即三界，

112

谓欲、色、无色，隔历不同，故名界，因果不无，故称有。三有区局众生，故喻如瓠。四大区局六识，义亦如是，并得名焉。无明窒碍法性，故喻如石。十二类不离三界，如蛲蛔不离人腹。人有问焉，人即四依大士，一人即违教执空之人。我佛也，合上我大海也。一切皆空，正是所执。五浊空，合上秽不足以害洁；三有空，合上狭不足以害广；无明十二类空，合上幽不足以害明。善是人天，恶是三途，因果修证，通乎四圣。此执空之人，乃有两种，一者心自开解，二者从他闻说。心自解者，病则难治，从他闻者，后或可医。

【原文】问者曰："子之所言，性也，有事焉。夫性与事，一而二，二而一者也，若守一而定，则大患者至矣！"其人曰："子去矣，无乱我！"

【解】此示以正解，而使知过患也。言性有三义，谓空义、假义、中义。如向所陈，但得空义，不知中假。又空有三种，谓偏空、断空、真空，向论只是偏空，及以断空，尚未得真空之理，岂知性者哉！若悟真空，自不拨无万法，是故知其未解也。有事焉以下，正是对病发药之语。性即理也，谓理与事，一而常二，二而常一，圆融则大功斯立，守一则大患乃生，得失在人，非关佛法。

问：何谓一而二、二而一？

答：如祖师云：修证即不无，染污即不得，斯言是也。夫修证即不无，事也；染污即不得，理也。二句义理，互具互融，不可偏废，上句具下义故，无修证而论修证；下句具上义故，非染净而说染净，此事理不二之旨也。若单执有修证，即同二乘权教，单执无染污，即同自然外道。又同权教，则唯尚功勋，此过则浅。同外道,则拨无因果,此害乃深,故曰大患者至矣。现在则失进修之利,未来则招堕落之殃,可不惧哉!又祖师言句,有言偏意圆者,往往小慧之流,随语生解,致使醍醐反成毒药,良可悲痛!

问:云何名为言偏意圆?

答:如志公云:五欲贪嗔是佛,地狱即是天堂,智者知心是佛,愚人乐往西方。是则名为言偏意圆也。今当释之:谓若人能观五欲境界,及贪嗔痴,如虚空华,不生分别,当知此人,即名为佛,故云五欲贪嗔是佛。又观地狱天堂苦乐之相,如梦中事,不于天堂而生爱著,不于地狱而生惊怖,二俱平等,故云地狱即是天堂。智者知心是佛,愚人乐往西方,此二句重在"知心"二字。谓若知心是佛,此人念佛,即是智者。不知,则虽乐往西方,亦是愚人。智者指上上品,愚人谓下下品,此二语与净土之旨,初无悖戾。而谬人执此,乃谓念佛是愚人所为,岂西方只有下下品而无上上品邪?又下品者,其在此土,虽是愚人,若生净土,则入不退地,便不可谓之愚矣。不知己愚,反谓他愚,谓之何哉!故贵在得意,忌在执文,举一例诸,思之可见。

【原文】其一人曰:"嘻!吾毒之久矣。吾尽我力,而不足以去无明、穷吾智,而不足以超三有、离五浊,而异夫十二类也。就能之,其大小劫之多,不可知也,若之何?"

【解】此明顺教修行之士,知力不足,自审之辞也。时丁末法,人根转钝,心胆转粗。大概而论,有二种人,谓一愚、二狂。愚者茫然无解,固不待论矣。狂者妄意高远,常欲躐等,视此念佛法门,不啻草芥,尚生鄙耻,况肯修行?此无他,不自知也。古人云:知人则智,自知则明。盖当今之世,自知者亦已鲜矣!文中合譬,一一可知。言大小劫者,人寿一增一减为一小劫,积此小劫,至八十番,名一大劫。又积此大小劫,至不可数,名一阿僧祇劫。言不可知,即是不可数。藏教菩萨,要经三无数劫修行,方得成佛。然退转者多,增进者少,此明自力之难能也。盖一切法门,皆自力出生死,故难。唯念佛一门,兼仗他力,故易。易故,一生可办;难故,旷劫未成。利害得失,其机在此。是故知难易,则知利害,知利害,则知去取。否则前途失足,错路者多矣!正、像之世,容有自力出生死者;末法之世,罕闻此人。今既自力不能,欲求他力,故问若何。

【原文】问者乃为陈西方之事,使修念佛三昧,一空有之说。于是圣人怜之,接而致之极乐之境,而得以去群恶,集万行,居圣者之地,同佛知见矣。

【解】此明念佛之利也。梵语三昧,此云正受,谓正念现前,不受诸受故。得此三昧者,现前当来,决定见佛。一空有者,谓无念而念,无生而生也。

问:空则一法不立,有则万法纷然,二者乖角,云何名一?

答:昔天衣怀禅师开示净土,其言曰:"生则决定生,去则实不去。"此一空有之旨也。夫生则决定生,有也;去则实不去,空也。言虽有二,意未尝二也。师又曰:"譬如雁过长空,影沉寒水。雁绝遗踪之意,水无留影之心。"此自释上文之辞也,请以此喻分解之,意自明矣。夫行人五阴,名之为雁,现前念佛之心,本自竖穷横遍,故喻之以长空。一期之身,不久即灭,故称为过。幻质虽有生灭,念性元无生灭,故名雁过长空也。清凉国土,离诸热恼,故名寒水。此方念佛,彼土华开,勤惰才分,荣枯顿异,故曰影沉也。又此土阴灭名雁过,彼土阴生名影沉。此灭彼生,曾无前后,故得以喻之。此二句,释上"生则决定生"也。

雁绝遗踪之意，此明众生不往；水无留影之心，此明诸佛不来。何以故？若有去者，即有程途，有程途，即有时分，云何此灭彼生间不容发？若有来者，即有足迹，有足迹，则此有彼无，不能周遍，云何十方应现接引同时？当知法性如是，非有非无，岂容思议于其间哉！此二句。释上云"则实不去"也。但法中单明不去，喻中兼显不来，是带说耳。

问："既云众生不往，又云诸佛不来，则生西方者，为复即在此处，为复本无方所，得非如梦所见，非真实邪？"

答：不观上"影沈寒水"之句乎？言影沈寒水，则显西方实有化生之身，但以求其往来之相，本不可得，故言不去不来，子何迷闷之甚邪？去群恶是断德，集万行是智德，居圣地是四十一位真因，同佛知见，是开示悟入之理。

【原文】向之一人者，终与十二类同而不变也。

【解】此明不念佛之害。言十二类者，谓卵、胎、湿、化、有色、无色、乃至非有想、非无想。如《楞严》所明。此之十二，皆众生数摄。若证四果，出三界，则非十二类所能摄矣。

问：参禅念佛，均之为了生死。吾人袛患心性未明，心性苟明，则孰非净土？三界本空，何出之有？十二类非实，何同之有？佛尚不可得，何况众生？

答：如汝所言，皆有名无义，但取一时快论，并不知利害也。吾试问子：汝证四果邪？曰：未也。曰：既未证四果，则是凡夫，尽此一生，必受后有。若受后有，不在人天，则在三途，终不出十二类。汝尚不能超欲界，何况能出色、无色界。尚不能超三途，况能超佛？

问：声闻证四果，此身尚在，岂非十二类摄？

答：声闻证四果，身虽未灭，不久即灭，灭则受法性身，居方便土，出三界外。譬如旅舍寄客，不久出门，其家眷属不得以家人目之。声闻暂寄三界，亦复如是。

问：诸佛菩萨有时化度众生，示现世间，必假胞胎父母，岂非亦是胎生？当何所摄？

答：诸佛度生，示理胞胎父母，既云示现，则虽有非实，岂得实判众生、收归十二类邪？其寂光实报二土，是佛菩萨本所住处，此乃暂现耳。

问：若尔，何故经论中，十法界总名众生？

答：此乃通论。盖三乘人出三界，尚有变易生死，佛亦有常住五阴，故得名焉。今乃舍通从别，只论分段生死，不论变易及以常住，故不可以彼难此。

问：西方净土亦有化生，岂非十二类摄？

答：净土虽有化生，然身非分段，纯一化生，故无十二类。分是分限，段是形段，以彼土寿命无量故，无分限，形体无方，变化不一，若有若无，故非形段。况生彼土，便入圣流，直至成佛，更不受身，岂得名为十二类邪？

问：禅宗悟达之士，见性已彻，其于三界，不出不入，于十二类，不舍不受，随缘寄寓，方便度生，有何不可？

答：悟达之士，虽有见地，不断惑业，若生三界，一入胞胎，便成隔阴。从前所悟，寻复忘失，毕世工夫，一朝唐丧，可不惜哉！更有业焉，牵入异类，汝又安能自主，而不被恶报之所障邪？若生彼土，亲近导师，一入圣阶，便登佛地。较之浮沉三界，出入胞胎，孰得孰失，宜自思之。故知不悟则已，悟则求生西方，当愈急焉。如人得宝，须觅善地藏之，方得受用，否则终致散失。悟达往生，亦复如是，当知欲超生死，无过净土一门，若在此土而能出离，断无是处。愿无争口舌，幸平气而思之。

【原文】夫二人之相违也，不若二瓠之水哉！今不知去一而取一，甚矣！

此总结前文以明去取也。夫像季之世，岂唯宗教之士宗趣相违，如二瓠之水。即同一法门，同一师学，知见不同，其类非一。盖正见之难遇，邪徒之易亲，亦已久矣！今论去取，宜知利害。如上所陈，信毁得失，利害皎然。何有智者，而不知去取？呜呼！今人莫不求利，而常失利，亦莫不避害，而常遇害。何哉？大抵心不虚，行不实，知见不正故也。是故，修心之士，务虚其心，实其行，端其知见，以圣教为明镜，以师友为鞭。自始至终，战兢惕励，庶几无大害矣。否则终身受害，恬然不知，及其将死，尚不自悟，以至空过一生，遗恨千古者，多矣！是皆"不知去取也，甚矣"，是责辞，言智不如归海葫芦之水也，可胜叹哉！

【注释】

[1]实贤(1686~1734)：清代净土宗僧，莲宗第九祖。江苏常熟人，俗姓时。字思齐，号省庵。世代习儒，凤有出尘之志。十五岁出家，经典过目不忘。二十四岁受具足戒，严持戒律，不离衣钵，日仅一食，恒不倒单。后诣礼绍昙，听讲唯识、楞严、摩诃止观，通达天台、法相等学说，绍昙传为灵峰派四世天台正宗。更于真寂寺掩关三年，昼阅三藏，夕课西方佛名。后应诸方丛林之请，讲经十余载，江浙道俗皈依者甚众。历住鄮山阿育王寺、杭州迁林寺。晚年，绝诸外缘，结集莲社，专修净业，人皆称为永明再来。

《送巽上人赴中丞叔父召序》[1]

[唐]柳宗元

或问宗元曰:悉矣,子之得于巽上人也！其道果何如哉？
对曰:吾自幼好佛,求其道,积三十年。世之言者,罕能通其说,
于零陵,吾独有得焉。且佛之言,吾不可得而闻之矣。其存于世
者,遗道其书。不于其书而求之,则无以得其言。言且不可得,
况其意乎？今是上人究其书,得其言,谕其意,推而大之,逾万
言而不烦;总而括之,立片辞而不遗。与夫世之析章句,征文
字,言至虚之极,则荡而失守,辩群有之伙,则泥而皆存者,其
不以远乎？

以吾所闻知,凡世之善言佛者,于吴则惠诚师,荆则海云
师,楚之南则重巽师。师之言存,则佛之道不远矣。惠诚师已
死,今之言佛者加少。其由儒而通者,郑中书洎孟常州[2]。中书
见上人,执经而师受,且曰:"于中道吾得以益达。"常州之言
曰:"从佛法生,得佛法分。"皆以师友命之。今连帅中丞公[3]具
舟来迎,饰馆而俟,欲其道之行于远也,夫岂徒然哉！以中丞公
之直清严重,中书之辩博,常州之敏达,且犹宗重其道,况若吾
之昧昧者乎？

夫众人之和,由大人之倡。洞庭之南竟南海,其士汪汪也,
求道者多半天下。一唱而大行于远者,是行有之,则和焉者,将
若群蛰之有雷,不可止也。于是书以为巽上人赴中丞叔父召
序。(《柳宗元集》卷二十五)

119

【注释】

[1]巽上人：名重巽，居永州龙兴寺，柳宗元被贬官永州时，与其交往甚多。参看柳宗元《巽上人以竹闲自采新茶见赠，酬之以诗》："芳丛翳湘竹，零露凝清华。复此雪山客，晨朝掇灵芽。蒸烟俯石濑，咫尺凌丹崖。圆方丽奇色，圭璧无纤瑕。呼儿爨金鼎，馀馥延幽遐。涤虑发真照，还源荡昏邪。犹同甘露饭，佛事薰毗耶。咄此蓬瀛侣，无乃贵流霞。"《巽公院五咏·净土堂》："结习自无始，沦溺穷苦源。流形及兹世，始悟三空门。华堂开净域，图像焕且繁。清泠焚众香，微妙歌法言。稽首愧导师，超遥谢尘昏。"《曲讲堂》："寂灭本非断，文字安可离。曲堂何为设，高士方在斯。圣默寄言宣，分别乃无知。趣中即空假，名相与谁期。愿言绝闻得，忘意聊思惟。"《禅堂》："发地结菁茅，团团抱虚白。山花落幽户，中有忘机客。涉有本非取，照空不待析。万籁俱缘生，窅然喧中寂。心境本洞如，鸟飞无遗迹。"《芙蓉亭》："新亭俯朱槛，嘉木开芙蓉。清香晨风远，溽彩寒露浓。潇洒出人世，低昂多异容。尝闻色空喻，造物谁为工。留连秋月晏，迢递来山钟。"《苦竹桥》："危桥属幽径，缭绕穿疏林。迸箨分苦节，轻筠抱虚心。俯瞰涓涓流，仰聆萧萧吟。差池下烟日，嘲哳鸣山禽。谅无要津用，栖息有馀阴。"

[2]郑中书泊孟常州：郑中书，即郑絪。《旧唐书·郑絪传》：宪宗即位，迁中书舍人，俄拜中书侍郎，与杜黄裳同秉国政。孟简，字几道。元和中拜谏议大夫，以幸直出为常州刺史。尝与刘伯刍、归登、萧俛，译次梵音。

120

[3]连帅中丞公：柳公绰，拜御史中丞，李吉甫当国，出为湖南观察使。由本文可见中唐时期一批文人士大夫与佛教的密切关系。

《新收一切藏经音义序》[1]

[唐]顾齐之

慧琳[2]法师,俗姓裴氏,疏勒国人也。夙蕴儒术,弱冠归于释氏。师不空三藏,至于经论,尤精字学。建中末,乃著《经音义》一百卷,约六十万言,始于《大般若经》,终于小乘记传。国初有沙门玄应及太原郭处士,并著音释,例多漏略。有西明寺玄畅上人,克绍前烈,晦明不倦,志夺秋霜之净,心涵止水之鉴。乃寻其遗逸,蕴而藏诸。焚之以栴檀,饰之以绮绣,光前绝后,骇目惊心。福祉生焉,弘利博矣。齐之不敏,欲窥藏经,乃询于畅公,蒙示音义。

齐之以为:文字之有音义,犹迷方而得路,慧灯而破闇,潜虽伏矣,默而识之。于是审其声而辩其音,有喉、腭、断、齿、唇、吻[3]等,有宫、商、角、徵、羽[4]等音。晓之以重轻,别之以清浊。而四声递发,五音迭用。其间双声叠韵,循环反覆,互为首尾,参差勿失,而义理昭然。得其音则义通,义通则理圆,理圆则文无滞,文无滞则千经万论,如指诸掌[5]而已矣,朝凡暮圣,岂假终日,所以不离文字而得解脱。无师之智,肇自心源,拆疑滞之胸襟,烛昏蒙于倏忽。真诠俗谛,于此区分,梵语唐言,自兹明白。又音虽南北,义无差别。秦人去声似上,吴人上声似去,其间失于轻剽,伤于重浊,罕分鱼鲁之谬,多传豕亥[6]之误。至如四十二字母[7]及十二字音,从毗卢遮那佛心生,则鸟迹虫文之所不逮。然源流有异,音义无殊,披沙拣金,从理证性。性得而言可遣，言可遣而文字亦忘，同归一真如，则筌蹄弃矣。

上座明秀寺主契元、都维那[8]玄测，皆精悫[9]真乘，护持圣典。文华璀璨，经论弘赡。或道情深远，独得玄珠，或律行清高，孤标戒月。上以惬圣贤之意，下以旌勤恳之心，因命匪才，敬而为序。(《一切经音义》卷首)

【注释】

[1]《一切经音义》：解释佛经字义的书。唐代翻经沙门释慧琳撰。唐贞观间玄应曾撰《众经音义》25卷(后来也称为《一切经音义》)。慧琳这部书所注的是贞观以后新翻译的经论和玄应没有注过的一些书，凡100卷，始于《大般若经》，终于《护命法》，凡1300部，5700余卷，是中国古代佛经音义集大成之书，是研究古代语言学、音韵学的重要著作。顾齐之为开成间处士，生平不详，此序作于开成五年(840年)，概述并解释了音义在佛教中的重要地位，提出"文字之有音义，犹迷方而得路""得其音则义通"等重要观点。

[2]慧琳(737~820)：唐代僧。疏勒国人，俗姓裴。师事不空三藏，内持密藏，外究儒学，精通印度之声明及中国之训诂。尝引用《字林》《字统》《声类》《三仓》《切韵》《玉篇》及诸经杂史等，撰《一切经音义》一百卷(世称《慧琳音义》)，以注释佛典中之读音与解义较难之字。元和十五年，师示寂于长安西明寺，世寿八十四。

[3]喉、腭、龂、齿、唇、吻：指人体各个发声部位。龂(yín)，同"龈"。

[4]宫、商、角、徵、羽：我国古代五声音阶中的五个音级，唐

代之后又名合、四、乙、尺、工。相当于简谱中的 1、2、3、4、5、6。徵(zhǐ)。

[5]指诸掌：如观察指示掌中之物，非常清楚。《礼记·仲尼燕居》："治国其如指诸掌而已乎。"注："治国指诸掌，言易知也。"

[6]鱼鲁、豕亥：谓将鱼字误写成鲁，将豕字误写成亥，泛指文字错讹。

[7]四十二字母：梵文的四十二个字母，佛教将其作为重要观字法门，又作悉昙四十二字门、四十二字陀罗尼门等。据《大智度论》卷四十八之说，此四十二字系一切字之根本，因字有语，因语有名，因名有义，菩萨若闻字，因字乃能了其义。

[8]都维那：维那为佛寺中一种僧职，管理僧众事务，位次于上座、寺主。都维那则为北魏时所置之僧官名称。北魏文成帝于兴安元年(452 年)，设"都维那"于道人统(乃中央僧官机构监福曹之首长)之下。

[9]悫(què)：诚实、谨慎。

《宗镜录》[1]（节选）

[宋]延寿[2]

夫水喻真心者，以水有十义，同真性故。一、水体澄清，喻自性清净心；二、得泥成浊，喻净心不染而染；三、虽浊不失净性，喻净心染而不染；四、若泥澄净现，喻真心惑尽性现；五、遇冷成冰，而有硬用，喻如来藏与无明合，成本识用；六、虽成硬用，而不失濡性，喻即事恒真；七、暖融成濡，喻本识还净；八、随风波动，不改静性，喻如来藏随无明风，波浪起灭，而不变自不生灭性；九、随地高下，排引流注，而不动自性，喻真心随缘流注，而性常湛然；十、随器方圆，而不失自性，喻真性普遍诸有为法，而不失自性。又书云：上德若水，方圆任器，曲直随形故。如小乘《俱舍论》[3]，亦说诸有为法，有刹那尽。何以知有？后有尽故，既后有尽，知前有灭，故论云："若此处生，即此处灭，无容从此转至余方。"若此生此灭，不至余方，同不迁义，而有法体，是生是灭，故非大乘。大乘之法，缘生无性，生即不生，灭即不灭，故迁即不迁，则其理悬隔。又《中论疏》云："常无常门者，常即人天位定，故无往来，无常即六趣各尽一形，亦无往来。又常即凝然不动，无常念念变异，令谁往来？则常无常法，俱不相到，皆无往来。"

《肇论》云："夫人之所谓动者，以昔物不至今，故曰动而非静。我之所谓静者，亦以昔物不至今，故曰静而非动。动而非静，以其不来，静而非动，以其不去。然则所造未尝异，所见未尝同，逆之所谓塞，顺之所谓通。苟得其道，复何滞哉？伤夫！人情之惑久矣，目对真而莫觉，既知往物之不来，而谓今物而可往。往物既不来，今物何可往？何则？求向物于向，于向未尝无；责向物于今，于今未尝有。于今未尝有，以明物不来，于向未尝无，故知物不去。覆而求今，今亦不往，是谓昔物自在昔，不从今以至昔，今物自在今，不从昔以至今。故仲尼曰：'回也见新，交臂非故。'如此则物不相往来，明矣。既无往返之微朕，又何物而可动乎？"释曰："回也见新，交臂非故"者，孔子谓颜回曰："吾与汝，终身交一臂已谢，岂待白首然后变乎？"意明物物常自新，念念不相到，交臂之顷，尚不相待，已失前人，岂容至老而后变耶？又前念已故，后念恒新，终日相见，恒是新人，故云"见新"。如此新人，见之只如交臂之顷，早是后念新人，非前念时也，故云"非故"耳。若前念已古，后念已新，新不至古，古不待新，前后不相至，故"不迁"也。又虽两人初相见，只如举手交臂之顷，早已往矣，此取速疾也，故云"昔物自在昔，今物自在今"，如红颜自在童子之身，白首自处老年之体，所以云："人则谓少壮同体，百龄一质，徒知年往，不觉形随。是以梵志出家，白首而归，邻人见之曰：'昔人尚存乎？'梵志曰：'吾犹昔人，非昔人也。'邻人皆愕然非其言。所谓有力者负之而趋，昧者不觉，其斯之谓欤？""吾犹昔人"者，犹者，似也，吾虽此身似于昔人，然童颜自在于昔，今衰老之相，自在于今，则非昔人也，故云"徒知年往，不觉形随"。世人虽知岁月在于往古，岂觉当时之貌，亦随年在于昔时？则童子不至老年，老年不至童子，刹那不相知，念念不相待，岂得少壮同体、百龄一质耶？又年往形亦往，此是迁义，即此迁中有不迁也。往年在往时，往形在往日，是谓不迁。而人乃谓往日之人，迁至今日，是谓惑矣！又昔自在昔，何须迁至今？今自在今，何须迁至昔？故《论》云："是以言往不必往，古今常存，以其不动；称去不必去，谓不从今至古，以其不来。"经中言迁，未必即迁，以古在古，以今在今故也。所以言无常者，防人之常执，言常住者，防人之断执，言虽乖而理不异，语虽反而真不迁。不可随方便有无之言，迷一心不迁之性。

又解云：如梵志白首而归，邻人谓少壮同体，故云："昔人尚存乎？"所谓有力者，则三藏等事，无常冥运，力负夜趋，交臂恒新，念念舍故，而常见昧之，谓是固矣，邻人不觉，此之谓欤。又有力者，即无常之大力也，世间未有一法，不被无常吞，故云："然则庄生之所以藏山，仲尼之所以临川，斯皆感往者之难留，岂曰排今而可往？"庄子本意，说不住之法，念念恒新，物物各住，各住相因而不相到，即不迁也。于惑者则为无常不住，新新生灭，而谓之迁。若智者则了性空无知，念念无生，谓之不迁。庄子有三藏，谓藏山于泽，藏舟于壑，藏天下于天下，谓之固者不然也。然无常夜半负之而趋，昧者不觉也。三藏者，藏人于屋，藏物于器，此小藏也。藏舟于壑，藏山于泽，此大藏也。藏天下于天下，此无所藏。然大小虽异，藏皆得宜，犹念念迁流，新新移改，是知变化之道，无处可逃也。夫藏天下于天下者，岂藏之哉？盖无所藏也。孔子在川上曰："逝者如斯夫，不舍昼夜。"逝者往也，浩浩迅流，未曾暂住，昼夜常然，亦叹世人之不觉。故云："斯皆感往者之难留，岂曰排今而可往？"此庄、孔俱叹逝往难留，皆说无常去也，岂可推今日物到昔日乎？若今日不到昔，即今日自在今，昔日自在昔，则今昔显然，俱不迁也。故云：何者人则求古于今，谓其不住。吾则求今于古，知其不去。今若至古,古应有今;古若至今,今应有古。今而无古,以知不来;古而无今,以知不去。若古不至今,今不至古,事各性住,有何物而可去来?《大涅槃经》云:"人命不停,过于山水。"夫无常有二,一者败坏无常,二者念念无常。人只知坏灭无常,而不觉念念无常。论云:若动而静,似去而留。经说无常速疾,犹似流动。据理,虽则无常,前后不相往来,故如静也。虽则念念谢往,古今各性而住,当处自寂,故如留也。又虽说古今各性而住,当处自寂,而宛然念念不住,前后相续也,则非常非断,非动非静,见物性之原也。

古德问云:"各性而住,似如小乘执诸法各有自性,又何异纳衣梵志言一切众生其性各异?"

答:为破去来,明无去来,所以据体言之,故云各性而住,非决定义。则以无性而为性,不同外道二乘。执有决定自性,从此向彼,若不执有定性去来,亦不说各性而住。故论云"言往不必往,闲人之常想;称住不必住,释人之所住"耳。又刘湛注云"庄子藏山,仲尼临川"者,庄子意明前山非后山,夫子意明前水非后水。半夜有力负之而趋者,即生、住、异、灭四时,念念迁流不停也。是以若心外取法,妄梦所见,情谓去来,则念念轮回,心随境转,尚不觉无常粗相,焉能悟不迁之密旨乎?若能见法是心,随缘了性,无一法从外而入,无一法从内而生,无一法和合而有,无一法自然而成。如是,则尚不见一微毫住相,宁观万法去来?斯乃彻底明宗,透峰见性。心心常合道,念念不违宗,去住同时,古今一贯,故《法华经》云:"我观久远,犹若今日。"《维摩经》云:"法无去来,常不住故。"若了此无所住之真心,不变异之妙性,方究竟明不迁矣。[4](《宗镜录》卷七)

128

【注释】

[1]《宗镜录》:《宗镜录》,一百卷,五代吴越国延寿(904~975)集,广收大乘经论六十部,及印度、中国圣贤三百人余之著作等汇编而成。内容详述诸佛之大意与经论之正宗,立论重在顿悟、圆修,所谓"禅尊达摩,教尊贤首"为其中心思想,为昭示禅教一致之修禅要文集。

[2]延寿(904~975):五代宋初僧人。俗姓王,字冲元,浙江余杭人。自幼信佛,戒杀放生。曾任余杭库吏、华亭镇将,30岁从龙册寺翠岩禅师出家。后从法眼宗创始人文益传承法眼宗。北宋建立后住永明寺(即净慈寺),忠懿王赐智觉禅师号,从学者多达两千余人。开宝三年(970)奉诏于钱塘江边的月轮峰建造六和塔。他认为唐末以来,禅宗颇多流弊,当时的禅师,胸无点墨,邪正不分,因而发愤撰集《宗镜录》,意在扶衰救弊。除《宗镜录》外,还著有《万善同归集》三卷、《神栖安养赋》一卷、《心赋注》四卷等。

[3]《俱舍论》:佛教说一切有部论典。全称《阿毗达磨俱舍论》。印度世亲著,有南朝陈真谛所译《阿毗达磨俱舍释论》和唐玄奘所译《阿毗达磨俱舍论》。本论《界品》和《根品》从总体上建立有漏、无漏法,属于总说四谛的性质。《世间品》《业品》《随眠品》这三品讲述苦、集二谛,即有漏的生死流转因果。《世间品》讲苦谛的内容,《业品》和《随眠品》讲集谛的内容。世是苦果,业是苦因,烦恼是苦缘。《贤圣品》《智品》《定品》这三品讲述灭、道二谛,即无漏的生死还灭因果。《贤圣品》讲灭谛的内容,《智品》和《定品》讲道谛的内容。贤圣是无漏果,智是无

漏因,定是无漏缘。

[4]这一节文字可以大体见到《宗镜录》一书的行文风格。从"水喻真心"的十个比喻发端,以阐述"真心"的种种相貌、性质,使无形者有形化,这与古代诸子常用的"比德"方法有同工异曲之妙,"上德若水"等思想,也明显借用了中国传统道家、儒家思想资源。中间一段围绕僧肇《肇论·物不迁论》一篇,引述了僧肇此论的主要观点,同时将自己的解释穿插其中,实际上是对《物不迁论》的一段注解,充分发挥了佛教论辩文学善于辨析哲理的特点,有关内容可参看本书《肇论·物不迁论》注释。行文至此,并未结束,下面又通过一段设问,辨析大小乘佛教思想的关系,并深入阐发大乘佛教关于"迁"与"不迁"的辩证关系,将《肇论》的思想进一步明晰地揭示出来。最后引述大乘佛教经典《大涅槃经》《法华经》《维摩诘经》等,用他从经典中精选出的这些具有格言性质的文字,画龙点睛,点明主旨,这样就真正做到了对各家思想的融合。实际上,古今不迁,古今一贯,正是永明延寿的根本思想,正是在这种思想的主导下,他才能够做到融贯古今,融贯中印,融贯各家。苏轼曾说自己的文章"如万斛泉源,不择地而出,在平地滔滔汩汩,虽一日千里无难"。其实,我们读延寿的文章也会有这种"滔滔汩汩"、无有穷尽的感觉,只不过一个为骈文,一个为散文而已。

《永明寿禅师垂诫》[1]

[宋]延寿

学道之门,别无奇特,只要洗涤根尘下无量劫来业识种子[2]。汝等但能消除情念,断绝妄缘,对世间一切爱欲境界,心如木石相似,直饶未明道眼,自然成就净身。若逢真正导师,切须勤心亲近。假使参而未彻,学而未成,历在耳根,永为道种,世世不落恶趣,生生不失人身。才出头来,一闻千悟。须信道真善知识,是人中最大因缘,能化众生,得见佛性。深嗟末世,诳说一禅,只学虚头,全无实解。步步行有,口口谈空。自不责业力所牵,更教人拨无因果。便说饮酒食肉不碍菩提,行盗行淫无妨般若。生遭王法,死堕阿鼻[3],受得地狱业消,又入畜生饿鬼,百千万劫,无有出期。除非一念回光,立即翻邪为正。若不自忏自悔自修,诸佛出来也无救尔处。若割心肝如木石相似,便可食肉;若饮酒如屎尿相似,便可饮酒;若见端正男女如死尸相似,便可行淫;若见己财如粪土相似,便可偷盗。饶尔炼得至此田地,亦未可顺汝意在;直待证无量圣身,始可行世间逆顺事。古圣施设,岂有他心,只为末法僧尼少持禁戒,恐赚向善俗子多退道心,所以广行遮护[4]。千经所说,万论所陈:若不去淫,断一切清净种;若不去酒,断一切智慧种;若不去盗,断一切福德种;若不去肉,断一切慈悲种。三世诸佛同口敷宣,天下禅宗一音演畅,如何后学略不听从,自毁正因,反行魔说?只为宿薰业种,生遇邪师,善力易消,恶根难拔。岂不见古圣道:见

一魔事如万箭攒心,闻一魔声如千锥札耳,速须远离,不可见闻。各自究心,慎莫容易,久立珍重! (《万善同归集》卷下)

【注释】

[1]《永明寿禅师垂诫》: 此文应为永明延寿禅师临终前指示学人之语,告诫学人切不可学狂禅一派,拨无因果,肆意妄为,必须持戒修行,免遭来生恶报。语义平实,语言痛切,是针对末法时期众生根基而言,体现了永明延寿的禅学思想。载于《万善同归集》卷下,原注谓:"旧本不载此诫,今从《佛祖纲目》考订,以其针札宗门人最为痛切故,附录于后。"

[2]业识种子:业识,谓十二因缘中的行缘识,指人投胎时心动的一念。《起信论》云:"一者名为业识,谓无明力不觉心动故。"人在投胎转世时,完全依据前生业力,随业受报,丝毫做不得主。种子即阿赖耶识,乃为现行诸法薰习而形成的特殊习性,故又称习气或余习,有如现代科学所谓"基因"。所谓"洗涤根尘下无量劫来业识种子"即从根本上改变导致众生堕落恶道的基因。

[3]阿鼻:梵语 Avīci 的译音,意译"无间",即痛苦无有间断之意,为佛教传说中八大地狱中最下、最苦之处。根据一些经典记载,堕落阿鼻地狱的众生,一日有亿次死生,往往刑期皆在百亿年之久。

[4]遮护:庇护。

《法藏碎金录》等(节选)

[宋]晁迥[1]

或问予曰:先生不从游赏之朋,不设欢娱之具,阖扉[2]燕处,何以销日?予对曰:老夫致政[3]之后,适意居多,观练薰修,获温寻[4]于妙道,栖迟偃仰[5],遂颐养于天和。自便衰躯,更无他想,至寒暑之来往,岁时之代谢,任彼运行而已,与予了不相关。(《法藏碎金录》卷一)

古德云:"有所知者,有所不知,无所知者,无所不知。"上八字有似夜有其烛,烛不及而有所不见;下八字有似昼无其烛,烛不用而无所不见。(《法藏碎金录》卷二)

孔子云:"默而识之,学而不厌,诲人不倦。"[6]首句顿悟,次句渐修,三句自觉觉他。(《法藏碎金录》卷四)

禅师之说,意多不同,然而采听咸有所益。譬如药性有紧、慢、凉、暖,各治一色之病,善服食者,当自省病受药,其余空传影响,滥以师道自处者,亦犹不晓方脉之盲医也,其理如此。(《法藏碎金录》卷五)

吾今自集无住之法:《金刚经》云:"不应住色生心,不应住声香味触法生心,应生无所住心。"又《传灯录》有说金刚齐菩萨云:"我不依有住而住,不依无住而住,如是而住。"[7]又《坛经》六祖云:"我法以无住为本。"又《坐忘论枢翼》云:"不依一物,而心常住。"如此类例,固难具引,且从此四者备矣。一以贯之,随时随处,不计情之休戚舒惨,即当径入无住之法,如升太

133

虚空中,无碍自在,久久如初,不用较量,应验之功耳。(《法藏碎金录》卷九)

身便是幻,幻师所化,又是幻中之幻;世即是梦,梦时所见,又是梦中之梦。展转虚妄,如声外有响,形外有影,形声影响,起于一真。影外影为三等妄,梦中梦是两重虚。(《道院集要》卷一)

随方随处,量力修炼,若待得其时,得其处,然后进道,岂非俟河之清[8]乎?心苟易动,触处皆然。林下水边,亦有禽鱼之挠,山栖野隐,宁无虎豹之虞?(《道院集要》卷二)

所见有是有不是,此世间妄眼;无是无不是,此出世真眼。所知有可有不可,此世间妄心;无可无不可,此出世真心。(《道院集要》卷二)

学日益之道,譬如习射,非于一日之内便得箭箭中的;学日损之道[9],譬如习驭,非于一日之内便得步步如意。有应未应,此理当然,或顺或违,其事各别,无烦过悔,姑务渐成。(《昭德新编》卷上)

愚今于儒书经史中,两处各取四字一句,以为精修胜进之法。《周易》文字中取"闲邪存诚"四字,《后汉书》文字中取"清心释累"[10]四字,依言入理,可以足用矣,智者详之可也。(**《昭德新编》卷上**)

【注释】

[1]晁迥(951~1034):宋初著名学佛士大夫。字明远,谥文元,济州钜野人。行二,兄弟三人,兄为晁迪、弟为晁遘,而以晁迥一支最为兴盛。晁迥生当北宋太平盛世,一生大部分时间在

馆阁度过，受到朝廷优厚礼遇，并被列入"西昆体"诗人行列。早年曾习道，后学佛，以天台止观为宗，最终成为一个比较纯正的佛教居士。所著有《昭德新编》《法藏碎金录》和《道院集要》等三部清言体笔记，主要记述其学佛的感悟之言，其文言简意赅，味深隽永。

[2]阖扉：关闭门窗，指隐居。

[3]致政：又称致仕，指官吏退休。源于《礼记·王制》："五十而爵，六十不亲学，七十致政。"宋代建立了较为完善的官吏致政制度。

[4]温寻：犹温习。《礼记·中庸》："温故而知新。"唐代孔颖达疏："言贤人由学，既能温寻故事，又能知新事也。"

[5]栖迟偃(yǎn)仰：栖迟：游息。《诗·陈风·衡门》："衡门之下，可以栖迟。"偃仰：安居，游乐。形容隐居山林的快乐生活。

[6]默而识之三句：见《论语·述而》。又宋代陈祥道《论语全解》解此句谓："默而识之，德也；学而不厌，知也；诲人不倦，仁也。"可以参考。

[7]金刚齐菩萨云句：《景德传灯录》卷二十七："障蔽魔王领诸眷属，一千年随金刚齐菩萨，觅起处不得，忽因一日得见，乃问云：'汝当于何住？我一千年领诸眷属，觅汝起处不得。'金刚齐云：'我不依有住而住，不依无住而住，如是而住。'"

[8]俟河之清：等待黄河由浊变清，比喻期望之事不可能实现或难以实现。《左传·襄公八年》："周诗有之曰：'俟河之清，人寿几何？'"

[9]学日损之道：此节文字演绎《老子》第四十八章："为学日益，为道日损，损之又损，以至于无为；无为而无不为矣。故

取天下者常以无事;及其有事,不足以取天下。"参看苏辙《老子解》:"苟一日知道,顾视万物,无一非妄。去妄以求复性,是谓之损。孔子谓子贡曰:'汝以予为多学而识之者乎?'曰:'然。非与?'曰:'非也,予一以贯之。'"

[10]清心释累:《后汉书·西域传》:"详其清心释累之训,空有兼遣之宗,道书之流也。"

《改祭修斋疏文》[1]

[宋]遵式[2]

谨于当乡保安田蚕人口、灵庙之宇,启建金光明道场[3],斋僧供佛,转诵大乘。意者回易[4]每年拜祭肴酒之会,以为清净之斋,俾福等神祇,兼利安人畜。今晨建首,特具疏笺者。

原夫抱草救焚,义由愚极;益薪止沸,事匪知几。太颠倒于常情,颇乖违于物理。实喻造殃求福,夺命祈恩。翻将久祸之基,拟作长生之术。释典以济鱼饲虎,真为仁寿之方;儒经以杀豕存羊,岂是谷神之策!当斯时也,淳风尚简,正教未行,且敦姬孔之仪,遂播蒸尝[5]之礼。洎乎梁朝改祭,一邦为斋戒之场;颜氏训家[6],万代奉归依之式。人移世变,俗薄时浇。为善者孤,积恶者众。周风更续,梁制遂亡。尚迷于黍稷非馨,岂悟于幡华是善。争锋竞锐,累豆加笾[7],宁知乎诣祭乖仪,孰谓乎淫风败礼。尚违孔制,安顺佛慈?

今则乡老倾诚,庙巫投悃。与象神而盟誓,易祭为斋;对诸佛以要期,舍邪归正。盖闻天地之理正观,日月之德正明。天地和而万物遂生,日月运而四时合节。二仪既测,百虑可穷。神物司幽,人伦主显。人神之心交感,幽显之道遂通。傥[8]人不敬神,则祸福之端何托?苟幽不合显,则禘尝之礼徒施。既神假人灵,须神从人愿。人今归佛,愿神亦同归;佛若度人,愿神亦同度。

我佛者,万德之慈流莫异,十方之悲济无穷。犹杲日之运太虚,山谷同照;若霶[9]雨之飞长野,草木共沾。振神通也,雷慑邪徒;扬法音也,风驰正教。席上之四王[10]受命,座间之八部[11]分符。俾化极六虚,使恩周万汇。故凶徒称号,天祠之金像低头;稚子呼名,旷野之鬼神稽首。我等人祇[12]共庆,获听余音;乡里同缘,遭逢像运。觉生死之路远,终也何归;悟涂炭之苦长,悠哉莫返。

今欲裁妍补丑,改往修来,扫洒神祠,庄严佛会。易短舞作威仪之相,变长歌为方等之音。器满洁粢[13],盘盈素品。抽棘去伊兰[14]之种,焚茨植檐卜[15]之根。溪涧之毛血不流,树上之鸟鸥罢噪。豕羊遂性,鳞羽乐天。顿改村坊,全同净土。伏乞十方诸佛,卫八部以俱临,十地众僧,统三乘而并降。

愍我投然之子,愿施救苦之恩。先忏三涂[16],次祈五福[17]。仰惟严祠阴宰,灵境冥官,昔同受祭之神,今共改斋之圣,堲回俊造,谛察善言。敢据佛经,愿闻神听。且九居之形未脱,必三涂之理无差。杀畜为神,神岂免将来之对;断荤因佛,佛乃开改往之忏门。既悟前非,莫生后悔。杯盘肴酒,歆飨片时。形影仇仇[18],缠绵浩劫。乡户等蚕忧公赋,田为糇粮[19],惟希阴骘[20]之恩,宁惧幽关之事!亡我无所,靡神不宗。出三物以诅斯,陈异位而飨彼。或烹或剥,或灸或燔,亘村之膻火交烟,遍野之痛声接韵。洎乎祀祊临尊,莫不兼子保妻。谁知于畏死贪生,与人无别;肯悟于杀他活己,比畜何殊!拔刃临头,岂不念呼时认主;举箸就口,而不思及暮还家。养之也犹子比儿,杀之也摧羽崩角。尚解衔环报主,岂无弹铗[21]怀怨!

乞三宝提携,已殒者皆令解脱;对百神断约,未伤者永收逍遥。斋既洗心,忏希灭罪。昼感日光之照达,阇王[22]之业性无生;夜通金鼓之音同,信相之疑根永拔。仰回功德,全施庙灵,

138

加自在于神通,保优游于仙宅。昔受嘉鱼旨酒[23],尚降祉以穰穰[24];今沾甘露醍醐,更垂休而穆穆。秉心莫二,锡祐无疆。十雨五风,望长成于报岁;斋僧供佛,敢誓答于有秋。仍愿蚕富田丰,于囊于橐;生涯益广,我陆我阿。眉寿者皆满百年,婴孩者咸敦五福。妻良子孝,兄顺弟恭。泛爱亲仁,利用崇德。圣宋常安于今日,仁君永福于万年。庶绩咸熙,百官尽美。诸天龙鬼,护国护民。法界含生,离苦得乐者也。众等下情,不任虔切祝望之至。谨疏。(《金园集》卷下)

【注释】

[1]修斋:会集僧人或道徒供斋食,俗称作法事。疏文为中国佛教一种特殊文体,近似赋颂,在法会上唱诵或吟诵,主要内容为阐发修斋的功德利益,劝导世人为善等,以天台宗僧人所作这类疏文最多。

[2]遵式(964~1032):北宋天台宗僧。字知白,台州(浙江省)宁海人。俗姓叶。又称天竺忏主、慈云忏主、慈云尊者,中国宋代以来佛教仪轨的重要订立、传承者之一,所撰忏仪甚多,如《往生净土忏仪》《请观音消伏毒害忏仪》《金光明忏法》等,并率众修习西方净土法门。

[3]金光明道场:即天台宗所制定之依据《金光明经》所修之忏悔法,又作《金光明三昧忏》。宋代遵式曾依据《金光明最胜王经》,撰述金光明忏法补助仪,设立十科,包括:严净道场方法、清净三业方法、香华供养方法、召请咒方法、赞叹述意方法、称三宝及散洒方法、礼敬三宝方法、修行五悔方法、旋绕自归方法、唱诵金光明典方法等。

[4]回易:改变。这里指佛教的修斋仪式改变了中国传统用酒肉等物拜祭神灵的仪式。下文详述用酒肉等物拜祭的种种问题。

[5]蒸尝:本指秋冬二祭,后泛指祭祀。

[6]颜氏训家:指北齐颜之推所著《颜氏家训》中《归心》等篇中以佛陀为皈依对象的观念。

[7]加笾(biān):谓礼遇厚于常时。

[8]傥:倘若、如果。

[9]霶(pāng):大雨。

[10]四王:指四天王,佛教之护法神。即东方持国天王(名多罗吒),身白色,持琵琶;南方增长天王(名毗瑠璃),身青色,执宝剑;西方广目天王(名毗留博叉),身红色,执羂索;北方多闻天王(名毗沙门),身绿色,执宝叉。旧时寺庙山门两旁多塑四天王像,身形高大,又称四大天王,俗称四大金刚。

[11]八部:即天、龙及鬼神等天龙八部,亦为佛教之护法神。

[12]人祇(qí):人与神。江淹《水上神女赋》:"奄人祇之彷像,共光气而寂寥。"

[13]粢(zī):用于祭祀的谷子。

[14]伊兰:草花名。有臭气的恶草。佛经中多以伊兰比喻烦,以旃檀木的香味比喻菩提。《翻译名义集》引《观佛三昧海经》:"而伊兰臭,臭若胖尸,熏四十由旬,其华红色,甚可爱乐。若有食者,发狂而死。"

[15]薝卜:植物名。产西域,花甚香。徐陵《东阳双林寺傅大士碑》:"色艳沉檀,香踰薝卜。"

[16]三涂:同"三途",指畜生、饿鬼、地狱三恶道。

[17]五福:五种幸福。《书·洪范》:"五福:一曰寿,二曰富,三曰康宁,四曰攸好德,五曰考终命。"为一般众生皆愿获得之福报。

[18]仇仇:亦作"仇雠",怨敌。

[19]糇(hóu)粮:干粮。

[20]阴骘:犹阴德,暗中做的有德于人的事。《淮南子·人间训》:"有阴德者必有阳报,有阴行者必有昭名。"

[21]弹铗(jiá):弹击剑把。铗,剑把。指处境窘困而又欲有所干求,典出《战国策·齐策四》。

[22]阇(shé)王:指阿阇世王,中印度摩揭陀国频婆娑罗王,曾杀父幽母,犯下五逆十恶等重罪。

[23]嘉鱼旨酒:美好的鱼和酒。《诗·小雅·南有嘉鱼》:"南有嘉鱼,烝然罩罩。"《诗·小雅·鹿鸣》:"我有旨酒,以燕乐嘉宾之心。"这一句是说,佛教仪轨有如甘露灌顶,较之古代祭祀所用嘉鱼旨酒更为殊胜。

[24]穰(rǎng)穰:丰熟貌。

《中庸子传(上)》[1]

[宋]智圆[2]

中庸子,智圆、名也,无外、字也。既学西圣之教,故姓则随乎师也[3]。尝砥砺言行,以庶乎中庸,虑造次颠沛忽忘之,因以"中庸"自号,故人亦从而称之。

或曰:"中庸之义,其出于儒家者流,子浮图子也,安剽窃而称之耶?"对曰:"夫儒释者,言异而理贯也,莫不化民,俾迁善远恶也。儒者饰身之教,故谓之外典也;释者修心之教,故谓之内典也。惟身与心,则内外别矣。蚩蚩[4]生民,岂越于身心哉?非吾二教,何以化之乎?噫!儒乎释乎,其共为表里乎!故夷狄之邦,周孔之道不行者,亦不闻行释氏之道也。世有限于域内者,见世籍之不书,以人情之不测,故厚诬于吾教,谓弃之可也。世有滞于释氏者,自张大于己学,往往以儒为戏,岂知夫非仲尼之教,则国无以治,家无以宁,身无以安。国不治,家不宁,身不安,释氏之道何由而行哉?故吾修身以儒,治心以释,拳拳服膺,罔敢懈慢,犹恐不至于道也,况弃之乎?呜呼!好儒以恶释,贵释以贱儒,岂能庶中庸乎?"

或者避席[5]曰:"儒之明中庸也,吾闻之于《中庸》篇矣;释之明中庸,未之闻也,子姑为我说之。"中庸子曰:"居,吾语汝。释之言中庸者,龙树所谓中道[6]义也。"曰:"其义何邪?"曰:"夫诸法云云,一心所变。心无状也,法岂有哉?亡之弥存,性本具也;存之弥亡,体非有也;非亡非存,中义著也。此三者,派之而

142

不可分,混之而不可同,充十方而非广,亘三世而非深,浑浑尔,灏灏[7]尔。众生者,迷斯者也;诸佛者,悟斯者也。噫!能仁千万言说,岂逾此旨乎?去圣远,微言绝,学之者攀枝舍其根,挹流忘其源,于是乎或荡于空,或胶于有。荡于空者,谓泯然其无得,寂然其无朕[8],谁为凡乎,谁为圣乎?及其失也,迷因果,混善恶,弃戒律,背礼义。胶于有者,硁然[9]执有修,彰然著有法,凡岂即圣乎,自岂即他乎?及其失也,固物我而不可移,泥怨亲而不可解,拘缚于近教,杀丧于远理。"

曰:"荡空胶有孰良?"曰:"荡空也过,胶有也不及。""然则空愈与?"曰:"过犹不及[10]也,唯中道为良。""敢问中道?"曰:"适言其有也,泯乎无得,谁云有乎?适言其无也,焕乎有象,谁云无乎?由是有不离无,其得也,怨亲等焉,物我齐焉,近教通焉,远理至焉;无不离有,其得也,因果明焉,善恶分焉,戒律用焉,礼仪修焉。大矣哉,中道也!妙万法之名乎,称本性之谓乎!苟达之矣,空有其无著,于中岂有著乎?呜呼!世之大病者,岂越乎执儒释以相诬,限有无以相非,故吾以'中庸'自号,以自正,俾无咎也。"或者曰:"唯唯,庶斯达矣。"再拜而出。(《闲居编》卷一九)

【注释】

[1]《中庸子传》:智圆所作自传,分为三篇,其中上篇主要阐述佛家"中庸"之意,中、下篇略述生平。此文充分体现了中国佛教融合三教特别是儒佛两家思想的倾向。

[2]智圆(976~1022):宋代天台宗山外派高僧。钱塘(杭州)人,俗姓徐。字无外,号潜夫,又号中庸子。八岁于钱塘龙兴寺

出家,初习儒学,能诗文,后依奉先寺源清习天台教观,并成为天台宗山外派主要代表人物之一。后隐居于西湖孤山,世称孤山智圆。著述甚丰,《闲居编》六十卷为其诗文集。此外,尚有《金光明经玄义表征记》《维摩经略疏垂裕记》《首楞严经疏谷响钞》等佛学著作。

[3]姓则随乎师:中国佛教徒自东晋道安起,自称"释氏",即姓氏随佛祖释迦牟尼之姓。

[4]蚩蚩:无知貌,常形容一般民众。

[5]避席:古人席地而坐,离席起立,以示敬意。《吕氏春秋·慎大览》:"武王避席再拜之,此非贵房也,贵其言也。"

[6]龙树所谓中道:指以龙树学说为代表的大乘空宗中道思想。这一思想以般若波罗蜜为根本立场,以远离一切执著、分别而无所得者为中道。据龙树《中论》卷一《观因缘品》所说,缘起之理法是打破生、灭、断、常、一、异、去、来等八种邪见,而阐明空之真理;万有以顺此缘起道理而存在,故离八邪,本无实体,不为执著之对象。如此,离八邪而住于无得正观,称为中道,又称为八不中道,即"不生、不灭、不断、不常、不一、不异、不去、不来"。中国天台宗据此立空假中三谛之说,主张一切诸法乃超越空、假之绝对,且其本体非为言说思虑之对象,此即中谛。

[7]灏(hào)灏:广大无际貌。

[8]无朕:没有迹象或先兆。

[9]硁(kēng)然:浅陋固执的样子。《论语·子路》:"言必信,行必果,硁硁然小人哉!"

[10]《论语·先进》:"子贡问:'师与商也孰贤?'子曰:'师也

144

过,商也不及。'曰:'然则师愈与?'曰:'过犹不及。'"此段文字句式完全出此,亦证明佛门之中道确与儒家之中庸有着完全一致的思维方式。

《净土十疑论序》[1]

[宋]杨杰[2]

爱不重不生娑婆[3]，念不一不生极乐。娑婆，秽土也；极乐，净土也。娑婆之寿有量，彼土之寿则无量矣。娑婆备诸苦，彼土则安养无苦矣。娑婆随业转轮生死，彼土一往则永证无生法忍，若愿度生，则任意自在，不为诸业转矣。其净秽、寿量、苦乐、生死，如是差别，而众生冥然不知，可不哀哉！

阿弥陀佛[4]，净土摄受之主也；释迦如来，指导净土之师也。观音、势至，助佛扬化者也。是以如来一代教典，处处叮咛，劝往生也。

阿弥陀佛与观音、势至，乘大愿船，泛生死海，不著此岸、不留彼岸、不止中流，唯以济度为佛事。是故《阿弥陀经》[5]云："若有善男子、善女人，闻说阿弥陀佛，执持名号，若一日乃至七日，一心不乱。其人临命终时，阿弥陀佛与诸圣众现在其前，是人终时，心不颠倒，即得往生极乐国土。"又经云："十方众生，闻我名号，忆念我国，植诸德本，至心回向，欲生我国，不果遂者，不取正觉。"[6]所以祇洹精舍无常院[7]，令病者面西，作往生净土想。盖弥陀光明遍照法界，念佛众生摄取不舍。圣凡一体，机感[8]相应。诸佛心内众生，尘尘极乐；众生心中净土，念念弥陀。

吾以是观之，智慧者易生，能断疑故；禅定者易生，不散乱故；持戒者易生，远诸染故；布施者易生，不我有故；忍辱者易生,不嗔恚故;精进者易生,不退转故;不造善、不作恶者易生,念能一故;诸恶已作、业报已现者易生,实惭惧故。虽有众善,若无诚信心、无深心、无回向发愿心者,则不得上上品生矣。

噫!弥陀甚易持,净土甚易往,众生不能持、不能往,佛如众生何?夫造恶业入苦趣,念弥陀生极乐,二者皆佛言也。世人忧堕地狱,而疑往生者,不亦惑哉!

晋慧远法师,与当时高士刘遗民[9]等,结白莲社于庐山,盖致精诚于此尔。其后七百年,僧、俗修持,获感应者非一,咸见于净土传记,岂诬也哉?

然赞辅弥陀教观者,其书山积。唯天台智者大师《净土十疑论》最为首冠,援引圣言,开决群惑,万年闇室,日至而顿有余光;千里水程,舟具而不劳自力,非法藏后身[10]不能至于是也。

杰顷于都下尝获斯文,读示所知,无不生信,自遭酷罚,感寤益深,将广其传,因为序引。熙宁九年仲秋述。(《乐邦文类》卷二)

【注释】

[1]《净土十疑论序》:《净土十疑论》为隋代高僧、天台宗智顗大师所作,系就弥陀净土往生之法门举出十项疑难,再一一加以解答,如:因何求生净土、何以必须偏念西方阿弥陀佛、因何而得生西方净土,等等,以发起众生对净土的信仰。注释书有《十疑论注》(宋代澄彧)、《十疑论科》(宋代元照)等。杨杰此序载于《乐邦文类》卷二。

[2]杨杰:生卒年不详,北宋无为(安徽)人。字次公,号无为

子。雄才俊迈,年少登科。曾任两浙提点刑狱,有杨提刑之称。好禅,曾参谒天衣义怀、芙蓉道楷等名僧。后阅藏经,归心净土。时诣天台山白莲寺,师事真咸,礼智者之塔。晚年专事净业,曾画丈六阿弥陀佛像礼拜观想。临终时感佛来迎,端坐而逝,享年七十。著有《释氏别集》《辅道集》等。

[3]娑婆:全称娑婆世界,娑婆为梵语音译,意为"堪忍","娑婆世界"又名"忍土",系释迦牟尼所教化的三千大千世界的总称。

[4]阿弥陀佛:西方极乐世界教主,意译为无量寿佛、无量光佛。此佛光明无量、寿命无量,故称阿弥陀佛。此佛曾发四十八大愿,成就西方极乐世界,接引十方众生往生此国,故又称接引佛。往生者在极为美好的环境下、无忧无虑地修持佛法,永不退转,直至成佛。阿弥陀佛与下文所说观世音菩萨、大势至菩萨合称西方三圣。

[5]《阿弥陀经》:净土宗依据的重要经典之一,一般读诵的为鸠摩罗什译本。此经叙述佛在祇树给孤独园对舍利弗等讲说西方极乐世界的无上庄严:有七宝严饰的树林、楼阁,有八功德水池,诸色微妙的莲花,妙声自然的众鸟;众生但受诸乐无有众苦;只要一心称念阿弥陀佛名号,死后即可往生该处等。由于此经汉译仅约 2000 字,容易背诵,加上修行方法简便,故在中国流传甚广,影响颇大,成为净土宗信仰者每天必读的课本。宋明以后成了寺院中每天必念的日课,净土宗也随此经的流传而影响日益扩大。

[6]十方众生等句:这段经文出自净土宗另一重要经典《无量寿经》,为阿弥陀佛所发四十八大愿之中最重要的第十八大

愿,为净土往生的根本依据。

[7]无常院:无常即死亡之代称,佛教寺院中为安置生重病或年老即将圆寂僧人的处所,一般室内设立阿弥陀佛立像,其左手下垂执五彩幡,临终者握幡之另一端,面向西方,表示随佛往生之意。

[8]机感:机为机类,感即感应,佛教谓众生皆为具有善根之机,能随机感应佛之化导,而佛亦能随机应之,又称感应道交。机感为念佛往生的根本原理所在。

[9]刘遗民(352~410):东晋著名居士。原名程之,字仲思,隐居庐山后改称"遗民"。在庐山师事慧远,于山中筑一室,精修禅法,凡十五年,频感佛光。又与慧远于东林寺结白莲社,誓愿往生净土,作庐山《白莲社誓文》。预知时至,焚香礼佛,面西端坐而化,享年五十九。

[10]法藏后身:法藏为阿弥陀佛无量劫前成佛前之法号,代指阿弥陀佛。这一句是说,智颤大师对净土的理解极为准确而深刻,智颤大师应是阿弥陀佛在世间的应化之身。

《与苏轼书》

[宋]了元[1]

常读退之《送李愿归盘谷序》[2],愿不遇知于在上者,犹能坐茂树以终日。子瞻中大科,登金门,上玉堂,远放寂寞之滨,权臣忌子瞻为宰相耳。人生一世间,如白驹之过隙,二三十年功名富贵,转盼成空。何不一笔勾断,寻取自家本来面目?万劫常住,永无堕落,纵未得到如来地,亦可以骖驾鸾鹤,翱翔三岛,为不死人。何乃胶柱守株,待入恶趣?昔有问师:"佛法在甚么处?"师云:"在行住坐卧处,著衣吃饭处,痾屎刺[3]撒处,没理没会处,死活不得处。"子瞻胸中有万卷书,下笔无一点尘,到这地位,不知性命所存,一生聪明,要做甚么?三世佛只是一个有血性的汉子。子瞻若能脚下承当,把一二十年富贵功名,贱如泥土。努力向前,珍重珍重

【注释】

[1]了元(1032~1098):宋代高僧。江西浮梁人,俗姓林,号佛印,故又称佛印了元,字觉老。二岁学《论语》,长从宝积寺日用出家,受具足戒,遍参诸师。十九岁,入庐山开先寺,列善暹之法席,又参圆通之居讷。长于书法,能诗文,尤善言辩。二十八岁,住江州承天寺,凡历坐道场九所,道化不止。当时名士苏轼、黄庭坚等均与之交善,以章句相酬酢。神宗钦其道风,特赐高丽磨衲、金钵,赠号"佛印禅师"。元符元年正月示寂,世寿六

150

十七,法腊五十二。

[2]《送李愿归盘谷序》:唐代韩愈的名文。这里指文中"穷居而野处,升高而望远。坐茂树以终日,濯清泉以自洁。采于山,美可茹;钓于水,鲜可食"等句,即指隐居山林,逍遥自在。

[3]剌(lā):通"拉"。

[4]本文是用佛法来启迪苏轼:不必在意世间功名富贵,因为它们如过眼云烟,应将聪明才智用于"寻取自家本来面目"上,这才是人生所当追求的终极目标,否则就辜负了一生聪明。这种见地,对于士大夫而言是相当警醒的。一般人引用此文,多引其"子瞻胸中有万卷书,下笔无一点尘"一句,而忽视其后"不知性命所存,一生聪明,要做甚么"一句,亦属对佛法毫无切身体会的表现。

《黄州安国寺记》[1]

[宋]苏轼[2]

元丰二年十二月,余自吴兴守得罪[3],上不忍诛,以为黄州团练副使,使思过而自新焉。其明年二月,至黄。舍馆粗定,衣食稍给,闭门却扫,收召魂魄,退伏思念,求所以自新之方,反观从来举意动作,皆不中道,非独今之所以得罪者也。欲新其一,恐失其二。触类而求之,有不可胜悔者。于是,喟然叹曰:"道不足以御气,性不足以胜习。不锄其本,而耘其末,今虽改之,后必复作。盍归诚佛僧,求一洗之?"得城南精舍曰安国寺,有茂林修竹,陂池亭榭。间一二日辄往,焚香默坐,深自省察,则物我相忘,身心皆空,求罪垢所从生而不可得。一念清净,染污自落,表里翛然[4],无所附丽[5]。私窃乐之,旦往而暮还者,五年于此矣。寺僧曰继连,为僧首七年,得赐衣。又七年,当赐号,欲谢去,其徒与父老相率留之。连笑曰:"知足不辱,知止不殆。"卒谢去。余是以愧其人。七年,余将有临汝之行。连曰:"寺未有记。"具石请记之。余不得辞。寺立于伪唐保大二年,始名护国,嘉祐八年,赐今名。堂宇斋合,连皆易新之,严丽深稳,悦可人意,至者忘归。岁正月,男女万人会庭中,饮食作乐,且祠瘟神[6],江淮旧俗也。四月六日,汝州团练副使眉山苏轼记。(《苏文忠公全集》卷一二)

【注释】

[1]《黄州安国寺记》：黄州，位于湖北省东部长江中游北岸，现为黄冈市黄州区。安国寺为当地名寺，苏轼被贬官黄州时，常来此寺，获得极大之心灵安慰。此文即表现出他在黄州对人生的深入思索和对佛教生起的虔挚信仰。

[2]苏轼（1036~1101）：字子瞻，自号东坡，北宋四川眉山人。工诗词文章，擅书画。虽以文人、诗人著称，但除儒学外，亦亲炙佛教，其诗作常涉及佛法，主张禅净兼修。元丰三年（1080年），访江州东林禅院常总禅师，于对谈中有悟，遂赠诗偈一首："溪声便是广长舌，山色岂非清净身；夜来八万四千偈，他日如何举似人？"吐露其悟境，至今仍脍炙人口。谥文忠，人称苏文忠公，遗作有《东坡全集》一一五卷、《东坡易传》九卷等。

[3]自吴兴守得罪：指元丰二年（1079年）发生的文字狱。御史中丞李定、舒亶、何正臣等人摘取苏轼诗文若干语句，以谤讪新政的罪名逮捕了苏轼，苏轼险些丧命，后被贬官黄州团练副使。这起案件先由监察御史告发，后在御史台狱受审，所谓"乌台"，即御史台。

[4]翛然：无拘无束貌。

[5]附丽：依附。这里形容内心极为清净，毫无牵挂。

[6]瘟神：传说能散播瘟疫的凶神。叶适《朝议大夫王公墓志铭》："民事瘟神谨，巫故为阴庇复屋，塑刻诡异，使祭者凛慄，疾愈众。"

《东坡志林》(节选)

[宋]苏轼

任性逍遥,随缘放旷,但尽凡心,别无胜解。以我观之,凡心尽处,胜解卓然。但此胜解不属有无,不通言语,故祖师教人到此便住。如眼翳尽,眼自有明,医师只有除翳药,何曾有求明药?明若可求,即还是翳。固不可于翳中求明,即不可言翳外无明。而世之昧者,便将颓然无知认作佛地,若如此是佛,猫儿狗儿得饱熟睡,腹摇鼻息,与土木同,当恁么时,可谓无一毫思念,岂谓猫狗已入佛地?故凡学者,观妄除爱,自粗及细,念念不忘,会作一日,得无所住。弟所教我者,是如此否?因见二偈警策,孔君不觉耸然,更以闻之。书至此,墙外有悍妇与夫相殴,詈声飞灰火,如猪嘶狗嗥。因念他一点圆明,正在猪嘶狗嗥里面,譬如江河鉴物之性,长在飞砂走石之中。寻常静中推求,常患不见,今日闹里忽捉得些子。[1](《东坡志林》卷一《论修养帖寄子由》)

【注释】

[1]此文苏轼用日常生活中常见的现象解释了佛教禅宗所谓任性逍遥、随缘放旷的含义。结尾"墙外有悍妇与夫相殴"一段,看似节外生枝,实则妙趣横生,恰恰揭示出佛法即在当下,"医师只有除翳药,何曾有求明药"的意义。

近读六祖《坛经》，指说法、报、化三身，使人心开目明。然尚少一喻；试以眼喻：见是法身，能见是报身，所见是化身。何谓见是法身？眼之见性，非有非无，无眼之人，不免见黑，眼枯睛亡，见性不灭，故云见是法身。何谓能见是报身？见性虽存，眼根不具，则不能见，若能安养其根，不为物障，常使光明洞彻，见性乃全，故云能见是报身。何谓所见是化身？根性既全，一弹指顷，所见千万，纵横变化，俱是妙用，故云所见是化身。此喻既立，三身愈明。如此是否？[1](卷二《读坛经》)

【注释】

[1]此为苏轼阅读《六祖坛经》时的感悟。六祖惠能以自性来解释三身："清净法身佛"，谓吾人之身即是如来法身，故吾人之自性本即清净，并能生出一切诸法；"圆满报身佛"，谓自性所生之般若之光若能涤除一切情感欲望，则如一轮明日高悬于万里晴空之中，光芒万丈，圆满无缺；"自性化身佛"，谓吾人若能坚信自性之力胜于一切化身佛，则此心向恶，便入地狱，若起毒害之心，便变为龙蛇；若此心向善，便生智慧，若起慈悲之心便变为菩萨。苏轼则认为惠能所讲的"法、报、化三身"，虽"使人心开目明"，但还有不足之处，即以眼为喻，从眼之根和眼之见性阐述自己对法、报、化三身的理解，可见他对《坛经》的理解之深。

《梦斋铭(并叙)》[1]

[宋]苏轼、苏辙

  至人无梦。或曰:"高宗、武王、孔子皆梦,佛亦梦。梦不异觉,觉不异梦,梦即是觉,觉即是梦,此其所以为无梦也欤?"卫玠问梦于乐广[2],广对以想曰:"形神不接而梦,此岂想哉?"对曰:"因也。"或问"因"之说,东坡居士曰:"世人之心,依尘而有,未尝独立也。尘之生灭,无一念住。梦觉之间,尘尘相授。数传之后,失其本矣。则以为形神不接,岂非因乎?人有牧羊而寝者,因羊而念马,因马而念车,因车而念盖,遂梦曲盖鼓吹,身为王公。夫牧羊之与王公,亦远矣,想之所因,岂足怪乎?居士始与芝[3]相识于梦中,且以所梦求而得之,今二十四年矣,而五见之。每见辄相视而笑,不知是处之为何方,今日之为何日,我尔之为何人也。"题其所寓室曰梦斋,而子由为之铭曰:

  法身充满,处处皆一。幻身虚妄,所至非实。我观世人,生非实中。以寤为正,以寐为梦。忽寐所遇,执寤所遭。积执成坚,如丘山高。若见法身,寤寐皆非。知其皆非,寤寐无为。遨游四方,斋则不迁。南北东西,法身本然。(《苏文忠公全集》卷一九)

【注释】

  [1]《梦斋铭(并叙)》:此文为苏轼、苏辙兄弟为僧人昙秀上人所居"梦斋"所作,其中"梦斋"之题匾和此"叙"为苏轼所作,"铭"出自苏辙手笔,又称《梦斋颂》。参看苏辙《栾城后集》卷五

《梦斋颂〈并引〉》:"昙秀上人游行无定,予兄子瞻作'梦斋'二字,名其所至居室。为作颂曰云云。"释昙秀为黄龙慧南法嗣,尝住四明(浙江)及虔州(江西)廉泉院,操履严洁,道望高一世。苏辙(1039~1112),字子由,眉州眉山(今属四川)人。嘉祐年间进士。官至门下侍郎,执掌朝政。后被贬,晚年定居颍川,号颍滨遗老。与父苏洵、兄苏轼合称"三苏",著有《栾城集》等。据晁补之《送昙秀师归庐山梦斋》诗,可知"梦斋"在庐山。

[2]卫玠问梦于乐广:《世说新语·文学》:"卫玠总角时问乐令'梦',乐云'是想。'卫曰:'形神所不接而梦,岂是想邪?'乐云:'因也。未尝梦乘车入鼠穴、捣齑啖铁杵,皆无想无因故也。'卫思'因',经日不得,遂成病。乐闻,故命驾为剖析之。卫即小差。乐叹曰:'此儿胸中当必无膏肓之疾!'"所谓"因"即"关联"之谓。本文借用佛教理论解释"因",苏辙之铭则揭示幻身虚妄、处处皆梦之旨,体现出苏轼、苏辙兄弟对佛法的深入理解。

[3]芝:昙秀号法芝。

《翠岩真禅师语录序》[1]

[宋]黄庭坚[2]

石霜山[3]中有三角虎[4]，孤游独坐，万木生风，至于千里无人，草深一丈。有一人料其头而得道，是为黄龙慧南[5]；有一人履其尾而得道，是为翠岩可真[6]。南之子孙，江西、湖南，若揭日月；而真得子晚，所乳之子，是为沩山道人慕喆。林栖谷隐，坚密深静，霜露果熟。诸圣推出枯木朽株，云行雨施，然后翠岩之道光明。盖翠岩之入石霜，适遭一吼，凡圣情尽。参承咨决，彻佛彻祖；行住坐卧，亘古亘今。行川之水，无不盈之科；走盘之珠，无可留之影。十圣三贤当路，亦须草偃风行[7]；四方八面俱来，无不投戈散地。金章玉句，具在可知。然明月夜光，多逢按剑；阳春白雪，难为赏音。维黄龙罢参之客，必遣之曰：百炼真金，直须入翠岩炉。今坐镇诸方、龙吟虎啸者，无不称翠岩室中之句，以接大根器，凡夫而丛林号为真点胸者。盖同门数老，虽目视耽耽，文采炳焕，似从慈明法窟中来，实不解石霜上树之机耳。各梦同床，不妨殊调；冷灰爆豆，聊为解嘲云耳。（《山谷全书·正集》卷一五）

【注释】

[1]《翠岩真禅师语录序》：翠岩真禅师，法名可真，福州人，为石霜楚圆法嗣，黄龙慧南师兄，得法后住翠岩以终。《五灯会元》卷十二列临济宗南岳下十二世，其语录未传世。

[2]黄庭坚(1045~1105)：字鲁直，号山谷，洪州分宁人。擅长诗、文、草书等，为宋代江西诗派最具代表性的诗人。举进士，曾入仕途，政绩卓著，然以党见遭谪贬。崇奉佛教，以居士身而嗣黄龙祖心(1025~1100)之法。尝游学安徽山谷寺，自号山谷道人。晚年筑精舍于涪滨，修行净土之法，又号涪翁。著有《山谷内外集》《别集》等。

[3]石霜山：又称霜华山。位于湖南浏阳县西南四十六公里处。南接醴陵，北为洞阳山。北宋仁宗宝元二年(1039年)，楚圆禅师示寂时，葬于此山。宋代丛林以临济宗最为兴盛，楚圆之门下又衍生"黄龙""杨岐"二派，故石霜楚圆之名颇著。

[4]三角虎：指石霜楚圆禅师。三角虎：有三只角的老虎，喻威猛无比。

[5]黄龙慧南(1002~1069)：宋代临济宗黄龙派之祖。信州玉山(江西上饶)人，俗姓章。少习儒业，博通经史。十一岁出家，后参访石霜楚圆，蒙器许。曾受请至黄龙山崇恩院，大振宗风，遍及湖南、湖北、江西、闽粤等地，蔚成黄龙禅派。常以公案广度四众，室中尝设"佛手驴脚生缘"三转语以勘验学人，三十余年鲜有契其旨者，世称"黄龙三关"。

[6]是为翠岩可真：这两句是说，黄龙慧南和翠岩可真皆得法于楚圆，堪称一首一尾。

[7]草偃风行：比喻以道德文教感化人。典出《论语·颜渊》："君子之德风，小人之德草。草上之风，必偃。"

《示禅人》(节选)

[宋]克勤[1]

　　达磨西来,不立文字语句,唯直指人心。若论直指,只人人本有,无明壳子[2]里,全体应现,与从上诸圣不移易丝毫许。所谓天真自性,本净明妙,含吐十虚,独脱根尘。一片田地,惟离念绝情,迥超常格。大根大智,以本分力量,直下就自己根脚下承当。如万仞悬崖,撒手放身,更无顾藉。教知见解碍,倒底脱去,似大死人已绝气息。到本分地上,大休大歇,口鼻眼耳初不相知,识见情想皆不相到,然后向死火寒灰[3]上,头头上明,枯木朽株间,物物斯照。乃契合孤迥迥,峭巍巍,更不须觅心觅佛,筑著磕著,无非外得。古来悟达,百种千端,只这便是。是心不必更求心,是佛何劳更觅佛?傥于言句上作路布[4],境物上生解会,则堕在骨董袋中,卒捞摸不著,此忘怀绝照真谛境界也。

　　(《圆悟佛果禅师语录》卷十四)

【注释】

　　[1]克勤(1063~1135):宋代禅僧。四川崇宁人,俗姓骆,字无著。出家后往五祖山参谒法演,蒙其印证。与佛鉴慧勤、佛眼清远齐名,世有"演门二勤一远"之称,被誉为丛林三杰。宋高宗曾诏其入对,赐号"圆悟",世称圆悟克勤。后归成都昭觉寺。弟子有大慧宗杲、虎丘绍隆等禅门龙象。曾于夹山之碧岩,集雪窦重显之颂古百则,编成《碧岩录》十卷,另有《圆悟佛果禅

师语录》二十卷。

[2]无明壳子:指人的身体,被无明所障覆。

[3]死火寒灰:喻不生欲望之心或对人生已无任何追求的心情。

[4]路布:犹言理路。

《禅本草》

[宋]慧日雅[1]

　　禅,味甘,性凉,安心脏,祛邪气,辟雍滞,通血脉,清神益志,驻颜色,除烦恼,去秽恶,善解诸毒,能调众病。药生人间,但有大小、皮肉、骨髓、精粗之异,获其精者为良。故凡圣尊卑,悉能疗之。余者多于丛林中吟风咏月,世有徒辈多采声壳为药食者,误人性命。幽通密显,非证者莫识。不假修炼,炮制一服,脱其苦恼,如缚发解,其功若袖,令人长寿。故佛祖以此药疗一切众生病,号大医王,若世明灯,破诸执暗。所虑迷乱幽蔽,不信病在膏肓,妄染神鬼,流浪生死者,不可救焉。伤哉!(《罗湖野录》卷下)

【注释】

[1]慧日雅:生卒年不详,宋代禅宗黄龙派禅僧,真净克文弟子,住庐山东林寺,人称慧日雅禅师。所作《禅本草》最早载于释晓莹《罗湖野录》,谓:"庐山慧日雅禅师,乃真净高弟,尝著《禅本草》一篇云云。"此文仿中医开药方之法以及唐代张说《钱本草》等游戏文字,对禅宗之特点、修行之要诀以及可能产生的种种弊端一一开列药方,对症下药,用游戏文字演绎禅法大要,很有特色。

《炮炙论》[1]

[宋]文准

　　人欲延年长生、绝诸病者,先熟览《禅本草》。若不观《禅本草》,则不知药之温良,不辨药之真假,而又不谙何州何县所出者最良。既不能穷其本末,岂悟药之体性耶?近世有一种不读《禅本草》者,却将杜漏蓝作绵州附子,往往见面孔相似,便以为是,苦哉苦哉!不惟自误,兼误他人,故使后之学医者,一人传虚,万人传实,扰扰逐其末,而不知安乐返本之源。日月浸久,横病生焉。渐攻四肢,而害圆明常乐之体。自旦及暮,不能安席,遂至膏肓,枉丧身命者多矣!良由初学粗心,师授莽卤[2],不观《禅本草》之过也。若克依此书,明药之体性,又须解如法炮制。盖炮制之法,先须选其精纯者,以法流水净洗,去人我叶,除无明根,秉八还[3]刀,向三平等砧[4]碎剉,用性空真火微焙之。入四无量臼,举八金刚杵,杵八万四千下。以大悲千手眼筛筛之,然后成尘尘三昧,炼十波罗密为圆,不拘时候。煎一念相应汤,下前三三圆、后三三圆[5]。除八风二见,外别无所忌。此药功验,不可尽言,服者方知。此药深远之力,非世间方书所载,俟后之学医上流,试取《禅本草》观之,然后依此炮制,合而服之,其功力盖不浅也。(《罗湖野录》卷下)

【注释】

[1]《炮炙论》:炮炙:炮制中药饮片。此文乃进一步演绎《禅

本草》的一篇文章,以炮炙喻修炼,点明禅门修行的若干重要准则。文准,宋代临济宗黄龙派僧,陕西人,字湛堂。真净克文之弟子,慧日雅禅师之师弟。其弟子有大慧宗杲等。

[2]莽卤(lǔ):粗疏、马虎。

[3]八还:指诸变化相,各还本所因处,计有八种。如《楞严经》卷二:"佛告阿难:汝咸看此诸变化相,吾今各还本所因处。云何本因?阿难!此诸变化,明还日轮。何以故?无日不明,明因属日,是故还日。暗还黑月,通还户牖,壅还墙宇,缘还分别,顽虚还空,郁垗还尘,清明还霁,则诸世间一切所有,不出斯类。汝见八种见精明性,当欲谁还。"

[4]三平等:又称三三昧耶观,即观佛、法、僧,或身、语、意,或心、佛、众生三者平等。砧(zhēn):案板。

[5]前三三、后三三:禅宗常用话头,出自文殊菩萨答无著语。《广清凉传》卷中:"僧无著者。姓董氏……远诣台山,志求大圣。大历二年正月,发迹浙右,夏五月初,至清凉岭下。……无著曰:'此处佛法如何?'答云:'龙蛇混迹,凡圣同居。'又问:'众有几何?'答云:'前三三与后三三。'无著乃良久无对。主僧云:'解否?'答云:'不解。'主僧云:'既不解,速须引去,无宜久止。'命童子送客出门。无著问曰:'此寺何名?'答:'清凉寺。'童子曰:'早来所问前三三与后三三,师解否?'曰:'不能。'童子曰:'金刚背后,尔可觑之。'师乃回视,化寺即隐,无著怅然久之。"

【附录】《净土本草》

[明]曹学佺[1]

味甘平,性清凉,中和,去秽恶,令人美颜色,长生。似莲仄有五色者,青者为最。不用煅炼炮制,四方俱有,生西方者良。无毒,不论元气盛衰,人俱宜服之。元气盛者,久服之,白日飞身,衰者服之,亦能轻身不死。系古来人医玉合成金丹,留此灵药,属普度世间。但其味冲澹,服者多无恒。又此药属信,信则少服亦效,不信者不效。若大限垂至,白药不救,名医袖手,但此味至心服之,从一服至七服,无不效者。最忌世间腥秽等物,若夹杂服之,取效亦微。(《翠娱阁评选曹能始先生小品》)

【注释】

[1]曹学佺(1574~1646):字能始,号石仓居士、西峰居士,侯官人。万历乙未进士,官至四川按察使,为东林党成员。后为朱聿键礼部尚书,参与抗清。聿键败,自杀。曹学佺富文学才能,喜藏书,信仰佛教。

《林间录》[1]（节选）

[宋]惠洪[2]

　　《涅槃经》：迦叶菩萨白佛言："世尊，如佛所说，诸佛世尊有秘密藏。是义不然。何以故？诸佛世尊唯有密语，无密藏。譬如幻主、机关木人[3]，人虽睹见屈伸俯仰，莫知其内而使之然。佛法不尔，咸令众生悉得知见，云何当言佛世尊有秘密藏？"佛赞迦叶："善哉！善哉！善男子，如汝所言，如来实无秘密之藏。何以故？如秋满月，处空显露，清净无翳，人皆观见。如来之言，亦复如是，开发显露，清净无翳。愚人不解，谓之秘藏，智者了达，则不名藏。"又曰："又无语者，犹如婴儿，言语未了，虽复有语，实亦无语。如来亦尔，语未了者，即秘密之言，虽有所说，众生不解，故名无语。"故石头[4]曰："乘言须会宗，勿自立规矩。"药山[5]曰："更须自看，不得绝却言语，我今为汝说者个语，显无语底。"长庆[6]曰："二十八代祖师皆说传心，且不说传语，且道心作么生传？若也无言启蒙，何名达者？"云门[7]曰："此事若在言语上，三乘十二分教岂是无说，因什么道教外别传？若从学解机智得，只如十地圣人说法，如云如雨，犹被佛呵见性如隔罗縠。"以此故知，一切有心，天地悬殊，虽然如是，若是得底人，道火何曾烧著口耶？予每曰：衲子于此彻去，方知诸佛无法可说，而证言说法身。如何是言说法身？自答曰：断头船子下扬州。[8]（《林间录》卷上）

【注释】

[1]《林间录》:凡二卷。宋代觉范惠洪撰,全称《石门洪觉范林间录》。本书为惠洪之笔记体佛学著作,内容系惠洪与林间胜士抵掌清谈有关尊宿之高行、丛林中各种遗训、诸佛菩萨之微旨及贤士大夫之余论等之语要,共三百余篇,在禅林中广为流传。

[2]惠洪(1071~1128):北宋临济宗黄龙派僧。又作慧洪,字觉范。筠州(今属江西)人。俗姓喻,19岁出家。博览群书,富有文才,喜与士人交往,倡导文字禅,著述甚丰。所著《石门文字禅》30卷,为其一生诗文集。此外还有《林间录》二卷、《禅林僧宝传》三十卷、《寂音尊者智证传》十卷、《冷斋夜话》十卷、《天厨禁脔》一卷、《志林》十卷、《楞严尊顶义》十卷等传世。

[3]机关木人:比喻五蕴之虚假。木人,傀儡之意。人之身心系由五蕴假和合而形成,无有自性,犹如傀儡,故佛教以机关木人喻之。

[4]石头:石头希迁(700~790),唐代禅僧,又称无际大师。得法于禅宗六祖惠能、青原行思,居衡山南寺,结庵坐禅于寺东石台上,大扬宗风,世称石头和尚。

[5]药山:药山惟俨(751~834),唐代禅僧,石头希迁之弟子,属青原行思之法系。

[6]长庆:大安禅师,号懒安,唐代禅僧,百丈怀海法嗣。

[7]云门:云门文偃(864~949),五代时禅僧,云门宗之祖。其机锋险峻,门风殊绝,于化导学人时,惯以一字说破禅旨,故禅林中有"云门一字关"之美称。

[8]这一则比较摘录《大般涅槃经》和石头以来禅宗诸祖师谈论佛教意旨与语言关系的论述,表达惠洪自己的观点,即意旨必须通过语言来传达。

《智证传》[1]（节选）

[宋]惠洪

·

《摄论》[2]曰："处梦谓轻年,悟乃须臾顷。故时虽无量,摄在一刹那。"

传曰:贤首[3]曰："此中一刹那者,即谓无念。"《楞伽》曰:"一切法不生,我说刹那义。初生即有灭,不为愚者说。"以一刹那流转,必无自性故,即是无生,若非无生,则不流转。是故契无生者,方见刹那也。黄檗慧禅师[4]初谒疏山,问曰:"刹那便去时如何?"曰:"逼塞虚空,汝作么生去?"慧曰:"逼塞虚空,不如不去。"疏山乃默然。慧出见第一座,问慧曰:"汝适只对之语甚奇。"曰:"亦似偶然,愿为开示。"第一座曰:"一刹那间,还容拟议否?"慧于是悟旨于言下。予作偈曰:"逼塞虚空,不行而至。而刹那中,宁容拟议?直下便见,不落意地。眼孔定动,则已不是。"

《还源观》[5]曰:"由于尘相,念念迁变,即是生死。由观尘相,生灭相尽,空无有实,即是涅槃。"

传曰:于色、声等法,念念分别,名为迁变。观此色、声等法,起灭无从,当处解脱。先观己眼曰:"是眼即不能自见其己体,自体尚不见,云何见余物?"次观前境曰:"若见是树,复云何树?若见非树,云何见树?"次观三际曰:"若见在是有耶?则过去未来亦应是有,若过去未来是无耶,则见在亦应是无。"

【注释】

[1]《智证传》:十卷,宋代禅僧惠洪著。惠洪反对将佛法神秘化,所谓"智证",即对佛教经典或祖师语录中若干语句作出辨析,分析其义理之所在,在理解的基础上形成信仰。

[2]《摄论》:全称《摄大乘论》,印度大乘佛教中瑜伽行派的重要著作。无著造论,世亲作释,真谛翻译。在南北朝时即形成摄论学派,主张诸法的根本为阿梨耶识。当阿梨耶识的清净本性出现,即是第九识庵摩罗识。其理论后被唯识宗所吸收。

[3]贤首:即法藏(643~712),中国佛教华严宗实际创始者,字贤首,号国一法师。华严宗亦因此称贤首宗。

[4]黄檗慧禅师:《五灯会元》卷十三:"时仁和尚坐法堂受参。师先顾视大众,然后致问曰:'刹那便去时如何?'山曰:'逼塞虚空,汝作么生去?'师曰:'逼塞虚空,不如不去。'山便休。师下堂参第一座,座曰:'适来只对甚奇特。'师曰:'此乃率尔,敢望慈悲,开示愚昧。'座曰:'一刹那间还有拟议否?'师于言下顿省,礼谢。"

[5]《还源观》:全称《修华严奥旨妄尽还源观》,唐代僧人法藏著,一卷,阐述华严宗破迷归真、返本还原之旨。

《题让和尚传》

[宋]惠洪

　　心之妙,不可以语言传,而可以语言见。盖语言者,心之缘、道之标帜也。标帜审则心契,故学者每以语言为得道浅深之候。予观南岳让禅师[1]初见六祖,祖曰:"什么物与么来?"对曰:"说似一物即不中。"曰:"还假修证也无?"对曰:"修证即不无染污,即不可。"祖叹曰:"即此不染污,是诸佛之护念。"大哉言乎,如走盘之珠,不留影迹也!然让公犹侍六祖十有五年乃去,庵于三生石之上。时天下尚以律居,未成丛席。[2]

　　有僧忘其名,为总众事[3]二十年,为县官勘其出纳[4]。先是,寺未尝藉其资,僧方囚,自念久已忘之,仰祝让公求助。于是一夕通悟,尽能追忆二十年间物件,不遗毫发,乃得释。故以让公为观音大士之应身,而让居庵中,未尝知之。予游福严,与僧读其事,僧疑以问予:"此何理哉?"予曰:"《涅槃经》云:'外道妒世尊入其国,驱五百醉象来奔。世尊垂手示之,而象见五指轮中皆出师子,于是怖伏遗粪而去。世尊曰:尔时我指实无师子,而是护财狂象,自然见之,皆我慈善根力。'故夫世尊慈善根力,要不可以有思议心测之,而可以无隐藏事证。如月在天,光遍溪谷,初不择溪谷之浊清。而水之澄澈,必有月影;水之澄澈,则月现影。而善恶之必有所感,乃不见慈善根力哉?则让公坐令其僧获聪明之辩,要不足怪也。"[5](《石门文字禅》卷二五)

【注释】

[1]南岳让禅师:怀让(677~744年),陕西人,俗姓杜。往广东拜谒六祖惠能开悟,后侍随十五年,乃至六祖示寂前二年,离开曹溪,即到南岳,主持般若寺观音台。因同学僧玄被拘于刑狱,求他解救,冥冥之中获救因而得出,被时人尊为"救苦观音"。住南岳廿四年,为禅宗第七祖,法嗣马祖道一,最为杰出,其后形成临济宗,法脉延续不绝。

[2]尚以律居,未成丛席:指当时寺院多为律宗主持,尚没有禅宗丛林。

[3]总众事:管理寺院中财粮等事务。

[4]出纳:财物的支出和收入。

[5]本文用理性解释佛教所谓"神通"并不神秘,更非迷信,其实是吾人心性本来具有,只是一般人被烦恼遮蔽,难以显现而已。修禅者身心俱清,故易显现而已。

《示莫宣教（润甫）》

[宋]宗杲[1]

为学为道一也。为学则学未至圣人，而期于必至，为道则求其放心于物我。物我一如，则道学双备矣。士大夫博极群书，非独治身求富贵取快乐，道学兼具，扩而充之，然后推己之余，可以及物。近世学者，多弃本逐末，背正投邪，只以为学为道为名，专以取富贵、张大门户为决定义，故心术不正，为物所转。俗谚所谓"只见锥头利，不见凿头方"。殊不知在儒教则以正心术为先。心术既正，则造次颠沛[2]无不与此道相契。前所云为学为道一之义也。在吾教则曰若能转物，即同如来。在老氏则曰慈曰俭，曰不敢为天下先。能如是学，不须求与此道合，自然默默与之相投矣。佛说一切法，为度一切心，我无一切心，何用一切法。当知读经看教，博极群书，以见月亡指[3]、得鱼亡筌[4]为第一义，则不为文字语言所转，而能转得语言文字矣。不见昔有僧问归宗和尚[5]："初心如何得个入处？"宗以火箸敲鼎盖三下，云："还闻否？"僧云："闻。"宗云："我何不闻？"宗又敲三下，问："还闻否？"僧云："不闻。"宗云："我何以闻？"僧无语。宗云："观音妙智力，能救世间苦。"润甫道友夙植德本，信得此段大事因缘[6]，及念念无间断，但于一切文字语言上，未能见月亡指、得鱼亡筌尔。苟于归宗示诲处领略，方知观音悟圆通，与归宗闻与不闻之义，无二无别。何以知其然也？初于闻中，入流亡所，所入既寂，动静二相，了然不生。动相不生，则世间生灭之

172

法灭矣;静相不生,则不为寂灭所留系矣。如于此二中间不住动相,亦不为静相所困,则观音所谓"生灭既灭,寂灭现前"。得到这个田地,始得身心一如,身外无余,头头上明,物物上显矣。非是强为,法如是故。润甫勉之。(《大慧普觉禅师语录》卷二四)

【注释】

[1]宗杲(1089~1163):宋代临济宗杨岐派僧,看话禅之倡导者。字昙晦,号妙喜。宣州(安徽)宁国人。俗姓奚。出家后参圆悟克勤,得到印可。绍兴七年奉诏住持径山,道法之盛冠于一时后,士大夫多皈依之,后赐"大慧禅师"号。年七十五圆寂,谥号"普觉"。后人集其著述讲说,汇编为《大慧普觉禅师语录》三十卷、《大慧普觉禅师普说》五卷、《大慧普觉禅师宗门武库》一卷、《大慧普觉禅师书》二卷,以及《法语》三卷等。

[2]造次颠沛:流离困顿。语出《论语·里仁》:"君子无终食之间违仁,造次必于是,颠沛必于是。"

[3]见月亡指:以指譬教,以月譬法。《楞严经》卷二谓:"如人以手指月示人,彼人因指,当应看月。若复观指,以为月体,此人岂唯亡失月轮,亦亡其指。"故诸经论多以指月一语以警示对文字名相之执著,禅宗则借此发挥其"不立文字,教外别传"之教义。

[4]得鱼亡筌:筌,又作荃。指既钓得鱼,便忘其渔具。比喻既已成功即忘其凭借;或已达成目的,即舍弃工具方法。出自《庄子·外物篇》:"荃者所以在鱼,得鱼而忘荃;蹄者所以在兔,得兔而忘蹄;言者所以在意,得意而忘言。"

[5]归宗和尚:即智常,唐代庐山归宗寺僧。

[6]大事因缘:佛教将众生破迷开悟、悟入佛之知见,并能成就佛道为大事因缘,人生所有之事未有能超过这件事的。

《云卧纪谈》[1]（节选）

[宋]晓莹[2]

　　蜀僧祖秀[3]，字紫芝，夐以文鸣于士大夫间。慕嵩明教[4]之风，著《欧阳文忠公外传》，苏养直庠[5]为序冠其首，略曰：君子以佛之教不见证于尧、舜、禹、汤之世，而孔子、孟轲之后，历代先儒虽当国，不少禁，亦听其横流宇内。古今持此论者有矣。独秀公以谓尧之丹朱[6]，不足以授政而禅舜；舜亦忧商均[7]而禅禹。至汤武革命，斯教之所始。使孔子行事，亦何以异此？由尧迄武王，佛未诞生，有以也。成康[8]既没，佛于是显迹，然而未被中华，以俟圣人生于鲁，集大成于古帝王之教也。甚矣！圣人困于鲁卫陈宋，欲居九夷，乘桴浮海[9]。当是时，以外数万里之教加于中国，天子、诸侯畴听之哉。佛之法不苟传，非显宗感而求诸远，恐未能速应耳。此皆秀公京师之书，其骇古震今之论，溢数万言，特未传于世。

　　又秀尝赞东坡像曰：汉之司马、杨、王；唐之太白、子昂，是五君子者，皆生乎蜀郡，未若夫子而有耿光[10]。夫子之诗，抗衡者其唯子美；夫子之文，并轸者其唯子长；赋亦贤于屈贾，字乃健于钟王。此夫子之绝技，盖至道之秕糠。夫子之道，是为后稷、伊尹[11]，可以致其君于尧、汤，时议将加之于钛铖，而夫子尤讽于典章。海表之迁，如还故乡。信蜀郡之五杰者，莫得窥夫子之垣墙。（《云卧纪谈》卷上）

【注释】

[1]《云卧纪谈》：宋代僧晓莹著，系绍兴年间(1131~1162)晓莹于丰城曲江感山之云卧庵闲居中，随笔记录诸方尊宿之遗言逸迹、士大夫之嘉言懿行；凡可资修行警策、学人龟鉴者悉皆收录，并记述其师大慧宗杲与学人之机缘问答等。

[2]晓莹：籍贯、生卒年均不详。南宋临济宗僧，字仲温。少壮行脚，遍参诸方丛林，嗣法于大慧宗杲。晚年归隐江西罗湖，杜门不与世接。绍兴二十五年(1155)，以生平见闻、与诸方尊宿提撕语，及友朋谈论之言，编辑著书，成《罗湖野录》四卷、《云卧纪谈》二卷，为宋代佛教史珍贵史料。

[3]祖秀：又作祖琇，字紫芝，南宋僧人。曾于隆兴二年(1164年)作《隆兴佛教编年通论》一书，收于《卍续藏》第一三〇册，系以编年体辑录佛教传播之史实，记述东汉明帝至南宋孝宗(65~1163)期间有关释门之事项。

[4]嵩明教：即契嵩，参看本书有关契嵩的介绍。

[5]苏庠(1065~1147)：字养直。初因病目，自号眚翁。本泉州人，随父苏坚徙居丹阳(今属江苏)。因卜居丹阳后湖，又自号后湖病民。苏坚有诗名，曾与苏轼唱和，得苏轼赏识，并因苏轼称誉其诗而声名大振。

[6]丹朱：尧子名。《史记·五帝本纪》："尧知子丹朱之不肖，不足授天下，于是乃权授舜。"

[7]商均：舜之子。相传舜以商均不肖，乃使禹继位。事见《孟子·万章上》《史记·五帝本纪》。

[8]成康：周成王与周康王的并称。史称其时天下安宁，刑措不用，故用以称至治之世。

[9]欲居九夷,乘桴浮海:《论语·子罕》:"子欲居九夷。或曰:'陋,如之何?'子曰:'君子居之,何陋之有?'古代称东方的九种民族。又《论语·公冶长》:子曰:'道不行,乘桴浮于海。从我者,其由与?'"

[10]耿光:光辉、光芒。

[11]伊尹:商汤大臣,名伊,一名挚,尹是官名。相传生于伊水,故名。是汤妻陪嫁的奴隶,后助汤伐夏桀,被尊为阿衡。后太甲即位,因荒淫失度,被伊尹放逐到桐宫,三年后迎之复位。这几句是说,苏轼不仅有超人的文才,还有如后稷、伊尹那样的治国才能,可惜没有受到重用。

孝宗皇帝[1]御重华宫时,制《原道辩》曰:朕观韩愈《原道》,因言佛老之相混,三教之相绌,未有能辨之者。但文繁而理迂,揆圣人之用心,则未昭然矣。何则?释氏专穷性命,弃外形骸,不染万相,而于世事了不相关,又何与礼乐仁义哉?然尚犹立五戒,曰:不杀、不淫、不盗、不饮酒、不妄语。夫不杀,仁也;不淫,礼也;不盗,义也;不饮酒,智也;不妄语,信也。如此,于仲尼又何远乎!孔子从容中道,圣人也。圣人之所为,孰非礼乐,孰非仁义,又乌得而名焉?譬如天地运行,阴阳循环之无端,岂有意为春夏秋冬之别哉?皆圣人强名之耳。亦犹仁义礼乐之别,圣人所以设教治世,不得不然也。因其强名,推而求之,则道也者,仁义礼乐之宗也;仁义礼乐者,固道之用也。彼扬雄[2]以老氏弃仁义,灭礼乐,今迹老子之书,其所宝者三:曰慈、曰俭、曰不敢为天下先。孔子则曰:"温良恭俭让。"又曰:"惟仁为大。"老子之所谓慈,岂非仁之大者耶?曰不敢为天下先,岂非

177

让之大者耶？至其言治道则互见偏举，所贵者清静宁一，而与孔圣果相背驰乎？盖三教末流，昧者执之，自为异耳。夫佛老绝念无为，修一身而已矣，孔子立五教以治天下者也，特所施不同耳。譬犹以耒耜[3]而织，机杼而耕，后世徒纷纷而惑，固失其理。或曰："当如何哉？"曰：以佛修心，以道养生，以儒治世，斯可也，唯圣人为能同之，不可不论也。(《云卧纪谈》卷下)

【注释】

[1]孝宗皇帝：宋孝宗赵慎(1127~1194)，字元永。宋高宗绍兴三十二年，立为皇太子。同年，即皇帝位。建元隆兴、乾道、淳熙，在位二十七年，事迹见《宋史》卷三三至三五《孝宗纪》。宋孝宗尊崇儒教，同时对于佛道两教也采取兼容政策，其所作《原道辨》针对唐代韩愈排斥佛道的观点，提出三教名虽不同，但本质完全一致，各有侧重，故不可偏废，须"以佛修心，以道养生，以儒治世"，对后世产生深远影响。

[2]扬雄：西汉文学家、学者。字子云，蜀郡成都(今属四川)人。汉成帝时为给事黄门郎。王莽称帝后，任太中大夫。早年以辞赋闻名，有《甘泉赋》《长杨赋》等名篇。晚年研究哲学，仿《论语》和《易经》作《法言》和《太玄》等。

[3]耒(lěi)耜(sì)：古代一种像犁的翻土农具。耜用于起土。耒是耜上的弯木柄。也用做农具的统称。

南昌信无言者，早以诗鸣于丛林，徐公师川[1]、洪公玉父[2]，品第其诗，韵致高古，出庾权[3]、癫可[4]一头地，由是收名定价于二公。及参大慧老师于泉南小溪，俱康、南二道者，事蔬供众。

因钁[5]地次,南曰:"钁头边道将一句来。"信擎起钁头,康以土块掷中柄上,信忽有省,故尝有诗曰:"新庵小溪上,英俊颇浩浩。从渠作佛祖,任渠会禅道。荷锄向东园,事蔬誓毕老。乘月始抱瓮,破午正杀草。芥蓝被虫食,秋茄亦早槁。斋盂从此去,但愿蔓菁好。"士大夫游小溪,喜言诗者,大慧必曰:"此间有个园头[6]能诗。"然信之议论尤高,聆其绪余[7]者,莫不屈服。自是随侍之径山,过衡阳,寻放浪于衡岳,栖迟道吾为最久。削木以蔽风雨,于院之西偏,榜以版庵,禅燕自牧于湖。居士张公[8]帅潭,闻其高风,力致出世湘西鹿苑,赠之以诗曰:"诗卷随身四十年,忙中参得竹篦禅。而今投老湖西寺,卧看湘江水拍天。""句中有眼悟方知,悟处还应痛著锥。一个身心无两用,鸟窠拈起布毛吹。"信和之,今记其一曰:"竹篦子话选当年,直下无私不是禅。既遇状元真眼目,敢拈沉水向人天。"平时制作,名为《南昌园夫集》,胡侍郎明仲易之曰《奇葩》,以序冠集首云。

(《云卧纪谈》卷下)

【注释】

[1]徐公师川:徐俯(?~1140),字师川。洪州分宁(今江西修水)人。江西诗派诗人。靖康二年张邦昌建立伪政权,徐府不与其合作,并买婢名曰"昌奴",以抒愤慨。高宗初,起为右谏议大夫、中书舍人。绍兴二年(1132),赐进士出身,兼侍读,后权参知政事。

[2]洪公玉父:洪炎(1067~1133),字玉父,分宁人,黄庭坚甥,诗入江西诗派。

[3]庹权:善权,字巽中,靖安(今江西靖安)人,俗姓高。住

179

双林寺。人物清癯,人目为瘦权。落魄嗜酒,诗入江西派。

[4]癞可:祖可,姓苏,为苏庠弟,有恶疾,人号癞可。善权、祖可皆为江西诗派中之出家人。

[5]钁(jué):锄。

[6]园头:禅林中司掌栽培耕作菜园之职称。《敕修百丈清规》卷四"列职杂务"条谓:园头须不惮勤苦,以身率先,栽种菜蔬,及时灌溉,供给堂厨,毋令缺乏。据此,可知信无言本为士人,自愿为大慧宗杲门下行者,后出家为园头。

[7]绪余:原意为抽丝后留在蚕茧上的残丝,借指事物之残余或主体之外所剩余者。《庄子·让王》:"道之真以治身,其绪余以为国家,其土苴以治天下。"

[8]居士张公:张孝祥,字安国,号于湖居士,历阳乌江(今安徽和县东北)人。曾知潭州,权荆湖南路提点刑狱,迁知荆南、荆湖北路安抚使。著有《于湖集》。集中此诗题为《赠鹿苑信公诗禅》。

《罗湖野录》[1]（节选）

[宋]晓莹

　　蒋山佛慧泉禅师[2]，丛林谓之泉万卷。绍圣元年，东坡居士有岭外之行，舟次金陵，阻风江浒。既迎其至，从容语道。东坡遂问曰："如何是智海之灯？"泉遽对以偈曰："指出明明是甚么？举头鹞子[3]穿云过。从来这碗最希奇，解问灯人能几个？"东坡于是欣然，以诗纪其事曰："今日江头天色恶，炮车云起风欲作。独望钟山唤宝公，林间白塔如孤鹤。宝公骨冷唤不应，却有老泉来唤人。电眸虎齿霹雳舌，为余吹散千峰云。南来万里亦何事，一酌曹溪知水味。他年若画蒋山图，仍作泉公唤居士。"[4]泉复说偈送行曰："脚下曹溪去路通，登堂无复问幡风。好将钟阜临岐句，说似当年踏碓翁[5]。"噫！东坡平生，夷险一致，非与忧患争者。不然，正当放浪岭海之时，岂能问智海灯耶？泉奋霹雳舌，为吹散千峰之云，在东坡不为无得也。(**《罗湖野录》卷下**)

【注释】

　　[1]《罗湖野录》：二卷，宋代僧晓莹撰。晓莹为大慧宗杲之法嗣，壮年历游丛林，晚年归憩江西临川之罗湖，结湖隐堂，后集录丛林见闻、诸方尊宿提唱之语、友朋谈说议论之言，或得于残碑蠹简有关典谟之说等，而成本书，总计近百篇。书中详录当时禅门公案及机锋语句、缁徒故实，有很高史料价值。

[2]佛慧泉禅师:宋代云门宗僧,号法泉。随州(湖北随县南)人。自幼才敏,依龙居山智门院之信玘出家,受具足戒后,参谒云居晓舜,并嗣其法。初住大明寺,复历住千顷、灵岩、蒋山等名山;又奉诏住于大相国寺智海禅院,谥号"佛慧禅师"。一生遍览群籍,所读之书无以计量,故世人多美称为"泉万卷"。

[3]鹞(yào)子:一种凶猛的鸟,样子像鹰,比鹰小,捕食小鸟,亦称"鹞鹰"。《五灯会元》卷十八:"随州洞山辩禅师,上堂:'不是心,不是佛,不是物,钻天鹞子辽天鹘。'"

[4]此诗《东坡集》题为《六月七日泊金陵,阻风,得钟山泉公书,寄诗为谢》。

[5]踏碓翁:踏碓为踩踏杵杆一端使杵头起落舂米。惠能出家前,曾在寺院中做行者,踏碓舂米,故后人以踏碓翁代指惠能。

潭州智度觉禅师,幼聪慧,书史过目成诵。欲著书排释氏,恶境忽现,乃悔过出家。因冥诵《华严经》,至《现相品》曰:"佛具无有生,而能示出生。法性如虚空,诸佛于中住。无住亦无知,处处皆见佛。"于是悟入华严境界,为众讲解于成都,剖发微旨,无出其右。寻以未探禅宗,出峡谒无尽居士[1]于荆南。无尽曰:"若向上一著,非蒋山老[2]孰能指南?"遂遣书为觉绍介,其略曰:"觉华严,乃吾乡大讲主,前遇龙潭为伊直截指示,决成法器,有补宗门矣。"觉抵蒋山,一日,闻圜悟举罗山道:"有言时,骑虎头,收虎尾,第一句下明宗旨。无言时,觌[3]露机锋,如同电拂。"觉恍然,自谓有所证,作偈曰:"家住孤峰顶,长年半掩门。自嗟身已老,活计付儿孙。"圜悟见而大笑。翌日,问之曰:"昨日公案作么生?"觉拟对,圜悟便喝曰:"佛法不是这个道理!"自兹参究,经于五载。阅浮山远禅师[4]《削执论》,于庐阜有云:"若道有亲疏者,岂有旃檀林中却生臭草?须知宗师,著著不曾虚发。"至是顿释所疑,乃述偈寄圜悟曰:"出林依旧入蓬蒿,天网恢恢不可逃。谁信业缘无避处,回来不怕语声高。"其得乐说之辨,以扶宗振教为己任,非驰骋于驾词而已。至于宗门统要机缘,无不明之以颂,古今名僧行实,无不著之以传。虽博而寡要,劳而少功,既藏于蜀山,岂不壮丛林寂寞之传耶?(《罗湖野录》卷下)

【注释】

[1]无尽居士:张商英(1043~1121),北宋蜀州(四川崇庆)新津人。字天觉,号无尽居士。自幼即锐气倜傥,日诵万言,但欲排佛。后信仰佛教,礼五台山,又礼谒东林寺常总禅师,得其印可;复投兜率寺之从悦禅师,就岩头末后之句有所参究。大观年间,担任尚书右仆射,为北宋后期著名护法居士。

[2]蒋山老:指圜悟克勤禅师。因克勤曾住金陵蒋山太平兴国寺,在此尊称为蒋山老。蒋山即金陵钟山。

[3]觌(dí):见到。

[4]浮山远禅师:清远(1067~1120),宋代临济宗杨岐派僧,号佛眼,与佛鉴慧勤、佛果克勤同称"东山三佛",或称"东山二勤一远"。

《和渊明归去来兮》[1]

[宋]冯楫[2]

　　归去来兮！莲社已开胡不归？念吾年日就衰迈，况世态之堪悲。想东林之遗迹，有先贤之可追。趁余生之尚在，悔六十之前非[3]。如新沐之弹冠，类浴罢而振衣。[4]涤尘垢以趋洁，造妙道之离微。顾瞻前路，归心若奔，入慈悲室，登解脱门。万境俱寂，一真独存。炉香满炷，净水盈樽。望西方以修观，祈速睹于慈颜。入念佛之三昧，觉身心之轻安。超九莲之上品[5]，闭六趣之幽关。会精神于正受[6]，杜耳目之泛观。俟此报之云尽，指极乐而径还。循宝树以经行，践华园而盘桓。归去来兮！唯净土之可游。念阎浮之浊恶，舍此土而何求？喜有寿之无量，曾何苦以贻忧。与上善人同会，友补处[7]为朋俦。池具七宝[8]，黄金为舟。地平布于琉璃，无高下之坑邱。乐音起于风树，佛声发于水流[9]。闻者咸念三宝，忻尘缘之自休。已矣乎！人生如梦，能得几时？胡为名利之萦留，此一报看尽兮将焉之？浮世皆幻境，乐土真佳期。布莲种于池内，长念佛以培籽。冀临终时而佛迎，垂叙别而留诗。从此地地增进[10]，决证菩提何用疑！（《乐邦文类》卷五）

【注释】

[1]《和渊明归去来兮》：宋代僧人宗晓编撰的《乐邦文类》一书，汇集了包括宋代在内的大量的净土宗诗文作品，特别是

其第五卷,收集了与净土宗有关之赋铭、偈、颂、诗、词等体裁的诗文数十篇,作者大部分为宋人。其中收录了居士冯楫、任彪和僧人释戒度的三篇同题文章:和陶渊明的《归去来兮辞》。这里选录冯楫的一篇。宋代文人和《归去来兮辞》的作品很多,但净土宗的这一类和作与其他的作品在主题上有一个重大的区别:不再以世间的田园为回归之所,而是以西方净土为回归之所——因为从根本上说,田园尽管美好,但仍未跳出"三界火宅",终究不实。所以它们尽管在形式上对陶渊明的原作亦步亦趋,但在思想内涵上却有着很大的不同。

[2]冯楫(?~1153):字济川,蓬溪(今属四川)人。宋徽宗政和八年(1118)进士。高宗建炎元年(1127),除秘书省正字,三年,为司勋员外郎。绍兴七年(1137),除给事中,出知邛州,移泸州。在宋代佛教居士中,冯楫是一位有着非常坚定宗教信仰的人,自号不动居士,为南岳下十五世,龙门远禅师法嗣。

[3]悔六十之前非:《庄子·则阳》:"蘧伯玉行年六十而六十化,未尝不始于是之而卒诎之以非也,未知今之所谓是之非五十九非也。"

[4]"新沐之弹冠"两句:《荀子·不苟》:"新浴者振其衣,新沐者弹其冠,人之情也。"以上谓悔过而自新。

[5]九莲之上品:佛教净土宗认为:修行完满者死后往生西方极乐世界,身坐莲花台座,因各人生前修行深浅不同,而所坐莲台有九等之别。

[6]正受:即禅定,定心离邪乱,谓之正;无念无想,纳法在心,谓之受。这是说往生西方极乐世界的人自然得到正受。

[7]补处:补到佛位的意思。净土宗认为,往生西方净土者

已超越生死轮回，一生即可成佛。

[8]池具七宝：据《无量寿经》载：西方极乐世界之水池皆为众宝合成，"黄金池者，底白银沙。白银池者，底黄金沙。水精池者，底琉璃沙。琉璃池者，底水精沙。珊瑚池者，底琥珀沙。琥珀池者，底珊瑚沙。砗磲池者，底码瑙沙。码瑙池者，底砗磲沙。白玉池者，底紫金沙。紫金池者，底白玉沙。或有二宝、三宝，乃至七宝转共合成。其池岸上有旃檀树，华叶垂布，香气普熏，天优钵罗华、钵昙摩华、拘牟头华、分陀利华，杂色光茂，弥覆水上"。

[9]佛声发于水流：据《无量寿经》载：西方极乐世界有八功德水，湛然盈满，清净香洁，味如甘露。"波扬无量，自然妙声。随其所应，莫不闻者。或闻佛声，或闻法声，或闻僧声，或寂静声，空无我声，大慈悲声，波罗蜜声，或十力无畏不共法声，诸通慧声，无所作声，不起灭声，无生忍声，乃至甘露灌顶众妙法声。如是等声，称其所闻，欢喜无量。"

[10]地地增进：佛经谓"地"乃住处、住持、生成之意，菩萨之位有"十地"，往生西方极乐世界者永不退转，一地一地向上增进，直至成佛。

《西归口颂》

[宋]道济[1]

健健健,何足羡,止不过要在人前扣门面。吾闻水要流干,土要崩陷,岂有血肉之躯,支撑六十年而不变?棱棱的瘦骨几根,鳖[2]鳖的精皮一片。既不能坐高堂,享美禄,使他安闲;何苦忍饥寒,奔道路,将他作贱?见真不真,假不假,世法难看;且酸的酸,咸的咸,人情已厌。梦醒了,虽一刻也难;看破了,纵百年亦有限。到不如瞒着人,悄悄去静里自寻欢;索强似活现世,烘烘的动中讨埋怨。急思归去,非大限之相催;欲返本来,实自家之情愿。咦!大雪来,烈日去,冷与暖,弟子已知;瓶干矣,瓮竭矣,醉与醒,请老师勿劝。(《济祖师文集》)

【注释】

[1]道济(1150~1209):宋代临济宗杨岐派僧。临海(浙江省)人,俗姓李。号济颠,或称湖隐、方圆叟。出家后礼瞎堂慧远为师,嗣其法。性狂而疏,介而洁,游踪半天下,所至题墨,文词隽永。但他生活落拓,寝食无定,寒暑无完衣,所受布施供养,不久即付酒家。对于老病僧人,他尽力备办药物相助,无故不入富贵人家。嘉定二年五月示寂于净慈寺,世寿六十。道济神异事迹颇多,广传于民间,人称济公。临终前作偈曰:"六十年来狼藉,东壁打到西壁,如今收拾归来,依旧水连天碧。"这里所选《西归口颂》是其临终前的又一篇作品,西归指往生西方

极乐世界。口颂:即口占,随口吟出。本文文俚而义深,显示了
道济禅师对世态人生的了达以及彻底觉悟的精神。

[2]瘵:同"瘰"。

《识山堂记》

[宋]宝昙[1]

齐、鲁、秦、赵未尝无山也,而嵩、恒、岱、华又山之杰者焉,以旃裘[2]狗马之膻污之,故士皆掩面南向,四方上下,仰观俯察,其心未尝一日与山相忘也。康庐[3]如古有道之国,历聘者所愿游,受冠带,祠春秋,礼乐法度从是而出,虽樵夫野老亦可坐而论道,与南方之山大抵不同也。其山如步障,左右开阖,不翅四十里之远;如日月吞吐,昼夜晦明之不测;如鲲鹏变化,气象雄杰;如云起水涌,而观者眩惑。此山之大概也。若夫朝雨新霁,夕阳既收,或翠如空青,红如丹砂,绿如蒲桃,紫如玳瑁,五色隐现,知山中有奇宝横道也。白云往返,知山中有仙圣群游也。山之不可名状也如此。

殿撰[4]高公大卿是真爱山者也,卜居九江,为山故也。所居之后一坡隐然而高,若天作地藏以遗人者。筑堂于其上,则庐山踊跃奋迅,为吾栏槛中物。取苏文忠公所谓"不识庐山真面目,只缘身在此山中"之句,以"识山"扁之。余从公于四明郡斋,实闻公说,公真识山者。颜氏子曰"仰之弥高,钻之弥坚,瞻之在前,忽然在后"[5],是山岂易识哉!仲尼问礼于老聃,问乐于苌弘[6],是先识此山而后质之于二子。后世学者日从事于此,虽洒扫应对进退,未尝不在此山中也。问山之面目,则相视惘然,甚或以为诞幻,则指归佛老,岂不悖哉!文忠公一代伟人也,其言若奏金石,是识此山之面目者。公方以功名富贵相迫逐,未

暇言归,它时举酒识山而山在焉,安知苏仙之不来也。年月日,橘洲记。(《橘洲文集》卷六)

【注释】

[1]宝昙(1129~1197):宋代临济宗僧。嘉定府龙游人,俗姓许,号少云,世称橘洲老人。为大慧宗杲之法嗣,住于庆元府(浙江)仗锡山延寿禅院。曾将从过去七佛至大慧宗杲等禅宗诸祖之传记编辑而成《大光明藏》一书,凡三卷。喜与士大夫往来,传世诗文甚多,有《橘洲文集》。本文即为殿撰高大卿"识山堂"所作记,通过对山的描述,显示的是对道的体认。

[2]旃(zhān)裘:古代北方游牧民族用兽毛等制成的衣服,代指这些民族。这是说北方久已沦落于异族,文化衰微,不复中原气象。

[3]康庐:宋时庐山的别称。辛弃疾《贺新郎·题傅岩叟悠然阁亭》:"是中不减康庐秀。倩西风,为君唤起,翁能来否?"邓广铭笺注:"盖庐山亦名匡山,亦称匡庐,宋人避赵匡胤讳,故改称康庐也。"

[4]殿撰:宋代集英殿修撰、集贤殿修撰(后改为右文殿修撰)的省称。

[5]"仰之弥高"句:出自《论语·子罕》:"颜渊喟然叹曰:'仰之弥高,钻之弥坚。瞻之在前,忽焉在后。夫子循循然善诱人,博我以文,约我以礼,欲罢不能。既竭吾才,如有所立卓尔,虽欲从之,末由也已。'"是将孔子比喻为高山。本文引此,即谓所言之山并非自然之山,而是一种文化之山。

[6]仲尼问礼于老聃,问乐于苌弘:《史记·孔子世家》载:"适周问礼,盖见老子云。"又《史记·乐书》记:"子曰:'唯丘之闻诸苌弘,亦若吾子之言是也。'"

《亚愚江浙纪行集句诗序》

[宋]绍嵩[1]

　　余以禅诵之暇,畅其性情,无出于诗。但每吟咏,信口而成,不工句法,故自作者随得随失。今所存集句也,乃绍定己丑之秋,自长沙发行,访游江浙,村行旅宿,感物寓意之所作。越壬辰五月中淤,嘉禾史君黄公尹元以大云虚席俾令承乏。八月初九日永上人来访,盘砖[2]句余,茶次,每炷香请曰:"师游江浙,集句谅多,可得闻乎?"予谢曰不敢。永曰:"禅,心慧也;诗,心志也。慧之所之,禅之所形;志之所之,诗之所形。谈禅则禅,谈诗则诗,是皆游戏,师何娩乎?"予谢曰不敢。力请至再至三,又至于四,遂发囊与其编录,得三百七十有六首,离为七卷,题曰《江浙纪行》以遗之。二十二日,庐陵亚愚樵衲绍嵩序。

【注释】

　　[1]释绍嵩(1194~?)字亚愚,庐陵(今江西吉安)人。嘉定五年,年十九,漫游都阳、九江一带,遇景感怀,集句作《渔父词》二卷。绍定中,住持嘉兴大云寺。能诗,自称"信自而成,不工句法,故自作者随得随失"。绍定二年秋,自长沙访游江浙,感物寓意,集古人佳句,成《江浙纪行集句诗》七卷。这篇《序》论及诗禅关系,颇能见出南宋时期禅僧的生活态度和对文学的喜好。

　　[2]盘砖:同"盘桓"。

《楞严外解序》

[元]耶律楚材[1]

　　昔洪觉范[2]有言:天台智者禅师闻天竺有《首楞严经》,且暮西向拜,祝愿此经早来东土,续佛慧命,竟不得一见;今板鬻[3]遍天下,有终身不闻其名者,因起法轻信劣之叹。若夫征心辨见,证悟穷魔,明三界之根,探七趣之本,原始要终,广大悉备,与禅理相为表里,虽具眼衲僧,不可不熟绎之也。余故人屏山居士[4]牵引《易》《论语》《孟子》《老氏》《庄》《列》之书,与此经相合者,辑成一编,谓之外解,实渐诱吾儒不信佛书者之饵也。

　　吾儒中喜佛乘者固亦多矣,具全信者鲜焉。或信其理而弃其事者,或信其理事而破其因果者,或信经论而诬其神通者,或鄙其持经,或讥其建寺,尘沙之世界,以为迂阔之言,成坏[5]之劫波,反疑驾驭之说,亦何异信吾夫子之仁义,诋其礼乐,取吾夫子之政事,舍其文学者耶?[6]或有攘窃相似之语,以为皆出于吾书中,何必读经然后为佛,此辈尤可笑也!且窃人之财犹为盗,矧窃人之道乎?

　　我屏山则不然,深究其理,不废其事。其于因果也,则举作善降祥之文,引羊祜、鲍靓[7]之事;其于尘界也,则隘邹子[8]之说,婉御寇[9]之谈;其神通也,则云左慈[10]术士耳,变形于魏都,皆同物也,疑吾佛不能变千百亿化身乎?其于劫波也,则云郭璞[11]日者,卜年于晋室,若合符券,疑吾佛不能记百万之多劫耶？其于持经也，则云佛日禅师[12]因闻诵心经咒，言下大悟，田夫俚妇，持念诸果者，讵可轻笑之哉！其于建寺也，则云阿兰若[13]法当供养，彼区区者尚以土木之功为费，何庸望之甚耶！其评品三圣人理趣之浅深也，初云稍寻旧学，且窥道家之言，又翻内典，至其邃处，吾中国之书似不及也。晚节复云，余以此求三圣人垂化之理，而后知吾佛之所以为人天师、无上大法王者，非诸圣之所以能侔也。学至于佛则无可学者，乃知佛即圣人，圣人非佛；西方有中国书，中国无西方书也。

或问屏山何好佛之深乎？答云："感恩之深则深报之。"屏山所谓心不负人者矣！渠又云："吾佛之所诲人者，其实如如，不诳不妄，岂有毛发许可疑者耶？"噫！古昔以来，笃信佛书之君子，未有如我屏山之大全者也，近代一人而已。泰和中，屏山作《释迦文佛赞》，不远千里以序见托于万松老师[14]。永长巨豪刘润甫者，笑谓老师曰："屏山儿时闻佛，以手加额，既冠[15]排佛，今复赞佛。吾师之序，可慎与之，庸讵知他日得不复似韩、欧排佛乎？"老师曰："不然！今屏山信解入微，如理而说，岂但悔悟于前非，亦将资信于来者。且儿时喜佛者，生知宿禀也；既冠排佛者，华报[16]虫惑也；退而赞佛者，不远而复也。而今而后，世尊所谓吾保此木，决定入海[17]矣。"后果如吾师言。

余与屏山通家相与，尔汝曾不检羁。其子阿同辈待余以叔礼。天兵既克汴梁[18]，阿同挈遗稿来燕，寓居万松老师之席。老师助锓木[19]之资，欲广其传。阿同致书请余为引，余亦不让，援笔疾书以题其端。不惟彰我万松老师冥有知人之鉴，抑亦记我屏山居士克终全信之心，且为方来浅信窃道者之戒云。甲午清明后五日，湛然居士漆水移剌楚材晋卿序于和林城。

【注释】

[1]耶律楚材(1190~1244)：蒙古大臣。字晋卿，号湛然居士。契丹族。辽皇族后裔。成吉思汗时被召用，深受信任。窝阔台(太宗)即位后，建议军民分治，反对以汉地为牧场，并建立赋税制度。破金汴京(今河南开封)时，建议废屠城旧制。曾以守成必用文臣为理由，开科取士，释放被俘为奴的汉族儒士，渐兴文教。信仰佛教，拜万松行秀为师，著有《湛然居士文集》。本文为耶律楚材为李纯甫所作《楞严外解》一书所作序，序中赞扬《楞严经》之难得，回顾了李纯甫一生学佛的经历，并对《楞严外解》的要义作出概述。

[2]洪觉范：即惠洪，可参看本书有关惠洪的介绍。

[3]鬻(yù)：卖。这一句是说，古代《楞严经》非常难得，现在则有各种刻板，经书容易获得，但人们反而会生起轻法之心。

[4]屏山居士：李纯甫(1177~1223)，金代著名文人，字之纯，号屏山居士。弘州襄阴(今河北阳原)人。章宗承安二年(1197)进士，仕至尚书右司都事，去世于南京(今河南开封)。早年受理学影响而排佛，中年之后信仰佛教，晚年自订其文，凡论性理及有关佛老的文章编为"内稿"，其余如碑志诗赋等则为"外稿"，其诗收入《中州集》中。

[5]成坏：佛教指一个世界之成立、持续、破坏，又转变为另一世界之成立、持续、破坏，其过程可分为成、住、坏、空四时期，称为四劫。因为时间漫长，非人的智力所能推测，故很多人无法相信。

[6]"何异信吾夫子之仁义"句：《论语·先进》谓孔门四事

曰:"德行:颜渊、闵子骞、冉伯牛、仲弓。言语:宰我、子贡。政事:冉有、季路。文学:子游、子夏。"

[7]羊祜、鲍靓:羊祜,西晋军事家。字叔子,泰山南城(今山东费县西)人。《晋书》卷三十四载:祜年五岁,时令乳母取所弄金环。乳母曰:"汝先无此物。"祜即诣邻人李氏东垣桑树中探得之。主人惊曰:"此吾亡儿所失物也,云何持去!"乳母具言之,李氏悲惋。时人异之,谓李氏子则祜之前身也。鲍靓,字太玄,晋朝文学家。《晋书》卷九十五载:鲍靓年五岁,语父母云:"本是曲阳李家儿,九岁坠井死。"其父母寻访得李氏,推问皆符验。这些皆是正史所记人能够回忆起前生事迹的实例。

[8]邹子:邹衍,战国时期思想家。他认为中国名为"赤县神州",内有九州;像"赤县神州"这样的州,共有九个。中国是大九州中的一州,而这样的大九州共有九个,中国不过占全世界的八十一分之一而已。这就是所谓"大九州"说。按照佛教的世界观,这种认识仍然是很狭隘的,故称为"隘邹子之说"。

[9]御寇:列子,战国时期思想家,传说能御风而行,道家代表人物之一。李纯甫认为列子的世界观与佛教接近,故基本接受,故称"婉御寇之谈"。婉,顺从。

[10]左慈:字元放,东汉末方士,传能变化各种法术,事迹见《后汉书·方术列传·左慈》。

[11]郭璞:字景纯,晋代学者,长于卜筮。《晋书》卷七十二《郭璞传》载其"撰前后筮验六十余事,名为《洞林》"。

[12]佛日禅师:宋代契嵩,赐号佛日,可参看本书有关契嵩的介绍。

[13]阿兰若:梵语的音译。意译为寂静处或空闲处。原为比

196

丘洁身修行之处,后亦用以通称佛寺。

[14]万松老师:行秀,宋末元初之曹洞宗名僧。河南省怀庆府河内县人,俗姓蔡,号万松老人,人称万松行秀。曾驻锡金朝燕京万寿寺、万松寺、报恩寺等名寺,在当时影响甚大,李屏山、耶律楚材等名儒亦从游于其门。

[15]既冠:古代男子二十岁冠,即进入成年。

[16]华报:又作花报。华开在结实之前,故"华报"乃对后得之"果报"而言。如人为获得果实而植树,除正得其果实之外,兼可得华,是为华报。众生植善恶之业因,由此业因正得之果为果报(又作实报、正报),果报之前所兼得者,则称为华报。如以不杀为业因,因之而得长寿,是为华报;远感涅槃之果,是为果报。

[17]"吾保此木"句:《四十二章经》第二十七章:"佛言:夫为道者,犹木在水,寻流而行。不触两岸,不为人取,不为鬼神所遮,不为洄流所住,亦不腐败,吾保此木,决定入海。"即这样的修道者最终决定成佛。

[18]天兵既克汴梁:指公元 1233—1234 年,蒙古军攻破金南京汴梁,金灭亡。

[19]锓(qǐn)木:犹锓板,雕刻书籍。

《云谷号说》[1]

[元]明本[2]

八荒一云也，天地一谷也。一尘翳空，万象各立，消长盈亏，顷刻百态者，云之变化如是也，又何待随清风出远岫之谓哉？疾风驾雷，山振海涌，机动籁鸣，终日不息者，谷之响应如是也，又何待呼而后闻、扣而后应之谓哉？知藏兴公深穷此道，自号"云谷"，所以跨昂霄[3]之步，如云行空，肆悬河[4]之辩，如谷答响，宜其然也。或曰：太虚无形，因云见色，天地无口，由谷有声。我将空耳目于混茫之先越，见闻于未然之表，何乃以声色而为号耶？不然！云无心而见色，即色明空；谷中虚而有声，即声显寂。假"云谷"之号示声色之体，以声色之体显空寂之用，如教中云：十方世界诸如来心，于中显现，如镜中像，何疑而不悟哉？知藏闻而笑曰：我云无形，亦不著空，我谷无声，元非滞寂，子所说者，皆错下注脚耳！

【注释】

[1]《云谷号说》：古人于某日名、字、号等，皆可借题发挥，演说其含义，称之为"字说""号说"等。本篇即从"云谷"二字入手，引经据典而阐发"云""谷"二字之微言大义，是一篇典型的"号说"。

[2]明本(1263~1323)：元代临济宗僧。浙江钱塘人，俗姓孙，号中峰，又号幻住道人。其性睿敏，十五岁立志出家。于至

元二十三年(1286)，参谒高峰原妙于天目山师子院；一日诵读《金刚经》，乃恍然开悟。原妙示寂后，隐于湖州辨山之幻住庵。尝留止吴江、庐州六安山等地。延祐五年(1318)应众请还居天目山，僧俗瞻礼，誉为"江南古佛"。元仁宗召聘而不出，敕号"佛慈圆照广慧禅师"。至治三年八月示寂，世寿六十一。天历二年(1329)加谥"智觉禅师"，塔号"法云"。元统二年(1334)，追谥"普应国师"。嗣法者有天如惟则、千岩元长、无照玄鉴、九峰寿等人。明本富有文学才能，所作诗文皆传诵一时。

[3]昂霄：高入霄汉，形容才能杰出。

[4]悬河：指瀑布，喻论辩滔滔不绝或文辞流畅奔放。

《无念字说》

[元]明本

　　昔鸠摩罗什法师，年甫七岁，随母入寺，以手捧佛钵，置之顶上。钵未及顶，而遽投之，母问其故，乃曰："我因顶钵次，悟一切诸法，皆从心念而生。初捧钵时，不作想念，钵方及顶，忽起念云：'钵如是大，安得不重？'此念起时，其钵不胜重矣。由是知念未起时，一切诸法，犹若太虚，初无分别。"[1]据什师所见，谓念乃法之源也。永嘉[2]云："谁无念？谁无生？若实无生无不生；唤取机关木人问，求佛施工早晚成。"据永嘉所见，谓念不生处与木石等也。云南护藏主自号无念，因以什师、永嘉所见扣之，乃曰："我之无念，异乎其所闻。什师过在绝念之不起，永嘉过在任念之自起，二皆不能无念也。谓无念者，心体灵知，湛寂不动，如镜鉴像，如灯显物，其象之妍丑、物之纤洪，而镜与灯不知也。虽曰不知，未尝毫发少隐也，其照体本空而能显物，曾何念虑于其间哉？所谓繁兴大用，举必全真，我尝于见闻知觉之顷，欲觅念相如毫发许，了不可得，而曰无念，非不念也。无念之念，生无生相，住无住相，异无异相，灭无灭相，非思虑计度所知。惟洞彻法源者，颇测其仿佛，未易与缠情缚识者语也。"余嘉其说，乃笔以志之。[3]

【注释】

[1]此事见惠洪《林间录》卷上："晋鸠摩罗什，儿时随母至

沙勒,顶戴佛钵。私念:'钵形甚大,何其轻耶?'即重,失声下之。母问其故。对曰:'我心有分别,故钵有轻重耳。予以是知一切诸法随念而至,念未生时,量同太虚。'"

[2]永嘉:玄觉(665~713),唐代禅僧,俗姓戴,字明道,号永嘉玄觉。曾诣六祖惠能而得开悟,须臾告辞。惠能留住一宿,翌日即归,时人因称之为"一宿觉"。作《永嘉证道歌》,在禅门流传甚广。本文所举即见《证道歌》。

[3]本文虽是一篇字说,但涉及和辨析的却是一个非常重要而深湛的佛教理论问题。文中,中峰明本禅师对于鸠摩罗什和永嘉玄觉两位佛门大师的观点提出质疑,并论证了自己对"无念"的理解,文短而义大。

《云居庵铭并序》

[元]明本

　　天地之气,凝而为云,动则弥布十虚,静则卷归无所。物其似之,三界如云也,万法如云也,卷舒不定,开合无时。推而穷之,则道人之心亦如云也,道人所居亦如云也。无意而行,随处而寓,曾何有为于世哉？乘月二禅,素服杜多[1]行,凿岩辟址,缚屋于七宝山之阴,扁曰"云居"。乃有得于理也,乞铭于幻住道人,乃属其铭曰:

　　八荒一云,天地一庐。寥寥四壁,孰与同居？以云之舒,弥纶十虚。以云之卷,收入无余。道人住处,岂同舒卷？窗牖不扃,户庭深远。清风徘徊,明月缱绻。云间僧闲,水流石转。万法不到,柴关自掩。(以上见《中峰广录》)

【注释】

　　[1]杜多:梵文 Dhūta 的译音,通常译作"头陀"。谓除去衣、食、住三种贪欲,也用以称行脚乞食的僧人。

《宗乘要义》(节选)

[元]惟则[1]

　　古教云："我见他人死，我心热如火。不是热他人，看看又到我。"似此等说话，那个不得知？知则固知，只是不肯修行。道你不肯修行，也是屈你。现前诸大德，多是久历江湖，饱参知识，下手做工夫来底，只是未到千了百当田地。过在甚么处？过在不勇猛、不精进、不坚固、不久长。暂时发肯心，未几又退了。所以道："佛法无多子，久长难得人。"学道如初，作佛有余。始终不变，真大丈夫。如今能有几人始终不变？往往十个五双都是退道心底。考其退道心底因缘，盖亦各有所累而然也。

　　所累者何？有三种累。第一，无问僧俗男女，各各为身口所累。其次，有眷属者为眷属所累，有家火者为家火所累。这三种累，累杀天下人，尽天下人遭这三种累，忙了一世，闹了一世，苦了一世，干弄[2]了一世，空过了一世。何况又因这三种累起了无量贪嗔痴，造了无量大小恶业，由此业报，堕落三涂八难苦海之中，生死轮回，受了无量苦恼，不得解脱。虽遭无量苦恼，只是始终不醒。其不醒者，因其不悟故也。

　　不悟者何？不悟其身体、眷属、家火，皆不是你底。如今向道身体不是你底，你尚未信，山僧索性为你从头说破。你初来母腹中投胎之时，单单只是一个识神，何曾有身体来？此个身体，乃是父母赤白和合结成底一块顽肉，本无知觉，不知痛，不知痒，不知冷，不知热，不知饥，不知饱，不知苦，不知乐。因你

203

一个识神,著在这一块顽肉之中,从此知痛痒,知冷热,知饥饱,知苦乐。及乎出胎之后,索性认著,唤作我身。向道身非我有,决不肯信,由是佛祖怜之,又苦口向你道此非汝身,此是精血结成底臭皮袋,不属你管,不由你差排,以至生老病死,皆不由你处分。何以知其然耶?且如你初投胎之后,住母胎中,七日一变,次第生长,曰五脏六腑,百骸九窍,四肢六根,筋骨皮肉,渐渐成形,乃至出胎,皆是业风所吹,业力所使,你是不知不觉,何曾由你差排?既生之后,长养至三四十岁,他便发白齿摇,面黄肌瘦,渐渐变来,渐渐老来,老相现前,从而病到,病既到,死便来。如此等变坏,一一不由你,你本不愿如此,争奈管他不下,论你从生至死,向这臭皮袋上,用了多少恩爱情义?种种保养他,种种护惜他,种种医治安排他,他却忘恩负义,如此得人憎。何况更有得人憎处,只如盛夏炎蒸之月,有一壮健好汉,忽于黄昏之际,得个急症死了。死到二更半夜时分,便觉臭秽逼人,近傍不得,急急用棺材盛却盖却,等不到钟鸣天晓,急急扛出烧了。纵是至亲至爱底眷属,也不容停留矣。以此观之,昨日晚间犹是一个健汉,今日早起便做一撮骨灰。知他一个识神,又向何处去了? 如此急变,并不由你,既是你身体,合当由你管,既不由你管,如何妄认他是你身?徒尔遭他所累、退却道心?

你之眷属亦然,彼此拖个臭皮袋,彼此不自由,彼此管不下,无常到来,彼此替代不得。平日眼前,彼此被一种恩情缠绕,唤作眷属,眼光一闭之后,彼此不相识了,如何妄认他为眷属?遭他所累,退却道心?你之家火亦然,眼光脚健之时,计较经营,悭吝守护,将谓百千万年得他受用。谁知一气不来,一毫也将不去,如何妄认是你家火?遭他所累,退却道心?讨得许多生受,其谁使之然耶?今日诸人既闻此话,便合回光照破,痛自醒悟,于此三种累上,莫认著,莫恋著,莫贪著,安其定分,任运过时。却须拨转念头,向生死事上奋发,勇猛精进,讨个分晓。(《师子林天如和尚语录》卷九)

【注释】

[1]惟则(1303~1373):元代临济宗杨岐派禅僧。浙江杭州人,俗姓费,字天真,号冰檗老人。历参十八位尊宿,后参谒匡庐之无极源,并嗣其法。住嘉兴海门,大振禅风,洪武六年示寂,世寿七十一。本书所选其《宗乘要义》一节,用通俗口语化的语言,奉劝世人看破身体、眷属、家产等皆非自己所有,而警醒世人生起了生脱死之心,语言平易而含义深刻。

[2]干弄:钻营。

《三教平心论》[1](节选)

[元]刘谧

　　尝观中国之有三教也，自伏羲氏画八卦，而儒教始于此。自老子著《道德经》，而道教始于此。自汉明帝梦金人，而佛教始于此。此中国有三教之序也。大抵儒以正设教，道以尊设教，佛以大设教。观其好生恶杀，则同一仁也。视人犹己，则同一公也。征忿窒欲，禁过防非，则同一操修也。雷霆众聩，日月群盲[2]，则同一风化也。由粗迹而论，则天下之理不过善恶二涂，而三教之意，无非欲人之归于善耳。故孝宗皇帝制《原道辩》曰："以佛治心，以道治身，以儒治世。"诚知心也、身也、世也，不容有一之不治，则三教岂容有一之不立。无尽居士作《护法论》[3]曰："儒疗皮肤，道疗血脉，佛疗骨髓。"诚知皮肤也、血脉也、骨髓也，不容有一之不疗也。如是，则三教岂容有一之不行焉？

　　儒教在中国，使纲常以正，人伦以明，礼乐刑政，四达不悖，天地万物，以化以育，其有功于天下也大矣。故秦皇欲去儒，而儒终不可去。

　　道教在中国，使人清虚以自守，卑弱以自持，一洗纷纭铙辖[4]之习，而归于静默无为之境，其有裨于世教也至矣。故梁武帝欲除道，而道终不可除。

　　佛教在中国，使人弃华而就实，背伪而归真，由力行而造于安行，由自利而至于利彼，其为生民之所依归者无以加矣。

206

故三武之君[5]欲灭佛，而佛终不可灭。

隋李士谦[6]之论三教也，谓："佛，日也；道，月也；儒，五星也。"岂非三光在天，阙一不可？而三教在世，亦缺一不可。虽其优劣不同，要不容于偏废欤。然而人有异心，心有异见，慕道者谓佛不如道之尊；向佛者谓道不如佛之大；儒家以正自处，又兼斥道佛，以为异端。是是非非，纷然淆乱，盖千百年于此矣，吾将明而辨之。切以为不可以私心论，不可以爱憎之心论，惟平其心念，究其极功，则可以涣然冰释也。盖极功者，收因结果处也。天下事事物物，皆有极功。沾体涂足，耕者之事也，至于仓廪充实，则耕者之极功也。草行露宿，商者之事也，至于黄金满籝[7]，则商者之极功也。惟三教亦然，儒有儒之极功，道有道之极功，佛有佛之极功。由其极功，观其优劣，则有不待辨而明者。

自今观之，儒家之教，自一身而一家，自一家而一国，自一国而放诸四海，弥满六合[8]，可谓守约而施博矣。若夫四海六合之外，则何如哉？其说曰：东渐西被，讫于四海，是极远不过至四海讫。则止于此，而更无去处矣，是儒家之教然也。故学儒者，存心养性，蹈仁履义，粹然为备道全美之士，而见诸设施，措诸事业，可以致君，可以泽民，可以安国家而立社稷，可以扶世教而致太平，功成身老，名在青史。儒之极功如此而已。曾子曰："死而后已，不亦远乎？"盖至于死则极矣。

道家之教，自吾身而通乎幽冥，自人间而超乎天上，自山林岩穴而至于渺渺大罗[9]，巍巍金阙，可谓超凡而入圣者。若夫天地造化之外，则何如哉？其说曰：大周天界，细入微尘，是极大不过周天界，界则限于此，而外此者，非所与知矣，是道家之

207

教然也。故学道者，精神专一，动合无形，翘然于清净寡欲之境，而吐故纳新，积功累行，可以尸解[10]，可以飞升。可以役鬼神而召风雨，可以赞造化而立玄功，寿量无穷，快乐自在，道之极功如此而已。《黄庭经》云："长生久视乃飞去"，盖至长生则极矣。

佛家之教，一佛出现，则以三千大千世界为报刹[11]。姑以一世界言之，一世界之中有须弥山，从大海峙出于九霄之上，日月循环乎山之腰而分昼夜。须弥四面为四洲，东曰弗于逮，西曰瞿耶尼，南曰阎浮提，北曰郁单越。四大洲之中，各有三千洲。今此之世界，则阎浮提也。今此之中华，则南洲三千洲中之一洲也。释迦下生于天竺，乃南洲之正中也。须弥四旁，上临日月之处，谓之帝释天。又上于虚空之中，朗然而住云层四重天，总名欲界。又上云层十八重天，总名色界。又上空层四重天，总名无色界。如是三界中诸众生辈，有生老病死，是为一世界也。如此一千世界，谓之小千；如此一千小千世界，谓之中千，即百万也；如此一千中千世界，谓之大千，即百亿也。以三次言千，故云三千大千，其实一大千尔。一大千之中，有百亿须弥山，百亿日月，百亿四天下，如小钱一百万贯，每一界置一钱，尽此一百万贯，方为大千世界，此一佛报刹也。一佛出现，则百亿世界中有百亿身同时出现。故《梵网经》曰："一华百亿国，一国一释迦。各坐菩提树，一时成佛道。"如是千百亿卢舍那本身，千百亿释迦，各接微尘众，是之谓千百亿化身也。以千百亿化身而化度千百亿世界，其中胎、卵、湿、化、无足、二足、四足、多足、有色、无色、有想、无想、乃至非想非非想，皆令得度，是佛家之教然也。故学佛者，识五蕴之皆空，澄六根之清净，远离十恶，修行十善,观四念处,行四正勤,除六十二见,而邪伪无所容;断九十八使,而烦恼莫能乱。三千威仪,八万细行,无不谨守。四无量心,六波罗蜜,常用熏修。其间为法忘躯,则如割皮刺血、书经断臂、投身参请,而不怯不疑;为物忘己,则如忍苦割肉、喂鹰舍命、将身饲虎,而不怖不畏。钱财珍宝、国城妻子,弃之如弊屣。支节手足、头目髓脑,舍之如遗脱。从生至生,经百千万亿生,而此心不退转也。从劫至劫,经百千万亿劫,而此心愈精进也。由是三祇[12]果满,万德功圆。离四句(四句者,谓"诸法不自生,亦不从他生,不共不无因,是故说无生")绝百非,通达无量无边法门,善入无量无边三昧,成就五根五力,具足三达三明,圆显四智三身,超证六通五眼。得四无碍辩而演说无穷,入四如意分而神通自在。八胜处、八解脱常得现前,四无畏、四摄法受用无尽。八圣道支、十八不共法,不与三乘同等;三十二相、八十种好,庄严微妙法身。过去尘沙劫、未来尘沙劫,无不洞见。现在尘沙界众生、尘沙心,无不了知。圆明十号之尊,超出三界之上。是为一切种智,是天中之天,是为无上法王,是为正等正觉。超诸方便成十力,还度法界诸有情,佛之极功如此而已。《法华经》云:"如来为一大事因缘故,出现于世,普欲令众生皆共成此道。"盖其大愿大力,誓与一切含灵,皆证无上涅槃妙果者也。

是故辨三教者,不可以私心论,不可以爱憎之心论,惟平其心念,究其极功,则知世之学儒者,到收因结果处,不过垂功名也;世之学道者,到收因结果处,不过得长生也;世之学佛者,到收因结果处,可以断灭生死,究竟涅槃,普度众生,俱成正觉也。其优劣岂不显然可见哉!故尝试譬之:儒教之所行者,中国也;道教之所行者,天上人间也;佛教之所行者,尽虚空遍法界也。儒犹治一家,威令行于藩墙之内,若夫藩墙之外,则不可得而号召也;道犹宰一邑,政教及于四境之中,若夫四境之外,则不可得而控制也;佛犹奄有四海,为天下君,溥天率土[13],莫非臣民,礼乐征伐,悉自我出也。此三教广狭之辨也。学儒者,死而后已,盖百年间事也;学道者,务求长生,盖千万年也;学佛者,欲断生死,湛然常住,盖经历尘沙劫数,无有穷尽也。儒犹一盏之灯,光照一夕,钟鸣漏尽,则油竭灯灭也;道犹阿阇世王,作百岁灯照佛舍利,经百岁已,其灯乃灭也;佛犹皎日照耀,万古常明,西没东升,循环不息也。此三教久近之辨也。(《三教平心论》卷上)

【注释】

[1]《三教平心论》:元代刘谧所撰阐明佛理的论著,主要围绕唐宋以来儒释道三教关系的论争, 提出三教一致, 但有深浅、广狭方面的不同,维护佛教的地位。

[2]雷霆众聩,日月群盲:用雷霆般的声音警醒众人,为群盲导以日月的光明。

[3]《护法论》:宋代佛教居士张商英(号无尽居士)作。广破欧阳修等人的排佛之说,并驳斥韩愈、程伊川等之佛教观,对照儒、道、释三教之优劣,谓儒教治皮肤之疾,道教治血脉之疾,释教治骨髓之疾,申明佛教之至理。

[4]轇(jiāo)輵(gé):纵横交错。

[5]三武之君:即三武灭佛,指北魏太武帝灭佛、北周武帝灭佛、唐武宗灭佛这三次大规模禁佛事件的合称。这些在位者

的谥号或庙号都带有个武字,因而得名。

[6]李士谦(523~588 年):隋朝佛教居士,字子约,赵郡平棘(今河北赵县)人。通经术,善谈名理,终身不饮酒,不食肉,口无杀害之言,积德行善,闲居时,常危坐终日,禅诵不止。

[7]籯(yíng):竹笼。

[8]六合:天地四方;整个宇宙的巨大空间。《庄子·齐物论》:"六合之外,圣人存而不论;六合之内,圣人论而不议。"成玄英疏:"六合者,谓天地四方也。"

[9]大罗:即大罗天,道教所称三十六天中最高一重天。《云笈七签》卷二一:"《玉京山经》曰:玉京山冠于八方诸大罗天……《元始经》云:大罗之境,无复真宰,惟大梵之气,包罗诸天太空之上。"

[10]尸解:谓道徒遗其形骸而仙去。《晋书·葛洪传》:"洪坐至日中,兀然若睡而卒……视其颜色如生,体亦柔软,举尸入棺,甚轻,如空衣,世以为尸解得仙云。"与下文所谓飞升(谓羽化而升仙)皆为道教所追求的修炼目标。

[11]报刹:刹即刹土,报刹即依报,为身体依之而住的果报,如国土、山河、大地、房屋器具等等皆是,三千大千世界为一尊佛之报刹。

[12]三祇:"三大阿僧祇"的略语。佛教指菩萨修行成佛所经历的三个漫长阶段。阿僧祇,梵文的音译,意为旷大劫,无数长时。

[13]溥(pǔ)天率土:谓整个天下、四海之内。语本《诗·小雅·北山》:"溥天之下,莫非王土;率土之滨,莫非王臣。"

211

《重刻护法论题辞》

[明]宋濂[1]

苏州开元住持焕翁禅师端文，不远千里而来请曰："吾宗有《护法论》，凡一万二千三百四十五言，宋观文殿大学士丞相张商英所撰。其弘宗扶教之意，至矣尽矣。昔者闽僧慧钦，尝刻诸梓。翰林侍讲学士虞集[2]实为之序。兵燹之余，其版久不存。端文以此书不可不传也，复令印生刻之。今功已告完，愿为序其首简。"

序曰：妙明真性，有若太空。不拘方所，初无形段。冲瀜而静，寥漠而清。出焉而不知其所终，入焉而不知其所穷。与物无际，圆妙而通。当是时，无生佛之名，无自他之相，种种含摄，种种无碍，尚何一法之可言哉？奈太朴既散[3]，诞圣真漓，营营逐物，唯尘缘业识之趋，正如迷人身陷大泽，烟雾晦冥，蛇虎纵横，竞来迫人，欲加毒害，被发狂奔，不辨四维。西方大圣人以慈悯故，三乘十二分教，不得不说，此法之所由建立也。众生闻此法者，遵而行之，又如得见日光，逢善胜友，为驱诸恶，引登康衢[4]，即离怖畏，而就安隐，其愿幸孰加焉。不深德之，反从而诋之、斥之，是犹挟利剑以自伤，初何损于大法乎！人心颠隮[5]，莫此为甚。有识者忧之，复体如来慈悯之心，而《护法论》亦不容弗作也。

呜呼！三皇治天下也善用时，五帝则易以仁信，三王又更以智勇，盖风气随世而迁故，为治者亦因时而驭变焉。成周以降,昏嚚邪僻,翕然[6]并作,缧绁[7]不足以为囚,斧锧不足以为威。西方圣人历陈因果轮回之说,使暴强闻之,赤颈汗背,逡巡畏缩,虽蝼蚁不敢践履,岂不有补治化之不足?柳宗元所谓"阴翊[8]王度者"是已。此犹言其粗也,其上焉者,炯然内观,匪即匪离,可以脱卑浊而极高明,超三界而跻妙觉,诚不可诬也,奈何诋之,奈何斥之?世之人观此论者,可以悚然而思,惕然而省矣。

虽然,予有一说,并为释氏之徒告焉。栋宇坚者,风雨不能漂摇。荣卫[9]充者,疾病不能侵凌。缁衣之士,盍亦自反其本乎?予窃怪夫诵佛陀言,行外道行者,是自坏法也。毗尼[10]不守,驰骛外缘者,是自坏法也。增长无明,嗔恚不息者,是自坏法也。传曰"家必自毁,而后人毁之",尚谁尤哉!今因禅师之请,乃恳切为缁素通言之,知我罪我,予皆不能辞矣。

禅师豫章人,知宝大法,如护眼目。然身服纸衣,躬行苦行,遇川病涉者梁之,途龃龉者甓[11]之,枯骸[12]暴露者掩之。由衢之天宁迁住今刹,首新戒坛[13]授人以戒,俾毋犯国宪。其应机设化,导民为善,致力于佛法者,非言辞可尽也。今又刻此论以传,诚无愧于有道沙门者矣。

【注释】

[1]宋濂(1309~1380):字景濂,号潜溪、无相居士、龙门子等,浙江浦江人。生性强记过人,年轻时曾随吴莱、柳贯、黄潜等人研学。元至正年间被荐为翰林学士,婉辞未受。后隐居龙门山,十余年间专心著述。及明太祖即位,受诏至金陵,修《元史》,并策划明朝之礼乐制作等事,且常与太祖论究佛经奥义。后被谪迁茂州,途经瞿塘时,夜逢僧晤语,端坐而逝,享年七十

二。武宗时追谥"文宪"。故后世称之为"宋文宪公"。其后,云栖袾宏辑其遗文而成《宋文宪公护法录》。此外著有《宋学士全集》《龙门子》《息人物记》《篇海类编》《潜溪集》等书,被明人称为一代文宗。《重刻护法论题辞》是为僧人端文重新刊刻张商英《护法论》而写的序言。

[2]虞集(1272~1348):元代文学家、学者。字伯生,号道园,世称邵庵先生,祖籍仁寿(今属四川),迁居崇仁(今属江西)。官至奎章阁侍书学士,参与《经世大典》的编写。著有《道园学古录》。

[3]太朴既散:太朴谓原始质朴的大道,"散"指人心败坏,世风日下。

[4]康衢:四通八达的大路。

[5]颠阼(jī):衰败覆灭、堕落。

[6]翕(xī)然:忽然。

[7]缧(léi)绁(xiè):监狱、囚禁。

[8]翊(yì):辅佐,帮助。柳宗元此语见《曹溪第六祖赐谥大鉴禅师碑》。

[9]荣卫:中医学名词。荣指血的循环,卫指气的周流。荣卫二气散布全身,内外相贯,运行不已,对人体起着滋养和保卫作用。

[10]毗尼:梵语vinaya的译音,又译作"毗奈耶",即戒律。

[11]躄(pì):通"庇"。途趑趄者指途中遇到困难者。

[12]骴:尸骨。

[13]戒坛:在戒场中特制的稍高于平地之土坛,用以为僧徒传授戒律。

《净土指归集》[1]（节选）

[明]大佑[2]

永明智觉禅师[3]，从天台韶国师得单传之旨。专修净土之行，延三宗学者，会同诸说。为《宗镜录》一百卷。又虑学者执空见为理性，撰《万善同归集》，言大乘菩萨六度万行，恒沙法门，皆当称性修之。其示参禅念佛四料拣偈。一曰："有禅无净土，十人九蹉路。阴境若现前，瞥尔随他去。"谓单明理性，不愿往生，流转娑婆，则有退堕之患。阴境者，于禅定中，阴魔发现也。如《楞严》所明，于五阴境起五十种魔事[4]，其人初不觉知魔著，亦言自得无上涅槃，迷惑无知，堕无间狱者是也。二曰："无禅有净土，万修万人去。但得见弥陀，何愁不开悟。"谓未明理性，但愿往生，乘佛力故，速登不退。三曰："有禅有净土，犹如戴角虎。现世为人师，来生作佛祖。"既深达佛法，故可为人天师。又发愿往生，速登不退。腰缠十万贯，骑鹤上扬州。四曰："无禅无净土，铁床并铜柱。万劫与千生，没个人依怙。"既不明佛理，又不愿往生，永劫沉沦，何由出离？欲超生死，速登不退者，当于此四种择善行之。（《净土指归集》卷上《永明料拣》）

【注释】

[1]《净土指归集》：明代北禅寺沙门大佑编集的净土宗著作，二卷。是书分为十门，广引经论及中土著述，以明念佛往生西方之理、修净业之法；举往生之事迹为证验，斥谬妄，广劝世

人修行净土法门。

[2]大佑(1334~1407)：明代天台宗僧。姑苏吴县人，字启宗，号蘧庵。十二岁出家，通内外经典。后归西山，筑室号真如，专修念佛三昧。洪武二十六年(1393)，拜僧禄司右善世，二十九年升左善世，考试天下僧徒。永乐三年(1405)奉诏入京纂修佛典。五年入寂，享年七十四。著有《净土指归集》二卷、《阿弥陀经略解》等。

[3]永明智觉：即永明延寿，参看本书有关延寿的介绍。

[4]五十种魔事：《首楞严经》卷九至卷一〇所说。由色、受、想、行、识"五阴"为"主人"，隐覆"圆明""真心"而成的五类各有十种的禅定境界和观念。或者说，在修禅过程中，非以佛教正法为指导，而是受五阴支配运心行禅产生的五十种心理、精神境界。此中的"阴魔"，即由感受"五阴"而产生的魔。此魔包括障道的烦恼，亦包括诸种引生身心畸形的病变，是用"五阴"引发禅病的一种理论解释。其中，"色""受""想"三阴用心产生的精神境界，多为"鬼神及诸天、魍魉、妖精"等"魔"所乘，属"妄想"的结果；"行""识"二阴用心产生的理论观念，分别属于种种外道以及缘觉、声闻二乘等"邪见""妄执"，乃由思维"计度"所致，称作"狂解""中途成狂"。以其共有五十种，故称"五十魔事"，是佛教中记述"禅病"和"妄想""邪见"比较系统的部分。这是说，不修净土而单纯参禅，容易着魔。

《那先经》[1]说：昔有国王问沙门那先言："众生业重，云何念佛即得往生？"那先言："譬如有人，以大石块，其数千百，欲渡大海，以船力故，即达彼岸。"众生之罪犹如巨石，弥陀愿力

216

如彼大船。石本易沉，因船可渡，横截生死，苦海全凭。己佛愿王，一切时中，以为良导，直登彼岸，不越自心。故《俱舍颂》云："愚作罪小亦堕恶，智为罪大亦脱苦。如抟铁小亦沉水，为钵铁大亦能浮。"（《净土指归集》卷下《舟石不沉》）

【注释】

[1]《那先经》：《那先比丘经》，二卷（或三卷），约译于东晋（317~420）年间，译者佚名，收于大正藏第三十二册，经号1670。那先系梵文那伽犀那之略称，意译为龙军、象军，系记录印度佛教僧侣那先与大夏国王弥兰多罗斯相互论难，而使之归依佛教的经过。本经内容着重于阐明缘起、无我、业报、轮回等佛教基本教义，文体流利简洁，在佛教文学史上有重要地位。

苏文忠公[1]南迁日，佩画一轴，人问之公曰："此吾西方公据也。"展玩之，乃弥陀圣像。母夫人程氏殁，以簪珥遗物，命工胡锡画弥陀像，施钱塘照律师，自制赞[2]曰："佛以大圆觉，充满十方界。我以颠倒想，出没生死中。云何以一念，得往生净土。我造无始业，本从一念生。既从一念生，还从一念灭。生灭灭尽处，则我与佛同。如投水海中，如风中鼓橐。虽有大圣智，亦不能分别。愿我先父母，及一切众生。在处为西方，所遇皆极乐。人人无量寿，无去亦无来。"尝吊海月大师辨公[3]诗曰："生死犹如臂屈伸，情钟我辈一酸辛。乐天不是蓬莱客，凭仗西方作主人。"（《净土指归集》卷下《西方公据》）

【注释】

[1]苏文忠公：苏轼，字子瞻，自号东坡，谥文忠，人称苏文忠公。可参看本书对苏轼的介绍。

[2]自制赞：《东坡全集》作《阿弥陀佛颂》，前有小叙："钱塘圆照律师，普劝道俗归命西方极乐世界阿弥陀佛。眉山苏轼敬舍亡母蜀郡太君程氏遗留簪珥，命工胡锡采画佛像，以荐父母冥福。谨再拜稽首而献颂曰云云。"

[3]海月大师辨公：慧辩，字讷翁，号海月大师，与辩才为同门师兄。华亭富氏子，居杭州天竺讲席。苏轼时为通守，尝为方外游。此诗《东坡全集》题为《吊天竺海月辩师》，共计三首，此为第二首。

《六度解》

[明]李贽[1]

我所喜者学道之人，汝肯向道，吾又何说？道从六度入。六度之中，持戒禅定其一也。

戒如田地，有田地方有根基，可以为屋种田。然须忍辱，忍辱者，谦下以自持，虚心以受善，不敢以贡高为也。如有田地，须时时浇粪灌水，方得有秋之获。不然，虽有田地何益？精进则进此持戒忍辱两者而已。此两者日进不已，则自然得入禅定真法门矣，既禅定，不愁不生智慧而得解脱也。故知布施、持戒、忍辱真禅定之本，而禅定又为智慧解脱之本。六者始终不舍，如济渡然，故曰六度。此六度也，总以解脱为究竟，然必须持戒、忍辱以入禅定，而后解脱可得。及其得解脱也，又岂离此持戒忍辱而别有解脱哉！依旧即是前此禅定之人耳。如离禅定而说解脱，非唯不知禅定，而亦不知解脱矣。以此见生死事大，决非浅薄轻浮之人所能造诣也。试看他灵山等会，四十九年犹如一日，持戒忍辱常如一年。今世远教衰，后生小子拾得一言半句，便自猖狂，不敬十方，不礼晚末[2]，说道何佛可成，此与无为教[3]何异乎？非吾类也！（《焚书》卷四）

【注释】

[1]李贽（1527~1602）：明代思想家，字卓吾，明代晋江（福建厦门）人。万历初年，为姚安知府。禀性孤峻，出入佛儒之间，

而以空宗为归。尝与王龙溪、罗近溪等辩难,抉摘世儒情伪,发明本心。在姚安时,喜与僧游,常住伽蓝判事,后入鸡足山阅藏不出,言官劾之,遂勒令解任。客居黄安、麻城期间,剃发披缁,登座说法,风动一时。后北游通州,为给事中张问达所劾,声其卑辱孔子。下诏狱,不服,自缢而死,享年七十六。著有《藏书》《焚书》等书。《六度解》一文,对大乘佛教的"六度"之间的密切关系作出阐解,批评了"拾得一言半句,便自猖狂"的狂禅风气。

[2]晚末:晚学与末学,指后辈学佛者。根据大乘佛教"一切众生皆有佛性"的宗旨,对晚学与末学也不可轻视,否则成贡高我慢。

[3]无为教:明清时期白莲教最大的支派,又称罗祖教、罗教,明代罗清所创。其"经书"大量称引佛、道经籍,自命名"无为教",属于附佛外道之一。

《往生集序》[1]

[明]袾宏[2]

世尊始成正觉，为诸有情普演佛乘。既而机难尽投，由是于一乘中示三乘法，而复于三乘中出净土一门。今去佛日远，情尘日滋，进之不能发神解、超圣阶，退之怅怅乎有沦坠之险，而匪仗此门，其何从疾脱生死？大矣哉！可谓起末世沉疴必效之灵药也。顾古之效多，今之效鲜，其咎安在？则亦口净土，心娑婆，而坚勇明悟不及前辈云尔。

闻昔有传往生者，岁久灭没，不可复睹。而断章遗迹班班，互载于内外百家之书。予随所见，辄附笔札，仍摘其因果昭灼[3]者，日积之成编，殆存十一于千百而已。今甲申，窃比中峰廛居[4]，掩关于上方，乃取而从其类后先之。又证之以诸圣同归，足之以生存感应，计百六十有六条。而间为之赞，以发其隐义。题曰《往生集》，俾缁素之流，观于是书，将指而曰：某也以如是解脱而生，某也以如是纯一而生，某也以如是精诚之极感格而生，某也以如是大悲大愿而生，某也以如是改过不吝、转业于将堕也而生，某如是上生，某如是中生下生。庶几乎考古验今，为净业者左券[5]。而客有过我者，阅未数传，勃然曰："净土唯心，心外无土，往生，净土寓言也，子以为真生乎哉？宁不乖于无生之旨？"予俟其色定，徐而谓曰："谈何容易！如以无生而已矣，一切断灭，不应尚有唯心。果悟无生，则生亦奚碍？生既本无，故终日生而未尝生也。且尔已尽漏[6]心否乎？"对曰：

"不能。"噫！漏心未尽，则生缘未休，生缘未休，则托质有所，茫茫三界大苦海中，不生净土而生何土？六道之匍匐，九品之逍遥，利与害天渊矣！抑未之思欤？饰虚论而争高，吾亦能之，所以弗为者，夫亦惧生于识法耳行矣。尔诚不以予言为非，即净土而之佛乘，盖未尝间隔丝毫，而奚乖之有？客悚然，从坐而作，惘然而自失，不觉其汪然泣下而悲且咽也。整衣庄诵之终卷，亟拜亟请梓焉。梓既成，道其始末如此。万历十二年夏日杭沙门袾宏识。(《往生集》卷首)

【注释】

[1]《往生集序》:《往生集》三卷，为晚明净土宗高僧袾宏集录的自东晋至明代间往生西方者的传记。内容不仅有往生传，也附记经典中可见的往生愿、现世得益、往生要文、念佛之功德等，为净土信仰者的入门书，收入《大正藏》第五十一册。编撰此书的目的是为念佛者提供修行上的楷模，增长其信心。本序针对一些禅宗学人将"唯心净土"与"西方净土"对立起来的看法，辨析"西方净土"即"唯心净土"之理。

[2]袾宏(1535~1615):晚明高僧。杭州人，俗姓沈。字佛慧，号莲池。幼习儒学，十七岁举诸生，以学行称著。受邻人影响，寄心净土，书"生死事大"四字于案头，以自警策。中年皈依佛教，投西山之无门性天剃发，就昭庆之无尘受具足戒。寻参四方，以游方为务。隆庆五年(1571)，入杭州云栖山，居山中废寺。师常精修念佛三昧，教化远近，衲子云集，遂成丛林。于城之内外开放生池，撰《戒杀放生文》，以诫害物。袾宏主张净土，痛斥狂禅，力阐禅净兼修，道风益盛，世称云栖和尚、莲池大

师,被后世净土宗尊为净土第八祖。其著作编为《云栖法汇》三十四卷。

[3]昭灼:明显、显著。

[4]廛(chán)居:犹廛宅,指城邑百姓的住房。

[5]左券:古代称契约为券,用竹做成,分左右两片,左片叫左券,是索取偿还的凭证。后来说有把握叫"操左券"。

[6]尽漏:佛教谓烦恼为"漏"。至三乘的极果,以圣智断尽此种种烦恼,称为"漏尽"。净土宗认为,一个人只有获得漏尽通,才能够依靠自己的力量超脱生死轮回,作为无法断尽烦恼的凡夫,只能依靠阿弥陀佛的慈悲愿力,往生西方净土后再修行成佛。

《竹窗随笔》[1]（节选）

[明]袾宏

《心喻》

心无可为喻，凡喻心者，不得已而权为仿佛，非真也。试举一二，如喻心以镜，盖谓镜能照物，而物未来时，镜无将迎，物方对时，镜无憎爱，物既去时，镜无留滞。圣人之心，常寂常照[2]，三际空寂，故喻如镜。然取略似而已，究极而论，镜实无知，心果若是之无知乎？则冥然不灵，何以云妙明真体？或喻宝珠，或喻虚空，种种之喻，亦复如是。

《对境》

人对世间财色名利境界，以喻明之：有火聚于此，五物在傍。一如干草，才触即燃者也；其二如木，嘘之则燃者也；其三如铁，不可得燃者也，然而犹可镕也；其四如水，不惟不燃，反能灭火者也，然而隔之釜瓮，犹可沸也；其五如空，然后任其燔灼[3]，体恒自如，亦不须灭，行将自灭也。初一凡夫，中属修学，渐次最后，方名诸如来大圣人也。（以上《竹窗随笔》）

《执著》

人恒病执著,然亦不可概论,良由学以好成,好之极名著。羿著射,辽著丸,连著琴[4],与夫著弈者,至屏帐垣牖,皆森然黑白成势。著书者,至山中木石尽黑。学画马者,至马现于床榻间,夫然后以其艺鸣天下而声后世,何独于学道而疑之?是故参禅人,至于茶不知茶,饭不知饭,行不知行,坐不知坐,发箧而忘扃,出厕而忘衣。念佛人,至于开目闭目而观在前,摄心散心而念恒一,不举自举,不疑自疑,皆著也。良由情极志专,功深力到,不觉不知,忽入三昧。亦犹钻燧者,钻之不已而发焰。炼铁者,炼之不已而成钢也。所恶于著者,谓其不知万法皆幻,而希果之心急。不知一切唯识,而取相之意深,是则为所障耳。概虑其著,而悠悠荡荡,如水浸石,穷历年劫,何益之有?是故执滞之著不可有,执持之著不可无。

《厌喧求静》

有习静者,独居一室,稍有人声,便以为碍。夫人声可禁也,鸦鹊噪于庭,则如之何?鸦鹊可驱也,虎豹啸于林,则如之何?虎豹犹可使猎人捕之也,风响水流,雷轰雨骤,则如之何?故曰:"愚人除境不除心,智者除心不除境。"欲除境而境卒不可除,则道终不可学矣。或曰:"世尊不知五百车声,盖禅定中事,非凡夫所能。"然则高凤读书,不知骤雨漂麦[5],当是时,凤所入何定?不咎志之不坚,而嫌境之不寂,亦谬矣哉!(以上《竹

窗二笔》)

《现报(一)》

报有三,一者今生作恶,现生受报;二者今生作恶,第二生受报;三者今生作恶,第二生未报,多生以后受报,惟善亦然。报之迟速,盖各有缘因,但世人见恶者不报,或更昌隆,乃愤愤不平,未知三世之说故也。夫后之二报,人不及见,惟重现报。今姑记现报数事,目击而非传闻者。一人挞笞[6]婢仆,动以百数,一日将一仆系颈东柱,系足西柱,使伸缩无路,而痛责不休。其父大怒,遣[7]往解放。而嘱曰:"汝速去,渠若告汝逃亡,我即告渠忤逆。"遂得生还。后此人亦以己子卖与他家,而自身为乡宦守门。又一人平生笞人如官府,后亦受官刑,毙图圄中。一人中家内室也,妄费无算,后子女灭尽,老无依赖,为人缝补经络。一人贵宦子也,骄奢佚游侈费,不知惭愧,后追逐游僧丐者,趁食于诸方。一人毁訾[8]天神,无所顾忌,后为村民所殴,得疾身殒。一人辱詈如来及诸贤圣,皆人不忍闻者,俄而客死于外,不得归。一人嗔母不悉委财帛,折其供事观音大士一臂,后走马湖塘,堕落折臂,几死。又一人生七女七男,凡生一女,才堕地即溺杀之,其七男先后相继亦死。男女十四人,无一存者,惟老夫老妇,相对哭泣而已。又数人出家者,我慢自贤,凡时人或有言论,一概呵以为非,乃复轻薎先哲,妄加毁訾,后俱不寿,或恶疾死。姑记之以警狂傲。

《现报 (二)》

或问如来神力,不可思议,何不使恶人皆现受恶报,而日兢兢焉不敢为恶也;善人皆现受善报,而日孳孳焉倍复为善也,则无为而天下太平矣,胡虑不及此?嗟乎!报之有迟速,众生业报,自然如是,虽大圣不能转速而令迟,扭迟而为速也。惟是叮咛诏告,以因果之不虚,酬偿之难逭[9]耳。闻而不信,亦末如之何也已矣。曰:"永嘉云:了则业障本来空,空则何因果酬偿之有?"曰:"汝今了否?"曰:"未了也。""未了应须偿宿债。"

《世梦》

古云:"处世若大梦。"经云:"却来观世间,犹如梦中事。"云若云如者,不得已而喻言之也。究极而言,则真梦也,非喻也。人生自少而壮,自壮而老,自老而死,俄而入一胞胎也,俄而出一胞胎也,俄而又入又出之,无穷已也。而生不知来,死不知去,蒙蒙然,冥冥然,千生万劫而不自知也。俄而沉地狱,俄而为鬼为畜,为人为天,升而沉,沉而升,皇皇然,忙忙然,千生万劫而不自知也,非真梦乎?古诗云:"枕上片时春梦中,行尽江南数千里。"今被利名牵,往返于万里者,岂必枕上为然也?故知庄生梦蝴蝶[10],其未梦蝴蝶时亦梦也;夫子梦周公[11],其未梦周公时亦梦也。旷大劫来,无一时一刻而不在梦中也。破尽无明,朗然大觉,曰:"天上天下,惟吾独尊。"夫是之谓梦醒汉。

(以上《竹窗三笔》)

【注释】

[1]《竹窗随笔》：三卷。云栖袾宏撰，内分《随笔》《二笔》《三笔》三部，系云栖袾宏晚年的佛学随笔文集。其中，《初笔》一六一条、《二笔》一四一条、《三笔》一二五条。三笔合计，共有四二七条。内容所述为作者个人的见闻、求道过程、对宗教界的批判，以及论教义、禅净优劣、儒佛融合等方面。不仅将本身的圆熟思想表露无遗，同时也彰显出明代万历年间的思想动向。

[2]常寂常照：寂，寂静之意；照，照鉴之意。常寂常照指佛之本体。智之本体为空寂，有观照之作用，即坐禅之当体、止观。《大乘无生方便门》谓："寂而常用，用而常寂；即用即寂，离相名寂，寂照照寂。寂照者，因性起相；照寂者，摄相归性。"

[3]燔(fán)灼：烧灼。

[4]羿著射，辽著丸，连著琴：列举数位执着于某艺之人。上古时后羿善射，辽指春秋时熊宜僚，善弄丸。连指成连，善琴，伯牙曾从其学琴。

[5]高凤读书，不知骤雨漂麦：《后汉书》卷八十三《逸民传》载："高凤，字文通，南阳叶人也。少为书生，家以农亩为业，而专精诵读，昼夜不息。妻尝之田，曝麦于庭，令凤护鸡。时天暴雨，而凤持竿诵经，不觉潦水流麦。妻还怪问，凤方悟之。其后遂为名儒，乃教授于西唐山中。"

[6]挝(zhuā)笞(chī)：鞭打。

[7]遄(chuán)：快速。

[8]毁訾(zī)：诽谤、非议。

[9]逭(huàn)：逃避。

[10]庄生梦蝴蝶:《庄子·齐物论》:"昔者庄周梦为蝴蝶,栩栩然蝴蝶也,自喻适志与!不知周也。俄然觉,则蘧蘧然周也。不知周之梦为蝴蝶与,蝴蝶之梦为周与？周与蝴蝶,则必有分矣。此之谓物化。"

[11]夫子梦周公:《论语·述而》:"子曰:'甚矣吾衰也!久矣吾不复梦见周公!'"

《长松茹退》(节选)

[明]真可[1]

诸法无生,何谓也?心不自心,由尘发知。尘不自尘,由心立尘。由尘发知,知果有哉?由心立尘,尘果有哉?心尘既无,谁为共者?若谓无因,乌有是处。吾以是知山河大地,本皆无生,谓有生者,情计耳,非理也。故曰:"以理治情,如春消冰。"

千年暗室,一灯能明。一灯之明,微吹能冥,明暗果有常哉?如明暗有常,则能见明暗者非常矣,知此者可以反昼为夜,反夜为昼。而能昼能夜者,初无昼夜也。明暗无代谢,谓有代谢者,随分别始至也。如分别不生,明暗何在?悲夫!明则能见,暗则不能见,是谓尘使识,若识能使尘,则明暗在此而不在彼矣。故曰:"若能转物[2],即同如来。"

火性无我,寄于诸缘。外诸缘而觅火性,何异离波觅水者哉!火性既如此,彼六大[3]独不然乎?噫!道远乎哉,触事而真,圣远乎哉,体之即神。今触事不能真,体之不能神,盖分别性未亡也,无尘智亦未明也。

我不待我,而待于物。物不待物,而待于我。两者相待,而物我亢然。故广土地者,见物而忘我;略荣名者,见我而忘物。一忘,一不忘,何异俱不忘?唯俱忘者,可以役物我。

能病病者,病奚[4]从生?以不能病病,我故病焉。然病之大者,莫若生心,心生则靡所不至矣,岂唯病哉。故曰:"眼病乎色,耳病乎声,心病乎我。唯忘我者,病无所病,可以药天下之病。"

世人见画鸟以为非真,见飞鸟则以为真鸟也。殊不知人借五行为身,析而观之,身则不有,何况有人?人既不有,则画鸟飞鸟,独能有哉?故曰:"真待假有,假忘真随忘。若然者,何真何假?"

豆在瓶中,春至则能萌芽。人在欲中,觉生则能梦除。故曰:"有大觉而后知有大梦也。"夫大梦者,并梦觉而言也,梦觉则梦除,觉觉则觉除,觉梦俱除,始名大觉焉。

心有真心妄心,真心照境而无生,妄心则因境牵起者也。真心物我一贯,圣不能多,凡不能少。妄心则境有多种,或以有为境,或以无为境,或以诸子各偏所见为境。故曰:"心本无生因境有。"六合之外,六合之内,罗笼尽矣。又老氏以身为大患,身无患无[5],而不言所以然之旨。曰:假借四大以为身,则无身之所以然明矣。夫心本不劳,形累之劳,身遗则心无能劳之者,心果有乎?昔人有言全神者,心将遗之,况于身乎?故曰:"有心则罪福有主,心忘主无,虽有罪福,孰主之哉?"

月在秋水,春著花容,虽至愚者,亦未有见之而不悦也。殊不知外我一心,则水无所清,月无所明,春无所呈,花无所荣。知此者,可与言即物会心之大略也。

般若总八部,雄文六百余卷。若天风海涛,音出自然,文成无心,可谓出圣之智母,陶凡之红炉也。而弘法大士,乃束八部雄文成《心经》,字无三百,而显密要领,罄备之矣[6]。或者再束《心经》归一句,使反约精求者,习化心通,则我法二空,无劳举足,彼岸先登矣。虽然,二空之解未精,而入神致用之机,岂易发哉!

宗儒者病佛老，宗老者病儒释，宗佛者病孔病李。既咸谓之病，知有病而不能治，非愚则妄也。或曰："敢请治病之方。"曰：学儒而能得孔氏之心，学佛而能得释氏之心，学老而能得老氏之心，则病自愈。是方之良，蒙服之而有征者也。吾子能直下信而试之，始知蒙不欺吾子也。且儒也、释也、老也，皆名焉而已，非实也，实也者，心也，心也者，所以能儒、能佛、能老者也。噫！能儒能佛能老者，果儒释老各有之耶？共有之耶？又已发未发，缘生无生，有名无名，同欤不同欤？知此乃可与言三家一道也。而有不同者，名也，非心也。(《紫柏尊者全集》卷九)

【注释】

[1]真可(1543~1603)：明末高僧。字达观，晚号紫柏。门人尊他为紫柏尊者。俗姓沈。吴江(今属江苏)人。出家后以复兴佛寺为己任。万历年间，曾发起刊刻大藏经(即《嘉兴藏》)，思想上对佛教各宗采取并重的态度，同时主张三教一致。因受诬陷下狱，万历三十一年卒于狱中。著作有《紫柏尊者全集》三十卷和《紫柏尊者别集》四卷，为晚明时期对佛教界和世俗社会产生巨大影响的高僧。《长松茹退》是他所作格言体佛学笔记，语言简练典雅，义理深邃明晰。

[2]转物：以心改变外物之境。丁福保《佛学大辞典》谓："经云：'若能转物，即同如来。'古德云：'转得山河归自己，转得自己归山河。'又云：'老僧转得十二时，汝诸人被十二时转。'又云：'拈一茎草作丈六金身，拈丈六金身作一茎草也。'皆转物之义。又依教义，罗汉得六通时，地水火风空，皆能转变自由。菩萨神通，过于罗汉，见山河大地皆如幻影，芥纳须弥，毛吞巨

海,亦寻常事也。"

[3]六大:谓地大、水大、火大、风大、空大、识大,亦称"六界"。以此六者为周遍一切法界的根本法则,是构成众生世界的六种要素,故名为大。

[4]奚:疑问词,犹"何"。

[5]老氏以身为大患,身无患无:见《老子》第十三章:"吾所以有大患,为我有身,及我无身,吾有何患!"

[6]"心经"数句:谓玄奘所译《般若波罗蜜多心经》只有二百六十字,却包括般若八大部的要义,显密融通,为学佛之指南。

《石门文字禅序》[1]

[明]真可

　　夫自晋宋齐梁,学道者争以金屑翳眼[2]。而初祖东来,应病投剂,直指人心,不立文字。后之承虚接响,不识药忌者,遂一切峻其垣,而筑文字于禅之外。由是分疆列界,剖判虚空。学禅者,不务精义;学文字者,不务了心。夫义不精,则心了而不光大,精义而不了心,则文字终不入神。故宝觉欲以无学之学,朝宗百川而无尽。[3]叹民公南海波斯,因风到岸,标榜具存,仪刑不远。呜呼!可以思矣。盖禅如春也,文字则花也。春在于花,全花是春,花在于春,全春是花。而曰禅与文字,有二乎哉?故德山临济棒喝[4]交驰,未尝非文字也;清凉天台疏经造论,未尝非禅也。而曰禅与文字有二乎哉?逮于晚近,更相笑而更相非,严于水火矣。宋寂音尊者忧之,因名其所著曰《文字禅》。夫齐秦构难,而按以周天子之命令,遂投戈卧鼓,而顺于大化,则文字禅之为也。盖此老子,向春台撷众芳,谛知春花之际,无地寄眼,故横心所见,横口所言,斗千红万紫于三寸枯管之下,于此把住,水泄不通。即于此放行,波澜浩渺,乃至逗物而吟,逢缘而咏,并入编中。夫何所谓禅与文字者?夫是之谓文字禅,而禅与文字有二乎哉?噫!此一枝花,自瞿昙[5]拈后,数千余年,掷在粪扫堆头。而寂音再一拈似,即今流布,疏影撩人,暗香浮鼻,其谁为破颜者!(《紫柏尊者全集》卷十四)

【注释】

[1]《石门文字禅序》:《石门文字禅》为宋代禅僧惠洪所撰诗文集。惠洪提倡文字禅,开一时之风气,但也颇受非议。真可堪称惠洪的后世知音,他重新刊刻了惠洪的多种著作,对其禅学思想特加推崇。在这篇序中,他以精美的文字,阐述了禅与文字之间不即不离的关系,指出禅是不可能离开文字而存在的,即使如临济之棒喝,其实也是一种文字,如今人所谓"形体语言"。

[2]金屑翳眼:金屑喻宝贵的语句,但落入眼中便成眼病(翳眼),禅宗常以此比喻对经典教条化的理解。《五灯会元·黄檗运禅师法嗣·临济义玄禅师》:"金屑虽贵,落眼成翳。"《五灯会元·东林总禅师法嗣·龙泉夔禅师》:"岂况牵枝引蔓,说妙谭玄。正是金屑眼中翳,衣珠法上尘。"

[3]"宝觉"句:惠洪《禅林僧宝传》卷二十三黄龙宝觉心禅师谓:"彼以有得之得,护前遮后。我以无学之学,朝宗百川。"

[4]棒喝:禅师接待初机学人,对其所问,不用言语答复,或以棒打,或以口喝,以验知其根机的利钝,叫"棒喝"。相传棒的使用,始于德山宣鉴与黄檗希运;喝的使用,始于临济义玄,故有"德山棒、临济喝"之称。

[5]瞿昙:释迦牟尼的姓。后译为乔答摩,常用作佛的代称。

《紫柏老人全集序》

[明]德清[1]

太虚寥廓，长风鼓而万窍怒号。殊音众响，皆一气之所宣，又奚可以大小精粗，谓灵根之有间哉。惟吾佛以不思议智，流出一切音声陀罗尼[2]，故世谛语言，皆悉显示第一义谛。若夫尘说、刹说、炽然说[3]，即水流风动，皆演圆音。况寓泰定而照群情，触境而发，无思而应，如谷响者乎？是以从上诸祖，证无师自然智者，即扬眉瞬目，怒骂讥诃，莫不直示西来大意，又可以识情语言而拟议其形容哉！

达摩西来，不立文字，而曹溪则有《坛经》。及二派五宗，虽直指向上，然皆曲为今时。或上堂入室，示众举扬，机如雷电。凡垂一语，必缉为录，大概聊尔门头。若大慧、中峰，至我明楚石[4]，皆其类也。盖借语传心，因言见道，言其所绝言耳。今去楚石二百余年，有达观禅师出，当禅宗已坠之时，蹶起而力振之。得无师智[5]，秉金刚心，其荷负法门之志，如李陵之血战[6]，纵张空拳，犹挥驻日。虽未犁庭埽穴，而一念孤忠，与啮雪吞毡[7]者，未可以死生优劣议也，真末法一大雄猛丈夫哉！

然师赋性不与世情和合，至老见客，未效一额手[8]。虽未踞华座，竖椎拂[9]，然足迹所至半天下，无论宰官居士，望影归心，见形折节者，不可亿计。以自性宗通，故随机之谈，如千钧弩发，应弦而倒。无非指示西来的意[10]，称性冲口，曾无刻意为文也。一唾便休，弟子笔而藏之者伯什[11]。师初往来于金沙曲阿之间，与于、王二氏[12]法缘最深。于润甫居士，每得师片言只字，藏贮如拱璧。及游匡庐，主邢孝廉来慈长杉馆，师之法语，留邢氏者亦多。师化后，润甫属王君仲囊结[13]，集为一部。

予久沈瘴海[14]，为师了末后因缘。过金沙之东禅，润甫捧师集示余，稽首请为其序。余三读其言，喟然而叹曰：嗟乎！末法降心，力拔生死之根，如一人与万人敌者，予独见师其人也！睹其发强刚毅勇猛之气，往往独露于毫端，如巨灵挥斤，真所谓与烦恼魔、欲魔、死魔[15]共战，竟能超越死生，如脱敝屣，可谓战胜有功者也。故其所吐，岂可以文字、语言、声音、色相求之者耶？佛说欲为生死根，师凡所举，必三致意，痛处札锥，直欲剿绝命根，即此可当金锟[16]矣，又何庸夫门庭施设哉！昔觉范禅宗，妙悟超绝，语言典则所著，自目之曰《文字禅》。故予题曰《紫柏老人集》。盖非堕于俗数也，观者当具金刚正眼，视之于言外，则思过半矣。(《憨山老人梦游集》卷十九)

【注释】

[1]德清(1546~1623)：晚明高僧。金陵全椒(安徽)人，俗姓蔡，字澄印，号憨山。十九岁出家，因慕清凉澄观之为人，乃自字澄印。万历元年(1573)游五台山，见憨山奇秀，乃取之为号，世称憨山大师。万历二十三年，被诬入狱，流放广东雷州。二十八年，依南韶道祝之请，止住曹溪，翌年重开祖庭，被时人视为"六祖后身"。其思想融合禅与华严，倡导禅净无别、三教归一之说。著述甚多，有《华严纲要》八十卷、《楞严经通议》十卷、《法华经通义》七卷等，另有门人汇编之《憨山梦游集》五十五卷、《憨山语录》二十卷。本文乃为真可大师《紫柏老人全

集》所作序言,回顾了真可的一生,对其禅学修养和境界给予高度评价。

[2]音声陀罗尼:陀罗尼为梵语音译,意译为"总持"。谓持善法而不散,伏恶法而不起的力用,今多指咒,即秘密语。

[3]尘说、刹说、炽然说:尘谓微尘,刹谓佛刹,据《华严经旨归》载:十方虚空界一一尘中,有刹有佛,常说《华严经》,谓之尘说刹说。炽然乃明白之意,谓世间一切音声皆明明白白地在演说着佛法,只是很多人听不懂罢了。

[4]楚石:梵琦(1296~1370),元末明初禅僧,明州(浙江)象山人,俗姓朱,字楚石,自号西斋老人。曾住持报恩光孝寺等名刹,明洪武三年示寂。

[5]无师智:指非藉他力,不待他人教而自然成就之智慧,亦称自然智。

[6]李陵之血战:李陵乃西汉将领,李广之孙,字少卿。奉命率部出师,行至浚稽山(今蒙古戈壁阿尔泰山东南段),被匈奴单于三万骑围困,李陵率众顽强搏战,单于增调八万骑参战。汉军以少敌众,且战且退,多数中箭,仍奋力作战,最后被俘。本文以李陵与敌力喻真可大师为法忘躯的精神。

[7]啮(niè)雪吞毡(zhān):汉武帝天汉元年,苏武以中郎将出使匈奴,单于留不遣,欲降武,乃幽武于大窖中,绝其饮食。天雨雪,武卧啮雪,与毡毛并咽之,终不屈。

[8]额手:以双手合掌加额,表示敬意,这里指世俗礼法。

[9]椎拂:椎又作槌,打物发声之小木;拂为拂尘。二者皆禅师上堂说法时常用器物。竖椎拂指开宗立派。

[10]西来的意:祖师自西来中国传法的究竟意旨。

[11]伯什:伯,通"佰",伯什,百分之十。

[12]于、王二氏:即下文所说于润甫、王君仲两位居士。

[13]橐(gāo)结:橐:用袋子装,收藏。

[14]瘴海:指南方有瘴气之地。当时德清被贬往广东雷州,瘴气甚盛之地。

[15]烦恼魔、欲魔、死魔:佛教认为魔有四种,即:(一)蕴魔,又作阴魔、五蕴魔等,即色、受、想、行、识等五蕴积聚而成生死苦果,此生死法能夺慧命。(二)烦恼魔,又作欲魔。即为身中之百八等烦恼,能恼乱众生心神,夺取慧命。(三)死魔,能令众生四大分散,夭丧殒没,而使修行人无法续延慧命。(四)天子魔,又称他化自在天子魔、天魔,即欲界第六天之魔王,能害人善事,憎嫉贤圣法,作种种扰乱事,令修行人不得成就出世善根。上述前三者为内魔,最后者为外魔。

[16]金錍(pī):古代治眼病的工具,形如箭头,用来刮眼膜,据说可使盲者复明。禅宗指使人破迷开悟的方法。

《云栖莲池宏大师塔铭》

[明]德清

师讳袾宏,字佛慧,别号莲池,志所归也。俗姓沈氏,古杭仁和人。世为名族,父德鉴,号明斋先生。母周氏。

师生而颖异,世味澹如。年十七,补邑庠[1]。试屡,冠诸生,以学行重一时,于科第犹掇之也。顾志在出世,每书"生死事大"四字于案头,从游讲艺,必折归佛理,业已栖心净土矣。家戒杀生,祭必素,居常太息曰:"人命过隙耳,浮生几何?吾三十不售[2],定超然长往,何终身事齷齪哉!"前妇张氏,生一子,殇,妇亡,即不欲娶。母强之,议婚汤氏。汤,贫女斋蔬。有富者,欲得师为佳婿,阴间之,师竟纳汤,然意不欲成夫妇礼。年二十七,父丧。三十一,母丧。因涕泣曰:"亲恩罔极,正吾报答时也。"至是,长往之志决矣。

嘉靖乙丑,除日,师命汤点茶,捧至案,盏裂。师笑曰:"因缘无不散之理。"明年丙寅,诀汤曰:"恩爱不常,生死莫代,吾往矣!汝自为计。"汤亦洒然曰:"君先往,吾徐行耳。"师乃作《一笔勾》词,竟投性天理和尚祝发,乞昭庆寺无尘玉律师,就坛受具[3]。居顷,即单瓢只杖游诸方,遍参知识。北游五台,感文殊放光。至伏牛,随众炼魔[4]。入京师,参遍融、笑岩二大老,皆有开发。过东昌,忽有悟,作偈曰:"二十年前事可疑,三千里外遇何奇。焚香掷戟浑如梦,魔佛空争是与非。"

师以母服未阕,乃怀木主[5]以游。每食必供,居必奉,其哀慕如此。至金陵瓦官寺，病几绝，时即欲就荼毗[6]。师微曰："吾一息尚存耳。"乃寝病间归。越中多禅期，师与会者五，终不知邻单姓字。隆庆辛未，师乞食梵村，见云栖山水幽寂，遂有终焉之志。山故伏虎，禅师刹也。杨国柱、陈如玉等为结茅三楹以栖之。师吊影寒岩，曾绝粮七日，倚壁危坐而已。村多虎，环山四十里，岁伤不下数十人，居民最苦之。师发悲恳，为讽经施食，虎患遂以宁。岁亢旱，村民乞师祷雨，师笑曰："吾但知念佛，无他术也。"众坚请，师不得已，出，乃击木鱼，循田念佛，时雨随注，如足所及，民异之。因相与累累然肩材木、荷锄镢，竞发其地，得碣础而指之曰："此云栖寺故物也，师福吾村，吾愿鼎新之，以永吾福。"不日成兰若。然外无崇门，中无大殿，惟禅堂安僧，法堂奉经像，余取蔽风雨耳。自此道大振，海内衲子归心，遂成丛林。

师悲末法教网灭裂[7]，禅道不明，众生业深垢重，以醍醐而贮秽器，吾所惧焉。且佛设三学以化群生，戒为基本，基不立，定慧何依？思行利导，必固本根。第国制，南北戒坛久禁不行，予即愿振颓纲，亦何敢违宪令。因令众半月半月，诵《梵网戒经》及比丘诸戒品，由是远近皆归。师以精严律制为第一行，著《沙弥要略》《具戒便蒙》《梵网经疏发隐》，以发明之。初，师发足操方，从参究念佛得力，至是遂开净土一门，普摄三根，极力主张。乃著《弥陀疏钞》十万余言，融会事理，指归唯心。又忆昔见《高峰语录》，谓自来参究此事，最极精锐，无逾此师之纯钢铸就者，向怀之行脚。唯时师意并匡山、永明而一之，更录古德机缘中吃紧语编之，曰《禅关策进》，并刻之，以示参究之诀。盖显禅净双修，不出一心，是知师之化权微矣。

梵村旧有朱桥,屡被潮汐冲塌,行者病涉。太守余公良枢请师倡造, 师云:"欲我为者, 无论贫富贵贱, 人施银八分而止。"独用八者,意取坤土以制水也,微矣!或言工大施微,恐难竣事,师云:"心力多则功自不朽。"不日累千金,鸠工[8]筑基,每下一桩,持咒百遍,潮汐不至者数日,桥竟成。昔钱越王以万弩射之不回,师以一心力当之,何术哉!万历戊子,岁大疫,日毙千人,余公复请师就灵芝寺禳[9]之,疫遂止。净慈僧性莲,请师讲《圆觉经》,听者日数万指,如屏百匝,因赎寺前万工池。后师八十诞辰,又增拓之。合城中上方、长寿两池,皆为放生设。

侍郎王公宗沐问:"夜来老鼠唧唧,说尽一部《华严经》。"师云:"猫儿突出时如何?"王无语。师自代云:"走却法师,留下讲案。"又书颂曰:"老鼠唧唧,华严历历。奇哉王侍郎,却被畜生惑。猫儿突出画堂前,床头说法无消息。无消息,大方广佛华严经,世主妙严品第一。"师道价日增,十方衲子如归,师一以慈接之。弟子日集,居日隘,师意不庄严屋宇,聊取安适支阁而已。其设清规益严肃,众有通堂,若精进、若老病、若十方[10]、各别有堂。百执事各有寮,一一具锁钥,启闭以时。各有警策语,依期宣说。夜有巡警,击板念佛,声传山谷,即倦者眠不安,寝不梦。布萨羯磨[11],举功过,行赏罚。以进退人,凛若冰霜,威如斧钺。即佛住只桓,尚有六群[12]扰众,此中无一敢诤而故犯者,虽非尽百丈规绳[13],而适时救弊,古今丛林,未有如今日之清肃者。具如僧规约及诸警语,赫如也。极意戒杀生,崇放生,著文久行于世,海内多尊奉之。城内外放生池,岁费计百余金。山中设放生所,其救赎飞走诸生物充牣[14]于中,众僧减口以养之。岁除刍[15],约费粟二百石,亦有警策,守者依期往宣白。即羽族善鸣噪者,闻木鱼声,悉寂然而听。宣罢,乃鼓翅喧鸣,非佛性哉!噫!佛说孝名为戒,儒呵有养无敬。师于物养而敬,且有礼者也,非达孝哉!

师道风日播,海内贤豪,无论朝野,靡不归心。闻名而感化者,若大司马宋公应昌、太宰陆公光祖,宫谕张公元忭,大司成冯公梦祯,陶公望龄,并一时诸缙绅先生,次第及门,问道者以百计。皆扣关击节,征究大事,精难义,靡不心折,尽入陶铸。至监司守相,下车就语,侃侃略无少屈。诸贤豪侯参者无加礼,不设馔,皆甘粝[16]饭,卧败席,任蚰缘蚊嘬无改容,皆忘形屈势,至则空其所有,非精诚感物,何能至是哉!

侍御左公宗郢问:"念佛得悟否?"师曰:"返闻闻自性,性成无上道,又何疑返念念自性耶?"仁和令樊公良枢问:"心杂乱,如何得静?"师曰:"置之一处,无事不办。"坐中一士曰:"专格一物,是置之一处,办得何事?"师曰:"论格物,只当依朱子豁然贯通去,何事不办得?"或问:"师何不贵前知[17]?"师云:"譬如两人观《琵琶记》,一人不曾经见,一人曾见而预道之,毕竟同观终场,能增减一出否?"今上慈圣皇太后,崇重三宝,域内名僧靡不延之。一日偶见师《放生文》,甚嘉叹,遣内侍赍[18]紫袈裟、斋资往供、问法要,师拜受,以偈答之,载《别录》。

师极意悲幽冥苦趣,自习焰口[19],时亲设放。尝有见师座上现如来相者,盖观力然也。师天性朴实简淡,无缘饰,虚怀应物,貌温粹,弱不胜衣,而声若洪钟,胸无崖岸,而守若严城,御若坚兵。善藏其用,文理密察。经济洪纤,不遗针芥。即画丛林日用、量施利、酌厚薄,粒米茎菜无虚费;核因果、明罪福、丝无缕漏;定程规,秋毫不忽;养老病,公众僧,不渗滴水。自有丛林以来，五十年中，未尝妄用一钱。居常数千指，不设化主[20]，听其自至。稍有盈余，辄散施诸山，库无储畜。凡设斋外，别有果资以供师者，咸纳之，随手任施衣药，救贫病，略无虚日。偶简《私记》，近七载中，实用五千余金，不属常住，则前此岁岁可知已。师生平惜福，尝著三十二条自警，垂老自浣濯[21]，出溺器亦不劳侍者，终身衣布素，一麻布帏，乃丁母艰时物，今尚存，他可知已。

总师之操履，以平等大悲摄化一时，非佛言不言，非佛行不行，非佛事不作。佛嘱末世护持正法者依四安乐行[22]，师实以之。历观从上诸祖，单提正令，未必尽修万行。若夫即万行以彰一心，即尘劳而见佛性者，古今除永明，惟师一人而已。先儒称寂音为僧中班、马[23]，予则谓师为法门之周、孔也。以荷法即任道也，惟师之才足以经世，悟足以传心，教足以契机，戒足以护法，操足以励世，规足以救弊。至若慈能与乐，悲能拔苦，广运六度，何莫而非妙行耶！出世始终，无一可议者，可谓法门得佛之全体大用者也。悲兹末法，非师曷足以挽颓风、回狂澜于既倒乎？非夫应身大士，朗末法之重昏者，何能至此哉！

微密细行，不能殚述，别传详之，兹略掇其行事之梗概。临终时，预于半月前入城别诸弟子，首及宋守一等，遍及故旧。但曰："吾将他往矣。"人皆莫测。还山，连下堂具茶汤设供，与众话别云："此处吾不住，将他往矣！"众罔知。常规，中元济孤设盂兰盆[24]，各荐先宗。师曰："今岁我不与会矣。"有簿记，师密题之曰："云栖寺直院僧代为堂上莲池和尚追荐沈氏宗亲云。"过后方见，始知其别语也。七月朔，晚入堂坐，嘱大众曰："我言众不听，我如风中烛，灯尽油干矣，只待一撞一跌，才信我也，明日要远行。"众留之。师作《三可惜》《十可叹》以警众。时松江居士徐琳等五人在寺，令侍者送遗嘱五本。次夜入丈室，示微疾，瞑目无语。众省觉，报城中诸弟子至，围绕，师复开目云："大众，老实念佛，毋捏怪，毋坏我规矩。"众问谁可主丛林？师曰："解行双全者。"又问目前。师曰："姑依戒次。"言讫，面西念佛，端然而逝，是万历四十三年七月初四日午时也。

师生于嘉靖乙未，世寿八十有一，僧腊五十。师自卜寺左岭下，遂全身塔于此。其先偶汤氏，亦后师祝发，建孝义庵，为女丛林主，先一载而化，亦塔于寺外之右山。师得度弟子广孝等为最初上首，其及门授戒得度者不下数千计，而在家无与焉。缙绅士君子及门者亦以千计，而私淑[25]者无与焉。其所著述，除经疏，余杂录如《竹窗三笔》等二十余种行于世，率皆警发语。师素诫弟子贵真修，勿显异，故多灵异，不具载。

呜呼！我闻世尊深念末法众生难度，恐断慧命。灵山会上求护正法者，即亲蒙授记亦不敢入，唯地涌[26]之众力任之。且曰：我等末世持经，当具大忍力，大精进力。即有现身此中，亦不自言其本，泄佛密因，但临终阴有以示之耳。观师之行事，潜神密用，安忍精进之力，岂非地涌之一乎？抑自净土而来乎？不然，从凡夫地，求自利尚不足，安能广行利他，护持正法，始终无缺者乎？是予有感而来者，拾师之行事以诏来世，其他具诸别传。乃为之铭曰：

三毒焰炽，五热周章，孰能药石，顿使清凉。欲海横流，波浪滔天，谁能济度，驾大法船。惟我大师，实乘愿力，放身其中，随宜调适。蚤断爱根，如狮脱索，才出尘劳，便露头角。开净土门，张法界网，捞漉三根，其赴如响。以金刚鎞，刮翳眼膜，根本不生,枝叶自落。大冶红炉,慈悲忍力,入此陶镕,痴狂顿息。毛孔光明,通身手眼,从无用中,法轮常转。若非付嘱,定是地涌,岂属寻常,具大勇猛。师徒空来,亦从空去,虽善藏身,欲隐弥露。钟鼓交参,云霞绮互,塔影高标,法身常住。(《憨山老人梦游集》卷二十七)

【注释】

[1]邑庠(xiáng):明代称县学为邑庠,供生员读书之学校。科举制度,童试录取后准入县学读书,俗称"秀才"。

[2]不售:指科举不中。

[3]受具:"受具足戒"或"受具戒"的略语。具足戒,指比丘所受之二百五十戒,比丘尼所受之五百戒。

[4]炼魔:降伏魔障,克制欲念。伏牛山为河南西南部山脉,明代禅僧多前往此处苦修,力求觉悟,称为"炼魔场"。

[5]木主:木制的神位,上书死者姓名以供祭祀,又称神主。

[6]茶毗:梵语音译,意为焚烧,指僧人死后将尸体火化。

[7]教网灭裂:指佛之教化,即比喻众生为鱼,佛之教法为网。灭裂:破坏,败坏。

[8]鸠工:聚集工匠。黄滔《泉州开元寺佛殿碑记》:"乃割俸三千缗,鸠工度木。"

[9]禳(ráng):祈祷消除灾殃。

[10]十方:这里指从各地来此参访的游方僧。

[11]布萨羯(jié)磨:布萨,梵文 Upavasatha 的音译,意译为净住,善宿,长养,断增长。佛教仪式。指出家僧尼每半月(十五日与二十九日或三十日)集会一次,专诵戒律,称为"说戒",谓

能长养善法，增长善法。在诵戒律时，信徒也向大众忏悔所犯罪过，称为"断增长"，意谓断恶长善。羯磨为梵语 karma 的音译，意译为"作法办事"，指诵经拜佛等法事。

[12]六群：即六群比丘，谓佛在世时，有恶比丘六人，勾结朋党，不守律仪，多行恶事，佛制戒多缘此六比丘而来。

[13]百丈规绳：即百丈清规。原为唐代禅僧百丈怀海(720~814)所制订之清规。禅宗形成初期，禅林尚无制度、仪式，故该清规设有法堂、僧堂、方丈等制度，又规定众僧分别担任东序、寮元、堂主、化主等各种职务，为八、九世纪间中国禅宗脱离律寺，维持独自教团生活之必要规范。

[14]牣(rèn)：满。

[15]刍(chú)：割草。

[16]粝：粗糙的米。

[17]前知：指预知等神通。

[18]赍(jī)：送来。

[19]焰口：饿鬼名，因其渴望饮食，口吐火焰。佛门将向饿鬼施食称为放焰口。

[20]化主：佛家指掌管化缘的僧徒。《古尊宿语录》："诸方化主往来多，青山绿山意如何。"这是说，莲池大师的道场不专门向社会化缘，完全凭人们的自愿。

[21]浣濯(zhuó)：洗涤衣物等。

[22]四安乐行：佛教谓菩萨在恶世末法，弘扬佛法时应安住于四种法，即：(一)身安乐行，谓身若远离豪势、邪人邪法、凶险嬉戏、旃陀罗、二乘众、欲想、不男之人、危害之处、讥嫌之事、畜养年少弟子沙弥等十事，则可常好坐禅，修摄其心，故称

身安乐行。(二)口安乐行,谓口若远离说过、轻慢、叹毁、怨嫌四事,则可得安乐,修摄其心,故称口安乐行。(三)意安乐行,谓意若远离嫉谄、轻骂、恼乱、诤竞四事,而为众生平等说法,则可得常好安乐,修摄其心,故称意安乐行。(四)誓愿安乐行,谓立誓自己证得正觉时,必以神通力、智慧力导引之,使之入于佛法实道中,发此誓愿而常好修摄自行,故称誓愿安乐行。

[23]寂音为僧中班、马:寂音即宋代禅僧惠洪,班、马即班固、司马迁。因惠洪致力于佛门史传编著,有多种史传著作传世,故称其为僧中班、马。

[24]盂兰盆:指农历七月十五日中元节这一天用于超度亡人的仪式,称为盂兰法会。盂兰意译为救倒悬,指饿鬼道众生所受倒悬之苦。

[25]私淑:没有得到某人的亲身教授而又敬仰他的学问并尊之师的,称之为私淑。

[26]地涌:相对于"天降",指从凡夫位经修炼成佛者。这几句是说,末法时期,佛教为了防止有些人故弄玄虚,妄显神通,因此不提倡菩萨化身降世,而是由娑婆世界本地涌出之菩萨担任教化,用他们的亲身经历教化众生。

《西方合论叙》[1]（节选）

[明]袁宗道[2]

　　香光子避嚣山刹，修习净业。有一禅人，阔视高步，过舍而谭。见案上有石头居士新撰《净土合论》，阅未终篇，抗声言曰："若论此之法门，原用接引中下之根。何者？中下根人智慧轻微、业力深量，以忆佛念佛，获生净土，如顽石附舟，可以到岸，诚宜念佛。至于吾辈，洞了本源，此心即是佛，更于何处觅佛？此心即是土，更于何处见土？于实际理中，觅生佛、去来、生死三世之相，无一毛头可得，才说成佛，已是剩语，何得更有分净分秽、舍此生彼之事？若于此处悟得，是自在闲人，即淫怒痴皆是阿弥平等道场，如如不动。何乃舍却已佛，拜彼金铜？且谓悟与未悟，皆宜修习，无事生事，吾所不晓。"

　　香光子闻而太息曰：若汝所言，止图口角圆滑，不知一举足将坠于火坑也。生死无常，转眄即至，如何熟记宗门见成相似之语，以为究竟？都云："我已成佛，不必念佛。"若约理而言，世间一蚤一虱，皆具有如来清净觉体，无二无别。乃至诸佛成等正觉，证大涅槃，本体未尝增得一分；众生堕三涂，趋生死海，本体未尝减却一分。如如之体，常自不动；生死涅槃，等是妄见；亦无如来，亦无众生。于此证入，亦无能证之人，亦无所证之法，泯绝心量，超越情有；大地无寸土，佛之一字，向何处安著？至于进修法门，于无修证中修证，于无等级中等级，千差万别。虽位至等觉，尚不知如来举足下足之处。从上祖师，所以呵佛斥教，一切皆遮[3]者，止因人心执滞教相，随语生解，不悟言外之本体，漫执语中之方便；一向说心说性、说空说幻、说顿说渐、说因说果，千经万论无不通晓；及问渠本命元辰，便将经论见成语言抵对，除却见成语言，依旧茫然无措，所谓数他家宝，已无分文。……

　　莫云"我是悟达之人，业不能系"。夫谓业不能系，非谓有而不有，正以无而自无。生既随境即动，死安得不随业受生？眼前一念嗔相，即是怪蟒之形；眼前一念贪相，即是饿鬼之种。无形之因念甚小，有形之果报甚大。一念之微，识田持之，历千万劫终不遗失。如一比丘，以智慧故，身有光明；以妄语故，口流蛆虫。一言之微，得此恶果，虽有智慧，终不能消。况今无明烦恼，炽然不断，欲以相似见解，消其恶业，冀出三涂，无有是处！向使此等，不得少以为足，常如说以修行，终不自言我已悟了即心是佛，岂可复同中下念佛求生，了达生本无生，不妨炽然求生，即心是土，莲邦不属心外，不释礼拜、不舍念诵，智力行力，双毂并进，方当踞上品之莲台，坐空中之宝阁，朝饭香积，久游满月。回视胎生之品，彳亍[4]宝地，不闻法语、不见法身，象马难群，鸡凤非类，何况人天小果，瓮中蚊蚋者哉！而乃空腹高心，著空破有。卒以偏执之妄解，撄非常之果报；不与阿弥作子，却为阎罗之因；不与净众为朋，却与阿旁为伍；弃宝林而行剑树，舍梵音而听叫号。究其所受，尚不能与世间无知无见之人，行少善事、作少功德，生于人天者等。毫发有差，天地悬隔，可不哀欤？……

　　石头居士，少志参禅，根性猛利，十年之内，洞有所入，机锋迅利，语言圆转，寻常与人论及此事，下笔千言，不踏祖师语句，直从胸臆流出，活虎生龙，无一死语，遂亦自谓了悟无所事事。虽世情减少，不入尘劳，然嘲风弄月，登山玩水，流连文酒之场，沉酣骚雅之业；懒慢疏狂，未免纵意，如前之病，未能全脱。所幸生死心切，不长陷溺；痛念见境生心，触途成滞，浮解实情，未能相胜，悟不修行，必堕魔境，佛魔之分，只在顷刻。始约其偏空之见，涉入普贤之海；又思行门端的，莫如念佛。而权引中下之疑，未之尽破；及后博观经论，始知此门，原摄一乘，悟与未悟，皆宜修习。于是采金口之所宣扬，菩萨之所阐明，诸大善知识之所发挥，附以己意，千波竞起，万派横流，诘其汇归，皆同一源。其论以不思议第一义为宗、以悟为导；以十二时中持佛名号，一心不乱，念念相续为行持；以六度万行为助因；以深信因果为入门。此论甫成，而同参发心持戒念佛者，遂得五人，共欲流通，以解宗教之惑。

香光识劣根微，久为空见所醉，纵情肆志，有若狂象。去年沈洄之夜，亲游冎子地狱[5]，烈火洞然，见所熟谭空破戒亡僧，形容尪羸[6]，跛足而过，哭声震地，殆不忍闻。及寤身毛为竖，遂亦发心归依净土；后读此论，宿疑冰释。所以今日不惮苦口，病夫知医、浪子怜客，汝宜尽划[7]旧日知见，虚心诵习，自当有入。生死事大，莫久迟疑！

于是禅人悲泪交集，自云："若不遇子，几以空见赚过一生。子生我矣！"恳求案集，作礼而去。时万历庚子仲春之二十有三日也，袁宗道伯修甫书于白苏斋。

【注释】

[1]《西方合论》：凡十卷，明代文学家袁宏道撰于万历二十七年（1599 年）。本书乃承永明延寿等之主张，对禅儒之徒不知

念佛实义而妄加非难者,阐述禅净双修之要旨,显示念佛三昧之真义。计分十门:刹土门、缘起门、部类门、教相门、理谛门、称性门、往生门、见网门、修持门、释异门。袁宏道(1568~1610),字中郎,号石公、石头居士。湖广公安(今属湖北)人。万历年间进士。官至吏部郎中。与兄宗道、弟中道合称"三袁",为公安派创始人,诗学上主张"独抒性灵,不拘格套"。初学禅于李贽,能通信解,好辩论,后觉空谈非实际,遂归净土,朝夕礼诵,兼持禁戒。

[2]袁宗道(1560~1600):明代文学家,字伯修,号石浦,湖广公安(今属湖北)人。钦慕白居易、苏轼,书斋取名为"白苏斋"。27岁时会试第一,官翰林院庶吉士、编修,曾向焦竑及李贽弟子僧深有问学。万历十七年(1589)归里,钻研学术,以禅宗思想研究儒学,后归心净土。此文乃为其弟袁宏道所作《西方合论》(又称《净土合论》)所作序言,辨析禅宗与净土诸观念,并概述《西方合论》一书之要旨。

[3]一切皆遮:遮即遮诠,谓从反面来说明事理。与"表诠"共称二诠。如说盐,不淡是遮,云咸是表;说水,不干是遮,云湿是表。而谓遮者遣其所非,表者显其所是。一切皆遮即否定一切,实堕于顽空。

[4]彳(chì)亍(chù):犹疑不定的样子。

[5]鬲子地狱:鬲子即格子。梁武帝《断酒肉文》:"啖食众生,是八寒八热地狱因,乃至是八万四千鬲子地狱因,乃至是不可说不可说鬲子地狱因。"

[6]尪(wāng)羸:瘦弱憔悴状。

[7]刬(chǎn):铲除。

《洗心说》

[明]智旭[1]

夫心性本自离过绝非,灵明清净,只由无始无明,迷理为咎,妄有三惑[2]。譬如浮云,翳[3]彼太虚,然浮云决不从太虚外来,以虚空性无外故。则无明三惑,亦岂从心性外来,而心性岂有外哉!心性无外,何有能洗所洗?当知既约全体成迷,假说能翳所翳。亦约全迷归悟,假说能洗所洗。全体成迷,犹全水成冰,冰即翳水而不令流动也。全迷归悟,犹全冰成水,水即融冰而不令质碍也。于一心中,既妄成三惑,了彼三惑,即成妙三止矣。体真止者,了知十界[4]无非一心,能融界内界外见思之惑;方便随缘止者,了知一心具足十界,能融界内界外尘沙之惑;息二边分别止者,了知一心十界,十界一心,不可思议,能融根本无明之惑。由能融惑也,三止皆有止息义焉。由能了知也,三止皆有停止义焉。由惑与理无二体,能融所融,能知所知,无二致也,三止皆有不止止义焉。三止各具三义,则是九义。九义只是三止,三止只是一心。一心本无能洗所洗,而能洗所洗宛然不滥。《易传》曰:"圣人以此洗心,退藏于密。"[5]义极于此。《大经》曰:"三德若纵,亦不名妙,三德若横,亦不名妙,三德不纵不横,名秘密藏,乃名为妙。"契此妙密,功在于智。发此妙智,不离于心。心智既发,则三惑融泮,如汤消冰,假名为洗。请更以《佛顶》[6]证之。经云:"指皆是物,无是见者。"此明妙心离一切相,体真止也。又云:"微细发明,无非见者。"此明妙心即一

253

切法,方便随缘止也。又云:"此见及缘,元是菩提妙净明体,云何于中有是非是?"此明妙心离即离非,是即非即,息二边分别止也。即此一章,宛具三止。即彼三止,各含三义。若向此处真实体会,不泥语言文字,亦不悖语言文字,从见色闻声处分疏得下,从语言文字中照剖得来,方知一代时教,千七百公案,说来说去,无不是者个[4]道理,千变万化,总是一条线索。一条线索,具足千变万化,便可坐微尘里,转大法轮。剖一尘,出大千经卷,以大千经卷,收入一尘。亦不见有大千相,亦不见有一尘相,亦能使大千一尘,各各宛然,不相妨碍,不相映夺,是谓至显至露,至微至密。是谓非显非密,亦显亦密。是谓无可洗而洗,是谓若欲净土,当净其心,随其心净,则佛土净矣!(《**灵峰蕅益大师宗论**》**卷四**)

【注释】

[1]智旭(1599~1655):晚明高僧。字蕅益,号八不道人。江苏吴县人,俗姓钟。少习儒学,以卫道为职事,曾撰辟佛论数十篇。十七岁时,因读莲池袾宏之《自知录》和《竹窗随笔》,始悟己非,取所著辟佛论烧毁之,而皈依佛教。二十四岁出家,后在浙江孝丰灵峰寺弘扬天台、律宗等。其学集法相、禅、律、华严、天台、净土诸宗,尤重天台宗,并主张佛、道、儒三教一致。其思想之总结为三学摄归一念,以念佛总摄释迦一代时教。清代以后,台家讲教多以智旭之经论经疏为依据,形成"融合禅、教、律而归入净土"之灵峰派,延续至今。世称灵峰蕅益大师,后人奉为净土宗第九祖,与莲池、紫柏、憨山并称为明代四大高僧。

[2]三惑:天台宗所说的三种妄惑:见思惑、尘沙惑、无明惑。

[3]翳:遮蔽。

[4]十界:又称十法界,指迷与悟之世界,可分为十种类,即:地狱界、饿鬼界、畜生界、修罗界、人间界、天上界、声闻界、缘觉界、菩萨界、佛界等十界。

[5]"圣人以此洗心"句:《周易·系辞上》:"圣人以此洗心,退藏于密,吉凶与民同患。神以知来,知以藏往,其孰能与此哉!"

[6]《佛顶》:《大佛顶首楞严经》之简称。所举经文见《楞严经》卷二。

[7]者个:这个。

《念佛即禅观论》

[明]智旭

　　或问蕅益子曰："参禅教观,与念佛法门,同邪? 异邪?"答曰:"同异皆戏论也,即亦同亦异,非同非异,亦戏论也。以三种法门,无不离四句[1]故。若知一切法,无非即心自性,仍可四句而诠显之。何者? 梵语禅那,此云静虑。静即是定,虑即是慧,静即止,虑即观,静即寂,虑即照,是故定慧也,止观也,寂照也,皆一体而异名也。或谓寂照约性,余二约修,止观约因,定慧约果,不过一往[2]语耳。"

　　夫吾人现前一念心性,虽昏迷倒惑,灵知终不可灭,虽流转纷扰,本体终未尝动,此岂非寂照真源,止观血脉,定慧根据乎? 究此现前一念心性,名为参禅;达此现前一念心性,名为止观;思惟忆持此现前一念心性,名为念佛。盖念者始觉[3]之智,佛者本觉[4]之理也。就此念佛法门,有念自佛、他佛、自他佛之不同。若单念自佛,与参禅止观全同;若单念他佛,与参禅止观,亦异亦同;若双念自他佛,与参禅止观,非异非同。

　　夫念自佛者,是四念处观,所谓观身、观受、观心、观法。若一切法门,不为四念处所摄,即外道法,故知与禅观同也。夫念他佛者,或念相好,或法门,或实相,或不能作此三种念者,则但持名号。若念相好,一往似与禅观异,然必止息异缘,专观彼佛,则仍与止观同,亦仍与静虑同也。念法门者,例此可知。若念实相,虽托他果佛为异,然终无两种实相,究竟是同。若持名号,一往亦与禅观异,然无论解与不解,而所持之名,当体无非一境三谛[5],能持之心,当体无非一心三观[6]。故曰:"明珠投于浊水,浊水不得不清;佛号投于乱心,乱心不得不一。"是则心无异缘,即是静是止;名号历历,即是虑是观,亦究竟同也。夫双念自他佛者,了知心佛众生三无差别,乃托他佛,助显本性,由悟本性,故与禅观非异,由托他佛,故与禅观非同,是谓胜异方便,无上法门。《文殊般若经》《般舟三昧经》《观无量寿佛经》等皆明此圆顿了义,而《妙宗钞》[7]申之为详。凡栖心净土之士,不可不熟究而力行之也。(《灵峰蕅益大师宗论》卷五)

【注释】

[1]离四句:参看澄观《贞元新译华严经疏序》注释[8]。

[2]一往:单方面看,片面的。

[3]始觉:谓众生本觉心源,由无明熏动,觉成不觉,多劫在迷,今始觉悟,是名始觉,始觉究竟,即成佛也。

[4]本觉:即一切众生本来具有的觉性,谓众生心体灵明虚廓,本来离念,等虚空界,无处不遍,即是如来平等法身,是名本觉。本觉与始觉在理论上是相互关联的。"本觉"是指众生本来具有的觉性。自无始以来,此觉性即为无明妄念所覆盖,犹如明镜被尘垢覆盖,照物功能暂失,此谓之"不觉"。若经过不断的修持,祛除无始以来之迷昧无知,将觉性陆续显露,此犹如将障覆镜面之尘垢陆续清除,则能逐渐显出其照物之功能,此即为"始觉"。

[5]一境三谛:又名圆融三谛,或不思议三谛,即空假中三谛圆融于一境的意思。天台宗说,诸法无自性,谓之空,因缘所

成,谓之假,即空即假,谓之中。如此三谛之理融洽于一境,三即一,一亦即三,圆融无碍,谓之"一境三谛"。

[6]一心三观:又名圆融三观、不可思议三观、不次第三观等,是天台宗圆教的观法。天台宗说宇宙万有,都具有空假中三种谛理,而这三种谛理又互具互融,空即假中,假即空中,中即空假,如果我们在一心之中这样作观,即叫做"一心三观"。

[7]《妙宗钞》:全称《观无量寿佛经疏妙宗钞》,宋代天台宗僧知礼撰,用天台止观法门解释净土念佛法门为"修心妙观"。

《修净土忏并放生社序》

[明]智旭

　　净土法门，原为众生迷本自性，不知常寂光理，生死浩然，无有休息，故藉弥陀胜愿为增上缘[1]。因其净土，有寂光、实报、方便、同居[2]四种。而上三土，非断惑不生，还同竖出三界[3]之义。故特指西方安养同居，使利根即此顿净四土，钝根亦依此先脱苦轮。虽诚简易，亦非草草。《弥陀经》云："不可以少善根福德因缘得生彼国。一日乃至七日，执持名号，一心不乱，即得往生。"夫一心不乱，纵未断惑，可不伏惑邪？傥娑婆事业，在在牵系，遇五欲时，如胶如漆。遇逆缘时，结恨怀冤。而欲命终弥陀接引，此决不可得之数也。又《观经》云："逆恶之人，临终十念皆得往生。"夫临终十念，必深植善根。今逆顺境缘，便不复有正念，何况临终？且临终苦现，止藉善友提撕。今青天白日，尚不能于明师友真实格言，信受奉行，当临终时，安休善友现前？设现前开示，神识昏迷，而欲求其信解，此又决不可得之数也！至五悔法[4]，本为无知造罪，无可奈何，教以发露披忱，修来改往，逆顺十心，痛切恳到，非可视为悠悠泛泛者。兼以四法助成此行：劝请灭谤法魔障，随喜灭嫉妒重障，回向灭悭贪著三有障，发愿灭退失喜忘误障。更有作法、取相、无生三种忏义。作法依律所说，对首忏悔。取相严净道场，专求感应。无生深观实相，断烦恼源。傥旋忏旋犯，作法之所不许。既不能依律作法，必不招贤感圣。既不睹圣贤一色一相，又何能顿证圣贤清

259

净法身？故三种法，前前不兼后，而能通后，后后必具前，而不废前也。由此观之，净土法门，药也。娑婆爱嗔，忌也。五悔法门，药也。不断相续，忌也。甫服其药，又触其忌，可乎？

慈云大师[5]合此二种巧妙方便，述为《往生忏仪》，且云：行人各有无始恶习，速求舍离，勿使行法唐丧其功，药忌昭然，亦可思矣。或谓："闻白毫名字，功德不可限量。闻一佛二菩萨名，灭无数劫罪，岂现前恶法所能较敌？"噫，误矣！不观《占察经》邪？经称地藏菩萨大悲愿力，诸大菩萨皆不能及。其言曰："能闻我名者，谓得决定信，利益行故。若杂乱垢心，称诵我名字，不名为闻，以不能生决定信解故。"盖杂乱则无定，不与奢摩他[6]相应。垢则无慧，不与毗婆舍那[7]相应。不与二观相应，则不知地藏法身、诸佛法身与自己身，无二无别，故不名为闻也。智者大师释《十六观经》[8]题，必约三德秘藏。释《法华经》题，乃以九句谈妙。故曰："若闻首题名字，所得功德，不可限量。"若不如所解释，安获无量功德？今杂乱垢心，闻犹不闻，现行烦恼，炽然不息。以此脱苦，杯水投车。逮临终无验，翻疑佛法不灵。自误误他，堕谤法罪。如服药食忌，反致丧身，遂谓医王杀人，颠倒至此，极矣！

独放生一事，捐所爱资财，以赎彼命，弊端略少。然或重视大形，于微细蛆虫边，生下劣想。或多视微物，于现前屠宰者，起悭吝心。或留意异类，偏于人中妄隔怨亲，爱憎不息，既昧平等慈心，无以为念佛礼忏之本。智者大师云："虽入道场忏悔，恶心不转，恶业不坏，无益苦行，唐丧劬劳[9]，碓臼[10]上下，竟有何益？"虽举手低头，皆成佛道，戏著袈裟，犹为远因。岂六时勤苦，全无功用？但缘因力弱，不能敌现业流注耳。象岩开士，结

往生忏社,买放生命,悲智并运,将此菩提心,为往生正行。予申其说而示之。(《灵峰蕅益大师宗论》卷六)

【注释】

[1]增上缘:佛法所说四缘之一,乃一切有为法生起或结果之间接原因,凡有强胜之势用,能成为他法生起、结果之助力者,皆称为增上缘。如田、粪、水等于苗稼,皆有成办之助力,即为增上缘。

[2]寂光、实报、方便、同居:合称"四土",天台宗所立净土理论。简要而言,凡圣同居土是凡夫与为了化度众生而现身说法的圣人共同居住的国土;方便有余土是二乘与没有证得法身的菩萨所住的国土;实报庄严土是佛的报身与地上菩萨所住的国土;常寂光土是从佛的清净法身所示寂的国土。

[3]竖出三界:中国净土宗将一代佛教分为横出与竖出二种,"竖出"指以自力修四谛、十二因缘、六度等,次第历经阶次而出离生死,修行时间漫长而容易退堕。"横出"则指依靠阿弥陀佛愿力,不必断惑即可念佛往生凡圣同居土,先解决生死轮回问题,然后再精进修道,直至成佛。

[4]五悔法:天台宗修法华三昧时,于昼夜六时所作之五种忏悔法,包括忏悔、劝请、随喜、回向、发愿。

[5]慈云大师:宋代天台宗僧遵式,字知白,宋真宗赐号慈云。参看本书有关遵式的介绍。

[6]奢摩他:梵语音译,意译为寂止,寂静,谓精神集中,不为外界扰乱。

[7]毗婆舍那:梵语音译,意译为观,即以寂静之慧,观察六

根、六尘内外诸法,使三昧成就。

[8]《十六观经》:即《观无量寿经》,因经中述观想西方极乐世界的十六观门,故名。

[9]唐丧劬劳:唐丧,徒劳。劬劳:劳苦。

[10]碓(duì)臼(jiù):舂米用具,碓臼上上下下,喻轮回不息。

《阅藏知津自序》[1]

[明]智旭

心外无法，祖师所以示即法之心；法外无心，大士所以阐即心之法。并传佛命，觉彼迷情，断未有欲弘佛语，而可不知深究佛心，亦未有既悟佛心，而仍不能妙达佛语者也。今之文字阿师，拍盲禅侣，竟何如哉？呜呼！吾不忍言之矣。

昔世尊示涅槃，初祖大迦叶白众云："如来舍利，非我等事，我等宜先结集三藏，勿令佛法速灭。"嗟嗟！傥三藏果不足传佛心，初祖何以结集为急务邪？窃谓禅宗有三藏，犹奕秋[2]之有棋子也，三藏须禅宗，犹棋子之须活眼也。均一棋子也，善奕者著著皆活，不善奕者著著皆死。均此三藏也，知佛心者，言言皆了义，不知佛意者，字字皆疮疣。然为惩随语生见，遂欲全弃佛语，又何异因噎废饭哉！

夫三藏不可弃，犹饮食之不可废也。不调饮食，则病患必生，不闲[3]三藏，则智眼必昧。顾历朝所刻藏乘，或随年次编入，或约重单分类，大小混杂，先后失准，致展阅者，茫然不知缓急可否。故诸刹所供大藏，不过仅存名句文身，封缄保护而已，无由令阅者达其旨归，辨其权实。佛祖慧命，真不啻九鼎一丝之惧。唯宋有王古[4]居士，创作《法宝标目》，明有蕴空[5]沙门，嗣作《汇目义门》，并称良苦。然《标目》仅顺宋藏次第，略指端倪，固未尽美；《义门》创依五时教味[6]，粗陈梗概，亦未尽善。旭年三十，发心阅藏，次年晤壁如镐兄于博山，谆谆以义类诠次为嘱。

于是每展藏时,随阅随录,凡历龙居、九华、霞漳、温陵、幽栖、石城、长水、灵峰八地,历年二十七祀,始获成稿,终不敢剖判虚空,但藉此稍辨方位,俾未阅者,知先后所宜,已阅者,达权实所摄,义持者,可即约以识广,文持者,可会广以归约。若权若实,不出一心,若广若约,咸通一相,名为《阅藏知津》云。(以上《灵峰蕅益大师宗论》卷六)

【注释】

[1]《阅藏知津》:明末天台宗蕅益智旭著。凡四十八卷,将大藏经所收一七七三部之佛典分成经、律、论、杂四部,并加扼要解说。其中经藏又分为大乘经(按天台宗五时判教之顺序华严、方等、般若、法华、涅槃而分)九七六部、小乘经二一一部。律藏分为大乘律三十部、小乘律六十一部。论藏分为大乘论与小乘论,前者又分释经论七十一部、宗经论一一七部、诸论释三十二部;后者共有四十七部。杂藏计有西方(外道、疑伪经)四十八部与此土(包括忏仪、净土、台宗、禅宗、贤首宗、慈恩宗、密宗、律宗、纂集、传记、护法、音义、目录、序赞、法事、应收入义)一七六部。另于卷首有总目录四卷。这部经录首次改变了自唐代智升所撰《开元释教录》以来之佛典编目分类方法,对后世编撰大藏经的目录分类影响巨大。

[2]奕秋:古代善奕者。用此比喻是说,善奕者也需要有棋子才能下棋,下得好不好则需用心把握,不能说用心把握就要废弃棋子。

[3]闲:娴熟、精通。

[4]王古:北宋末佛教居士,字敏仲。曾编撰《大藏圣教法宝

标目》,《佛祖统记》卷四十六谓:"尚书王古因阅大藏,撰《法宝标目》八卷,其法于每经之下录出因缘事迹,所说法门,使览题便能知旨。"

[5]蕴空:明代僧人蕴空,号寂晓,曾集《大明释教汇目义门》。此书未入藏,近代曾有刊刻本。

[6]五时教味:指隋代智顗所立天台宗五时之说。五时分别为华严时、阿含时、方等时、般若时、法华涅槃时。

《答客难》

[清]道霈[1]

旅泊道者一日坐多宝塔下方,与诸子论聚沙成佛之旨。有客坐旁,气色艴然[2],犯众[3]而出曰:"吾儒圣经一章[4],其中格、致、诚、正、修、齐、治、平八条,乃孔门之大纲领。佛家窃去前一半,作明心见性工夫,而将后一半抛了,陷为无父无君之人,此某所以素抱不平,欲排之而不暇。今子又夸诩成佛之理以张大其门庭,得无重欺吾人乎?"

道者欣然而笑曰:"圣经八条工夫,前半佛家窃得去,后半抛得下,而子儒者反窃不去,抛不下。窃不去,所以利欲扰其心,轩冕[5]累其志;抛不下,所以不自信作佛,甘作阐提人,亦无怪其然也。坐,吾试语汝以儒佛各具八条之理,异而同,同而异,未可入主出奴[6],作矮人观场之见也。"

夫儒所谓格物者,格事物之物;致知,致见闻觉知之知;诚意,诚意根之意;正心,正虚妄生灭之心;修身,则修四大之身;齐家,则齐一己之家;治国,则治一区之国;平天下,则平率土之天下,此内圣外王之学。孔子治世,圣人化导人类,设教不得不然也。八者备而后为真儒,否则优孟之衣冠[7]而已!

夫佛所谓格物者,格转物为己之物;致知者,致般若无知之知;诚意者,诚意识本空、全体妙观察智之意;正心者,正本有常住之真心;修身,则修幻身即法之身;齐家,则齐三界之家;治国,则治三千大千之国。平天下,则平尽法界、虚空界,极十方三世微尘刹土之天下,此乃尽理尽性之学。

释迦,世、出世大圣人,普接三根及最上乘大根器,设教广大,精微如此。苟学佛而不能入此大法门,虽不滞于人天,亦必堕于小乘,若与儒较量,则佛教之浅浅已为名教之深深。更兴窃前抛后之论而欲排之,是徒泥其迹而昧其本也!所云无君父者,得无谓其剃发、毁形、辞亲、离党、高蹈物表乎?良由不知方外之教,而以方内求之,误矣。故古人有言:事君以治一国,未若弘道以济万邦;事亲以成一家,未若弘道以济三界。且被袈裟,振锡杖,饮清流,咏般若,虽公王之服,八珍之膳,铿锵之声,炜烨之色,不与易也。以此观之,所重者在此而不在彼耳。

客于是释然悟曰:“某溺名相,苟不遇子,几空度一生,焉知佛法庭宇广大深远若此者乎!而今而后更不敢轻议乎佛矣。”乃再拜而去。良久问侍僧曰:“适来梦语哆唎[8]道个甚么?”侍僧无对。道者亦嗒然忘言。(《旅泊庵稿》卷四)

【注释】

[1]道霈(1615~1702):明末清初曹洞宗僧。字为霖,号旅泊、非家叟。福建建安人,俗姓丁。十五岁出家,诵习诸经,后遍历讲肆,乃得熟谙法华、楞严、维摩、圆觉、起信、唯识及华严、天台之大旨。著述甚丰,有《华严疏论纂要》《法华经文句纂要》《禅海十珍》《旅泊庵稿》等。

[2]觍(fú)然:恼怒貌。

[3]犯众:触犯众人。

[4]吾儒圣经一章:指《礼记·大学》所明格、致、诚、正、修、齐、治、平八条。

[5]轩冕:古代官员的车乘和冕服,代指官位爵禄。

[6]入主出奴:韩愈《原道》:"入于彼,必出于此;入者主之,出者奴之;入者附之,出者污之。"是说崇信了一种说法,就必然会排斥另一种说法;把前者奉做主人,把后者当作奴仆;附和前者,污蔑后者。后来用"入主出奴"比喻学术思想上的门户之见。

[7]优孟之衣冠:楚相孙叔敖死,优孟着孙叔敖衣冠,模仿其神态动作,楚庄王及左右不能辨,以为孙叔敖复生。事见《史记·滑稽列传》。后因称登场演戏为"优孟衣冠"。

[8]哆啝:哆:张开状。哆啝:叨叨。文章末后这一转语,充分显示着禅僧将世间一切包括佛法自身皆视为梦幻泡影的态度。

《耳澄说》

[清]行元[1]

夫眼之见色,随色起想,则眼被色碍矣;耳之闻声,随声起想,则耳被声碍矣。有所碍,即有所缘,缘爱生贪,缘憎生嗔,常住真心,昏浊日固,吾知其未能澄也。然而澄必于耳,何说也?娑婆世界,以音声为佛事,琴瑟、琵琶、箜篌、鼓乐,人之所乐闻也,且以人之六根,惟耳根最利,随所闻而入之,澄澄湛湛,不动不摇,即安全真,应时解脱,无处而非常住心,无处而非净明体矣。由是推之,六律五音,澄耳之具也,松籁风涛,澄耳之谱也,鸟啼蚁斗,蛙吹驴鸣,澄耳之官也,儿笑妇骂,鬼哭神号,山动雷轰,川腾谷应,澄耳之节奏也。只为耳不善澄,澄不关耳,遂至种种蹉过,习焉不之察耳。若夫古隐闻让国而洗耳[2]临渊,隔壁闻坠钗[3]而籍名破戒,此犹泥耳澄之迹,非吾所谓澄也。耳澄上人得虔老三绝,而进乎禅者也,学以成之,悟以通之,自澄澄人,于兹可卜矣。是故书耳澄之说以赠。

【注释】

[1]行元(1611~1662):明末清初禅僧,号百痴,漳浦(今属福建)蔡氏。有《百痴禅师语录》三十卷。

[2]洗耳:表示厌闻污浊之声。《孟子·尽心上》:"古之贤士,何独不然。"赵岐注:"乐道守志,若许由洗耳,可谓忘人之势矣。"皇甫谧《高士传·许由》:"尧让天下于许由……由于是遁

耕于中岳颍水之阳,箕山之下,终身无经天下色。尧又召为九州长,由不欲闻之,洗耳于颍水滨。"

[3]隔壁闻坠钗:坠钗指听到女子佩戴物掉落地上的声音,按照佛法戒律,"隔壁闻镮钏声,分别男女,心染净戒"(《四分律行事钞资持记》),指严格持戒。禅宗曾对这一戒律做过很多讨论,如《景德传灯录》卷二十五:"异日因四众士女入院。净慧问师曰:'律中道:隔壁闻钗钏声即名破戒,见睹金银合杂朱紫骈阗,是破戒不是破戒?'师曰:'好个入路。'"

《清响说》

[清]行元

搅而不浊之谓清,触而能应之谓响,识清响之义者,可以了然会心矣。然则花翻蝶舞,水动鱼行,竹叶吟风,松梢坠露,皆清响也;奔潮浩浩,伐木丁丁,钟鼓交参,村歌互答,皆清响也;乃至迅雷震地,白雹飞空,狮子咆哮,须弥岌岜[1],亦皆清响也。故曰根尘既销,空觉圆净,刹刹尘尘,归吾妙性,内无所著,外无所依,清响不存,听将安寄?克圣上人乞庵名于予,予甚爱乎清响,而书是额以赠,盖窃取夫"从闻思修"之意云。庵去梵胜咫尺许,予每兴至,即携诸子,坐于古梅下,刳然[2]长啸,杳不知尘世之所之。

【注释】

[1]岌(jí)岜(bā):象声词。马融《长笛赋》:"雷叩锻之岌岜兮,正浏溧以风冽。"李善注:"言音如雷之叩锻,岌岜为声也。"

[2]刳(huò)然:开朗貌。徐弘祖《徐霞客游记·粤西游日记二》:"当面有山横列,峯外刳然开张洞门。"

《松隐说》

[清]行元

　　华亭之东南有松隐里焉,相传赤松子[1]隐于此,故名。里有寺,亦名松隐,盖因地而著也。上人号松隐,其兹地之所生耶?寺之所出耶?抑慕赤松子遗风而欲存名以核实耶?噫!是大不然。吾闻松之为木,森森也,磥砢[2]多节,岁寒不渝,用之高堂可以充梁栋,藏之深谷可以饱烟霞,泉石乐与为邻,竹梅常与为友,上人之意,殆有取尔乎?且就《华严》法界[3]喻之,松而必于隐,理法界也;隐而必于松,事法界也;松即隐,隐即松,理事无碍法界也;随所有而无一物非松隐,事事无碍法界也。法界之旨既彰,则指一松而隐,非狭也;扩大地虚空为松隐,非广也。非狭非广,无古无今,了了明明,自由自在。然则松隐之称,又岂易得者哉!上人倘具有别说,请无隐以语我。

【注释】

[1]赤松子:相传为上古时神仙,或谓即晋代得道成仙的皇初平。据葛洪《神仙传》载:皇初平与其兄初起隐居山中,共服松脂、茯苓,至五百岁。

[2]磥(léi)砢(luǒ):突起堆积貌。

[3]《华严》法界:华严宗标"四法界":(一)事法界谓诸众生色心等法,一一差别,各有不同,故名事法界。(二)理法界,谓诸众生色心等法,虽有差别,而同一体性,故名理法界。(三)理

事无碍法界,谓理由事显,事揽理成,理事互融,故名理事无碍法界。(四)事事无碍法界,谓一切分齐事法,称性融通,一多相即,大小互容,重重无尽,故名事事无碍法界。本文借"松隐"二字演说华严"四法界"之理,即表明世间万事万物皆属华藏法界。

《读中庸别》

[清]彭绍升[1]

世之言道者，徇[2]有则碍无，体无则病有，又或以儒之道为有，佛之道为无，二俱不然。不观之太虚空乎？太虚空非日月星辰，则世界不成安立。日月星辰非太虚空，则四时何以行？百物何以生？是故日月星辰无体，以太虚空为体；太虚空无体，以日月星辰为体，二之者惑也。孔子曰："巍巍乎，舜禹之有天下也，而不与焉！"程伯子[3]云："尧舜事业，如泰山上一点浮云过目。"然则儒之道初未尝有也，初未尝以日月星辰拒太虚空也。华严四法界，曰理、曰事、曰理事无碍、曰事事无碍，是故登地菩萨，在人王，人王中尊；在居士，居士中尊。然则佛之道初未尝无也，初未尝以太虚空拒日月星辰也。

是理也，中庸契之尽矣！说曰："道并行而不相悖。"子思子论君子之道，曰："语大，天下莫能载焉；语小，天下莫能破焉。"《首楞严》言："我以妙明不灭不生，合如来藏，而如来藏唯妙觉明，圆照法界。是故于中，一为无量，无量为一；小中现大，大中现小；不动道场，遍十方界。身含十方无尽虚空，于一毛端现宝王刹，坐微尘里，转大法轮。"予读经言，而乃廓然于《中庸》大小之说也。《涅槃经》言："我以摩诃般若，遍观三界有情无情，一切人法悉皆究竟，无系缚者，无解脱者，无主无依，不可摄持，不出三界，不入诸有，本来清净，无垢无烦恼，与虚空等，不平等非不平等，尽诸动念，思念心息，如是法相，名大涅槃。"

《诗》云："鸢飞戾天，鱼跃于渊。"言其上下察也，不其然乎？不其然乎？是故在天而日月星辰，在地而华岳河海，在人而五达道[4]、三达德[5]、礼仪三百、威仪三千。在鬼神而在上，在左右，在圣人而议礼制，度考文，经大经，立大本，知化育，无在非天，无在非鸢之飞也，无在非渊，无在非鱼之跃也。圆满菩提，归无所得。故曰：上天之载，无声无臭。至矣！天下无二道，圣人无两心，其不可易矣！

圣人之念天也，其犹行者之念佛乎？"不识不知，顺帝之则"，文王之念天也。"都摄六根，净念相继"，大势至之念佛也。念天者，期于人尽见天，见天故，无适非天也。念佛者，要于心开见佛，见佛故，无适非佛也。一言以蔽之曰："至诚无息而已矣！"圣人念天，终不离天。文王陟降[6]，在帝左右，此其征也。行者念佛，常不离佛，生莲华中，蒙佛授记，此其征也。夫子读《棠棣》之诗而畅然曰："父母其顺矣乎！"又曰："神之格思，不可度思，矧可射思。"[7]夫微之显，诚之不可掩如此，岂不信哉！虽然，念佛念天，不离乎念；无念真心，非天非佛，学者参之。(《一行居集》卷二)

【注释】

[1]彭绍升(1740~1796)：名绍升，字允初，号尺木，又号知归子及二林居士，际清是他受菩萨戒的法名。生于江苏长洲县(今苏州)。早年业儒，后读明高僧真可《紫柏全集》，始归心佛法。继读莲池、憨山、蕅益诸人著作，深信净土法门，自号"知归子"。彭际清的著作，有《无量寿经起信论》三卷、《观无量寿佛经约论》一卷、《阿弥陀经约论》一卷、《一乘决疑论》一卷、《华

严经念佛三昧论》一卷、《居士传》五十六卷、《善女人传》二卷、《二林居集》二十四卷、《一行居集》八卷、《二林唱和诗》《观河集》《测海集》各一卷等。

[2]徇：顺、依照。

[3]程伯子：程颢，中国北宋哲学家，理学奠基者之一。字伯淳，学者称明道先生，与弟程颐合称"二程"。所举语见《宋元学案》卷一三《明道语录》："虽尧舜事业，亦只如太虚空中一点浮云过目。"

[4]五达道：又称即五典，见《礼记·中庸》："天下之达道五……曰君臣也、父子也、夫妇也、昆弟也、朋友之交也。"

[5]三达德：指智、仁、勇。《礼记·中庸》："知、仁、勇三者，天下之达德也。"

[6]文王陟降：陟降：升降，上下。《诗·大雅·文王》："文王陟降，在帝左右。"朱熹《集传》："盖以文王之神在天，一升一降，无时不在上帝之左右，是以子孙蒙其福泽，而君有天下也。"

[7]"神之格思"句：见《中庸》，原文谓：子曰："鬼神之为德，其盛矣乎?! 视之而弗见，听之而弗闻，体物而不可遗，使天下之人齐明盛服，以承祭祀。洋洋乎如在其上，如在其左右。《诗》曰：'神之格思，不可度思! 矧可射思! '夫微之显，诚之不可掩如此夫。"矧(shěn)：且。

《悯客》

[清]彭绍升

　　客有患无子者,知归子悯之,告之曰:"子有三,盍舍其一而取其二乎?"客曰:"何谓也?"知归子曰:"凡夫以子为子,圣贤以圣贤为子,佛以一切众生为子。以子为子者,子其身者也;以圣贤为子者,子其心者也;以一切众生为子者,众生之身即吾身,众生之心即吾心也。夫唯圣贤能不子其子,是故尧以舜为子,舜以禹为子,孔子以颜渊为子。朱、均[1]之不有天下,伯鱼[2]死而不曰'天丧予',此其教也!佛告须菩提:'若卵生、若胎生、若湿生、若化生、若有色、若无色、若有想、若无想、若非有想、非无想,我皆令入无余涅槃而灭度之。'而诸大菩萨现身六道,历劫度生,视慈父母之爱其子,不啻同之?然则以子为子者,私其子者也。私其子者,不能以圣贤为子矣!不能以圣贤为子,又安能以一切众生为子哉!"

　　客曰:"是则然矣!虽然,佛与圣贤,岂凡夫所易及乎?"知归子曰:"甚矣!子之不察也。子现前一念清净心,则一切圣贤所出生处,能一切处、一切时不昧是心,则一切圣贤皆为之子矣!子现前一念平等心,即一切众生所成就处,能一切处、一切时不离是心,即一切众主皆为之子矣!是心非他,子固有之心也。子不知反吾固有之心,而切切焉唯无子之患,得一而丧二,智者不为也,况一又未必得也。"

　　客曰:"如子言,人尽不患无子,则人类不几于灭乎?"知归子曰："有生者,情之动也。无生者,性之复也。有生则有灭,浊土之所以终于劫坏也;无生则无灭,无量寿佛之所以居净土也。夫无生,非不生也,法性所生,超于分段[3],不堕生死,故曰无生。子不患灭者之灭,而患不灭者之灭也,不亦惑乎!"

客唯而退。既书其说,以为世之患无子者告焉。(《一行居集》卷二)

【注释】

[1]朱、均:尧之子丹朱和舜之子商均,均不肖,于是尧、舜未传位于己子。参看本书晓莹《云卧纪谭》注释[6]、[7]。

[2]伯鱼:孔子的儿子鲤的字,先于孔子去世,但孔子并没有像弟子颜回死时那样悲痛。《论语·先进》篇记颜渊死后,孔子叹曰:"噫!天丧予!天丧予!"

[3]分段:二种生死之一,指三界众生之生死,为"变异生死"之对称。分段,指由于果报之异而有形貌、寿量等之区别。盖三界众生所感生死之果报各有类别、形貌、寿量等之限度与差异,故称分段生死。西方极乐世界众生无分段生死,故谓"超于分段"。

《普说》(节选)

[清]际醒[1]

真为生死,发菩提心,以深信愿,持佛名号,十六字为念佛法门一大纲宗。若真为生死之心不发,一切开示皆为戏论。世间一切重苦,无过生死,生死不了,生死死生,生生死死,出一胞胎,入一胞胎,舍一皮袋,取一皮袋,苦已不堪,况轮回未出,难免堕落。猪胞胎,狗胞胎,何所不钻?驴皮袋,马皮袋,何所不取?此个人身,最为难得,最易打失[2]。一念之差,便入恶趣。三途易入而难出,地狱时长而苦重。七佛以来,犹为蚁子;八万劫后,未脱鸽身[3]。畜道时长已极,鬼狱时长尤倍,久经长劫,何了何休!万苦交煎,无归无救。每一言之,衣毛卓竖;时一念及,五内[4]如焚。是故即今,痛念生死,如丧考妣,如救头然也。然我有生死,我求出离,而一切众生皆在生死,皆应出离,彼等与我本同一体,皆是多生父母,未来诸佛,若不念普度,唯求自利,则于理有所亏,心有未安。况大心不发,则外不能感通诸佛,内不能契合本性,上不能圆成佛道,下不能广利群生。无始恩爱,何以解脱?无始怨愆[5],何以解释[6]?积劫罪业,难以忏除;积劫善根,难以成熟。随所修行,多诸障缘,纵有所成,终堕偏小[7]。故须称性发大菩提心也。然大心既发,应修大行,而于一切行门之中,求其最易下手,最易成就,至极稳当,至极圆顿者,则无如以深信愿持佛名号矣。所谓深信者,释迦如来,梵音声相,决无诳语;弥陀世尊,大慈悲心,决无虚愿。且以念佛求生之因,必感见佛往生之果,如种瓜得瓜,种豆得豆,响必应声,影必随形,因不虚弃,果无浪得,此可不待问佛而能自信者也。况吾人现前一念心性,全真成妄,全妄即真,终日随缘,终日不变,横遍竖穷,当体无外,弥陀净土,总在其中。以我具佛之心,念我心具之佛,岂我心具之佛,而不应我具佛之心耶?

【注释】

[1]际醒(1741~1810),河北丰润人,俗姓马。字彻悟、讷堂,号梦东。少攻举业,精通经史。二十二岁时因病而悟人生之无常而出家。初学禅宗,嘉庆五年(1800)退居红螺山资福寺,专以净土为说,世称红螺彻悟。恒常讲演,劝人念佛,为其所化者一时遍于南北。嘉庆十五年示寂,世寿七十,法腊四十九。著有《彻悟禅师语录》等。

[2]打失:丢失。

[3]七佛以来,犹为蚁子:《贤愚经》卷十:"时舍利弗,惨然忧色。即问尊者:'何故忧色?'答言:'汝今见此地中蚁子不耶?'对曰:'已见。'时舍利弗,语须达言:'汝于过去毗婆尸佛,亦于此地,为彼世尊起立精舍,而此蚁子在此中生。尸弃佛时,汝为彼佛,亦于是中造立精舍,而此蚁子亦在中生。毗舍浮佛时,汝为世尊,于此地中起立精舍,而此蚁子亦在中生。拘留秦佛时,亦为世尊,在此地中起立精舍,而是蚁子亦于此中生。拘那含牟尼佛时,汝为世尊,于此地中起立精舍,而此蚁子亦在中生。迦叶佛时,汝亦为佛,于此地中起立精舍,而此蚁子亦在中生。乃至今日,九十一劫,受一种身,不得解脱。生死长远,唯福为要,不可不种。'"《大智度论》卷十一:"舍利弗即时入宿命

智三昧,观见此鸽从鸽中来,如是一、二、三世,乃至八万大劫,常作鸽身;过是已往,不能复见。"此极言堕落畜生道众生出离之难。

[4]五内:五脏。

[5]愆:罪过。

[6]解释:解脱和释怀。

[7]偏小:指小乘之教理。以其理偏于空,故法门狭小,就大乘教义之立场而言,称为偏小。

心能造业,心能转业。业由心造,业随心转。心不能转业,即为业缚;业不随心转,即能缚心。心何以能转业?心与道合,心与佛合,即能转业。业何以能缚心?心依常分[1],任运作受,即为业缚。一切现前境界,一切当来果报,皆唯业所感,唯心所现。唯业所感故,前境来报,皆有一定,以业能缚心故;唯心所现故,前境来报,皆无一定,以心能转业故。若人正当业能缚心,前境来报一定之时,而忽发广大心,修真实行,心与佛合,心与道合,则心能转业,前境来报,定而不定。又心能转业,前境来报不定之时,而大心忽退,实行有亏[2],则业能缚心。即前境来报,不定而定,然业乃造于已往,此则无可奈何,所幸而发心与否,其机在我,造业转业,不由别人。如吾人即今发心念佛,求生极乐,或观依正[3],或持名号,念念相续,观念之极,则心与佛合,合之又合,合之其极,则心能转业,而前境之娑婆转为极乐,胎狱之来报转为莲胞,便是乐邦自在人矣。若正恁么时,其心或偶然失照,或忽生退悔,不与佛合,则业能缚心,而前境仍旧来报,依然还是忍土苦众生也。然则我辈有志出离,

求生净土者,可弗惕然而警、奋然而发也哉!(《彻悟禅师语录》卷一)

【注释】

[1]常分:常理、定分。颜之推《颜氏家训·终制》:"死者,人之常分,不可免也。"

[2]有亏:有所欠缺和损失。

[3]依正:依报和正报。世间国土房屋器具等,为身之所依,叫做"依报";众生五蕴假合之身,乃过去造业之所感,叫做"正报"。西方极乐世界之依正二报,正报为阿弥陀佛庄严法身,依报为清净国土。

《自惺说》

[清]吴苇庵[1]

每日清晨，佛前顶礼，十称以后，二六时中，得闲便念，随处提撕，不拘轨则。久久行持，忽地有省，穷障自除，慧眼[2]日长，打成一片，方证菩提。所谓咳唾掉臂，无不是祖师西来意也。或明念，谓出声朗诵，手轮数珠，流水相续。或默念，谓闭口暗转，服膺[3]弗失，冷暖自知。或半明半默念，谓名金刚持，微动唇舌，不落声闻。或庄严念，谓观想如来眉放白毫，光明晃耀。或自在念，谓信口纯熟，食息起居，不离这个。或勇猛念，谓如逢厄难，水火刀兵，亟求救脱。或舒徐念，谓如理乱丝，经纶逐渐，须要耐烦。或登山念，谓如临悬崖，不上层巅，便坠坑谷。或渡海念，谓顺水扬帆，中流黑风，飘堕罗刹。或行道念，谓旋绕阶庭，身口意到，功德最优。或伫立念，谓恭敬俨若，端拱斋如，翘勤恳切。或静坐念，谓宴安禅定，心持六字，万缘顿空。或侧卧念，谓唤醒睡魔，按脉当鱼[4]，远离恶梦。或哀苦念，谓如子忆母，啼哭号呼，瞻依向慕。或欢忭[5]念，谓如人远归，六亲会面，舞蹈不禁。或摄心念，谓垂帘默记，十百千万，毫无间杂。或数息念，谓对治昏散，出入一息，默念一声。或参究念，谓参禅见性，回光返照，心佛是谁？或实相念，谓空诸所有，观境不生，寂灭为乐。至于性相双泯，无去无来，譬彼月光，遍照诸品，波澄月现，法体全彰。众生至诚，大慈摄取，如艾与珠，能引水火，自然感应，亲见弥陀。圆觉妙心，廓然开悟，西方圣境，常在目前。

纤尘不立,弥漫虚空,拟议即非,扬瞬便是。有无俱遣,宗说皆忘,念佛密因,斯为了义。(《净土绀珠》)

【注释】

[1]吴苇庵:清代居士,生平事迹不详。《净土绀珠》为清代后期僧人德真编辑之净土宗文汇,将文题按书目排列,从一致四十八。所录吴苇庵此文又题为《十九念了义》,即十九中念佛的方法,由此可以看到当时净土宗修行者日常生活的状况。

[2]慧眼:佛教谓了知诸法平等、性空之智慧,故称慧眼。因其照见诸法真相,故能度众生至彼岸。

[3]服膺:铭记在心,不忘失。

[4]按脉当鱼:指按住自己的脉搏,以脉搏跳动节奏视为敲击木鱼的节奏。

[5]欢忭(biàn):喜悦。

《为龙泉寺募造藏经楼启》

[清]龚自珍[1]

宋藏、元藏,今颇有存者,皆官纸,纸尾有官牒。其世近尤易征者,永乐中,诏刊全藏一万一千余卷,依周兴嗣千字胪[2]而次之,颁天下诸寺。今在大江以南者为南藏,在京师者为北藏[3],香木铜镮,象玉锦绣,以为装函;高楼飞宇,以为庋[4]阁;名称歌曲、香火之田,以为赞叹、护持、供养。明祚久长,十五陵岿然。明之士大夫,席承平之清暇,往往探秘典,问玄文,支那盛有述作。万历中,浙之径山,始易梵夹为册书[5],别刊经论五千卷,剞劂浩穰[6],亦问之一时士大夫。予读径山藏,识其卷尾,考其出赀之家,尽科目之选,而志乘之杰也。垂三百载,其云礽[7]遗裔,多丰饶贵显未艾者,功德吉祥,岂其诬乎?

微独往古,我世宗宪皇帝[8],神圣天纵,留意内学,谓是与周孔之言,异名同实,不可执一废一者也。爰颁大秵[9],契众经二十八种,合二百余卷;又刊《古德祖师语录》三十八种,百余卷;又刊《宗镜录》百卷,颁诸寺。又诏以潜邸[10]之雍和宫为奉佛处,以大臣专领之。高宗[11]朝,益置内府匠人其中,月壔[12]象三百尊,离世勿减,其象岁颁京师诸寺。自法流此土,功德无如圣清者;国祚世运,自有书契,则亦无如我圣清者。通儒大方,可以笃信,可以力行也矣。夫有倡于上,则必有贵种福德之臣助于下,相与报佛恩,祈福德,以合成一世界之福德,岂可阙也?

永乐北藏全千函而不缺者,今兹仅矣。京师九门,不满三十分。宣武门西南龙泉寺,古刹也,实有一分,完不蚀,望之栴[13]然,触之碣[14]然。寺卑湿,虑其久而蠹也,无楼居,虑不足以极崇弄[15]之美也。且龙泉地势清远,水木之表,宜有郁然暧然者崪焉,使民望焉为祈向之宗,百福之汇,而以庇国庇民,不亦美乎?王公贝勒,贵官大夫,无使径山专美明代!(《定庵文集》)

【注释】

[1]龚自珍(1791~1841):清代仁和人,字璱人,号定盦,又名巩祚。道光年间(1821~1850)进士,官至礼部主事。曾从外祖父段玉裁学《说文解字》,又从刘逢禄学《春秋公羊传》。奇才横溢,博览群书,有经世致用之志,通达西域蒙古地理、诸子百家、谶纬之学,并多引用佛典以诠释诸家之说,而自成一家之言,尤好以禅理为诗文,幽渺深邃,奇境独辟,为近代文人中受佛教影响较深者。

[2]周兴嗣千字:南朝梁武帝指令给事郎周兴嗣用一千个不同的字编写的文章。四字一句,对偶押韵,便于记诵。胪(lú):排列。明代永乐南藏与北藏皆按照千字文次序排序。

[3]南藏、北藏:为明代官刻重要佛藏。永乐南藏乃明永乐年间据《洪武南藏》的重刻本,编次有所改动。经版57160块。全藏636函,千字文编次天字至石字,1610部,6331卷。经版藏于报恩寺,并供全国各地寺院请印,平均每年约刷印20藏,流传的印本较多。继《永乐南藏》之后,于永乐十九年(1421)在北京雕造的大藏经。明正统五年(1440)完成。全藏636函,千

字文编次天字至石字,1621 部,6361 卷;大批刷印分赐全国各大寺院。

[4]庋(guǐ):放置、收藏。

[5]始易梵夹为册书:指明代万历年间开始刊刻的《嘉兴藏》改变了

[6]剞(jī)劂(jué)浩穰:剞劂:雕琢刻镂。浩穰:繁多。

[7]云礽(réng):远孙,亦泛指继承者。

[8]世宗宪皇帝:即清雍正皇帝(1678~1735),名胤禛。信仰佛教,自号圆明居士,撰有《御选语录》《拣魔辨异录》等。主张儒、释、道三教一致,佛教诸宗一致,禅宗五家一致。

[9]帑(tǎng):财帛。

[10]潜邸:指皇帝即位前的住所。

[11]高宗:即清乾隆皇帝(1711~1799),名弘历,在位六十一年,其前期清朝国力达到鼎盛。

[12]㙇:同"塑"。

[13]栉(zhì):原意为梳子,引申为排比繁密的样子。

[14]馤(ài):香气。

[15]弆(jǔ):收藏。

《观未来》

[清]杨文会[1]

世间治乱，莫能预知。然自冷眼人观之，则有可以逆料者。且就目前世界论之，支那之衰坏极矣。有志之士，热肠百转，痛其江河日下，不能振兴。然揣度形势，不出百年，必与欧美诸国，并驾齐驱。何则？人心之趋向，可为左券也。不变法不能自存，既变法矣，人人争竞，始而效法他国，既而求胜他国，年复一年，日兴月盛，不至登峰造极不止也。

或问：全球无衰坏之国，可与增劫[2]时世媲美乎？

答曰：迥不相侔[3]也。增劫时世，人心纯善，金玉弃而不取。今时号为文明之国者，全仗法律钳制，人心始能帖然。牟利之徒，机巧百出，非极天下之豪富，不能满其所欲也。

又问：坏极而兴，既闻命矣，至于兴之极，能永久不坏乎？

答曰：不能也。

或问：何以知之？

答曰：地球各国全盛之日，兵戈不起，生齿日繁。谚云：一人生两人，十世一千丁。以三十年为一世，至十世而添人千倍矣。其中不无饥馑疾疫，耗折人口，且减半计之，亦不下五百倍也。历年三百，而添人五百倍，地不加大，何能容之？彼时先坏商务，继坏工务。盖各国齐兴，货物充溢，皆欲阻止他国货物，不令输入，而轮船无用矣。货物既不运售他国，则制造日减，而工人赋闲矣。工商以外，无生业者不计其数，啼饥号寒，哀声遍野,岂有不乱者乎?先兴者先坏,后兴者后坏,统地球各国,坏至不可收拾。所有文学、格致、历算、工艺一切尽废,仍变而为野蛮。向之人民五百倍者,减而剩一分,如现在之数。乱犹不止,必再减半,而乱事方了。尔时人民敦朴,如洪荒之世。此为乱之极,治之始也。久之又久之,而礼乐文章,渐次兴起。治乱循环,如是而已。哀哉众生,营营扰扰,果何为也!

或晓之曰:此梦境也,举世皆梦也。然则亦有觉者乎?曰:释迦、弥陀,皆觉者也。十方三世,一切诸佛,皆觉者也。菩萨、罗汉、高僧、上士,觉而未至究竟者也。欲醒此梦,非学佛不为功。三藏教典具在,苟能用心,无不得入。而要以净土为归,方可醒此大梦也。

【注释】

[1]杨文会(1837~1911):字仁山,安徽石埭人。为清末复兴中国佛教之枢纽人物。生性任侠,好读奇书,淡泊名利,鄙弃科举,不愿入宦。曾两度出使欧洲,于英伦得识锡兰居士达磨波罗、日本佛教学者南条文雄等,相约协力恢弘正法。归国后,于同治五年(1866)出资设立金陵刻经处,刻印大小乘佛典,生前出版二千余卷。又兴办"佛学研究会",定期讲经。一时高僧如月霞、谛闲、曼殊等均往佐之,欧阳渐、梅光羲、李证刚等近代著名居士均出自其门下。生平著述凡十二种,编入《杨仁山居士遗书》。本文站在佛法角度考察世界未来发展趋势,提出的一些预言如"今时号为文明之国者,全仗法律钳制""先坏商务,继坏工务""制造日减,工人赋闲""先兴者先坏,后兴者后坏"等等,不能不佩服其远见卓著。

[2]增劫：为"减劫"之对称。于住劫中，人寿每百年增一岁，从十岁至八万岁之间，称为增劫。一个世界之成立、持续、破坏，及至转变为另一世界之成立、持续、破坏，其过程可分为成、住、坏、空等四个时期，称为四劫。住劫，即器世间与众生世间安稳与持续之时期。于四劫之中，唯住劫有增劫、减劫。根据佛教世界观，目前此世界处于"减劫"而非"增劫"。

[3]相侔：对等，同样。

《西方极乐世界依正庄严圆图跋》

[清]杨文会

　　昔善导和尚[1]画净土变相[2]三百余壁,岁远年湮,不可复睹。近代彭二林居士[3]绘极乐庄严手卷,系以诗偈。予曾见之,叹赏不置。然篇幅甚长,未便悬供也。

　　有拙道人者,专修净业,雅尚莲宗。见南北丛林所刊《极乐图》,未臻精妙。乃考净土三经,参以造像量度,选择良工,绘而刊之,时在同治癸酉岁也。五年之间,流布二千余幅,板渐销磨。道人慨然曰:此图之出,启人净信者多矣。然作者之心,犹有进焉。于是转方广为圆融,现毫端之宝刹。大含细入,隐显交参。以重重无尽之心,写无尽重重之境。脱稿成于币月[4],开雕竣在期年。一佛当阳,现万德庄严之报相;群生皈命,遵十方交赞之深经。其托质莲池者,有少有长,顺凡情也。克实而论,六道往生,女转为男,老变为少,永无衰耗之相[5]。又其中菩萨、缘觉、声闻为上首者,略标九品。复有初出花胎,未入圣位者,不妨权现人天相也。他如经行坐禅,诵经听法,或在地上,或在虚空。有从他方飞身来者,有从空中化身去者,神用无方,略见一斑也。楼阁栏楯,行树罗网,宝幢幡盖,水鸟光明,随方点缀,以表无量。

　　经中备言娑婆、极乐苦乐之相,及两土修行难易差别。弥陀本愿有云:"十方众生至心信乐,欲生我国,乃至十念,若不生者,不取正觉。"今成佛以来,已十劫矣,此愿非虚,切宜谛信。若夫利根之士,高谈性理,轻视莲邦,是皆未达空有圆融之旨,弃大海而认涓滴者也。当知一真法界,迥绝思议。以言其体,则纤尘不立;以言其用,则万有齐彰。娑婆既唯心所现,极乐岂外乎唯心?是故上品者,圆证无生法忍,以其解第一义也。即中下之流,信心坚固,愿行纯笃,但得往生,径登不退,无始轮回一朝永断,岂不截然大丈夫哉!

画者山阴张益,刻者丹徒潘文法也。

【注释】

[1]善导和尚(613~681):唐代净土宗僧人。俗姓朱,号终南大师,为净土宗第二祖。唐太宗贞观十五年(641),赴西河玄中寺,谒见道绰,修学方等忏法,又听讲《观无量寿经》。专事念佛,笃勤精苦,遂得念佛三昧。其后入长安光明寺,传净土法门。著有《观无量寿佛经疏》四卷、《净土法事赞》二卷等,对净土宗发展影响至钜。

[2]净土变相:又作净土变、净土图。指描绘净土佛菩萨、圣众及种种庄严施设等,以呈现净土景象之图像或雕刻。与"地狱变相"相对。变有二义,即:(一)动之义,图画不动而画极乐种种动相,故称变相。(二)变相之义,绘净土种种之相而令变现。净土变相系由于净土信仰之流行而产生,传说唐代善导尝自绘西方变相三百铺,今敦煌出土之遗品有二十余种,可证明其说不虚。

[3]彭二林居士:即彭绍升,参看本书有关彭绍升的介绍。

[4]币月:币同"毕",一整月。

[5]"克实而论"数句:谓西方极乐世界众生已超越生死轮回,相貌同一,无老少之态,画中人物有少有长,只是顺应凡情的做法。这里也隐含对所作净土图的批评。

《仁学》[1]（节选）

[清]谭嗣同[2]

遍法界、虚空界、众生界，有至大、至精微，无所不胶粘、不贯洽、不管络[3]而充满之一物焉，目不得而色，耳不得而声，口鼻不得而臭味，无以名之，名之曰"以太"[4]。其显于用也，孔谓之"仁"，谓之"元"，谓之"性"；墨谓之"兼爱"；佛谓之"性海"，谓之"慈悲"；耶谓之"灵魂"，谓之"爱人如己"，"视敌如友"；格致家谓之"爱力""吸力"；咸是物也。法界由是生，虚空由是立，众生由是出。夫人之至切近者莫如身，身之骨二百有奇，其筋肉、血脉、脏腑又若干有奇，所以成是而粘砌是不使散去者，曰惟以太。由一身而有夫妇，有父子，有兄弟，有君臣朋友；由一身而有家、有国、有天下，而相维系不散去者，曰惟以太。身之分为眼耳鼻舌身，眼何以能视？耳何以能闻？鼻何以能嗅？舌何以能尝？身何以能触？曰惟以太。与身至相切近莫如地，地则众质点粘砌而成，何以能粘砌？曰惟以太。剖其质点一小分，以至于无，察其为何物所凝结，曰惟以太。……此一大千世界之昴星[5]，统日与行星与月，以至于天河之星团，又别有所绕而疾旋；凡得恒河沙数各星团、星林、星云、星气，互相吸引不散去，是为一世界海。恒河沙数世界海为一世界性，恒河沙数世界性为一世界种，恒河沙数世界种为一华藏世界[6]。至华藏世界以上，始足为一元。而元之数，则巧历所不能稽，而终无有已时，而皆互相吸引不散去，曰惟以太。其间之声、光、热、电、风、雨、云、露、霜、雪之所以然，曰惟以太。更小之于一叶，至于目所不能辨之一尘，其中莫不有山河动植，如吾所履之地，为一小地球；至于一滴水，其中莫不有微生物千万而未已；更小之又小以至于无，其中莫不有微生物，浮寄于空气之中，曰惟以太。学者第一当认明以太之体与用，始可与言仁。

……

断杀者何？断不爱根故。断淫者何？断爱根故。不爱断而爱亦断者何？有所爱必有所不爱故。譬诸吸力焉：必上下四方，齐力并举，敌引适均，无所偏倚，然后日星于中运，大地于中举，万类于中生。向使一面吸力独重，则将两相切附，而毕弃其余，毕弃其余，则吸力不周；而既两相切附，则胶固为一，吸力亦且无由以显，而亡于无。夫吸力即爱力之异名也。善用爱者，所以贵兼爱矣。有所爱，必有所大不爱也；无所爱，将留其爱以无不爱也。是故断杀，必先断淫；不断淫，亦必不能断杀。淫而杀，杀而淫，其情相反，其事相因。杀即淫，淫即杀，其势相成，其理相一。陷桁杨[7]，膏萧斧[8]，罪狱多起于淫；恣虏掠，肆奸黩[9]，横决皆肆于杀。此其易明者也。若乃其机，则犹不始此。杀人者，将以快己之私，而泄己之欲，是杀念即淫念也。淫人者，将以人之宛转痛楚，奇痒殊颤，而为己之至乐，是淫念即杀念也。……苟明男女同为天地之菁英，同有无量之盛德大业，平等相均，初非为淫而始生于世，所谓色者，粉黛已耳，服饰已耳，去其粉黛服饰，血肉聚成，与我何异？又无色之可好焉。则将导之使相见，纵之使相习，油然相得，潸然相忘，犹朋友之相与往还，不觉有男女之异，复何有于淫？淫然后及今可止也。……遏之适以流之，通之适以塞之，凡事盖莫不然，况本

294

所无有而强致之，以苦恼一切众生哉。遇断杀之因缘，亦径断之，可也。即不断，要不可不断于心也。辟佛者动谓断淫则人类几绝，断杀则禽兽充塞，此何其愚而悍也！人一不生不灭者，有何可绝耶？禽兽亦一不生不灭者，将欲杀而灭之乎？野处之禽兽，得食虽甚，孳衍稍多，则无以供，虽不杀之，自不能充塞。其或害人，乃人之杀机所召，不关充塞不充塞也。家畜之禽兽，尤赖人之勤于牧养，刍豢[10]偶缺，立形衰耗。明明人将杀之，而故蓄之，岂自能充塞乎？以论未开化之游牧部落或可耳，奈何既已成国，既艰食而粒我，犹为口腹残物命，愈杀以愈生，顽反谓杀之始不充塞乎！故曰：世间无淫，亦无能淫者；世间无杀，亦无能杀者，以性所本无故。性所本无，以无性故。

【注释】

[1]《仁学》：谭嗣同所著哲学著作，全书凡50篇，分为两卷。前有《自叙》及《仁学界说》27条。正如《仁学界说》第25条所说："凡为仁学者，于佛书当通《华严》及心学、相宗之书；于西书当通《新约》及算学、格致、社会学之书；于中国书当通《易》《春秋公羊传》《论语》《礼记》《孟子》《庄子》《墨子》《史记》及陶渊明、周茂叔、张横渠、陆子静、王阳明、王船山、黄梨洲之书。"《仁学》的思想来源包括中国诸子百家和佛教思想，也包括近代西方思想，而以佛教思想统摄之，体现出谭嗣同融合中西思想，用以普度众生，走向大同世界的理想。

[2]谭嗣同(1865~1898)：清末湖南浏阳人。字复生，自号壮飞。戊戌六君子之一。初入王船山之学。与梁启超、夏曾佑等诸名士相交，并从杨文会学华严、唯识等学。甲午战争后，提

倡新学。光绪二十四年(1898),德宗变法,任军机章京。后变法失败,视死如归,为慈禧太后所杀。著有《仁学》《寥天一阁文集》等。

[3]管络:相互交错连接。

[4]以太:《仁学》用以融合中西思想的核心概念,也是近代中国哲学的重要概念, 如康有为在《孟子微》中亦将以太与"仁""不忍人之心"等道德观念等同起来。谭嗣同《仁学》《以太说》中既把以太说成宇宙间无所不在的无色、无声、无臭的物质,同时又作了种种精神性的解释,把孔子的"仁""元""性",墨家的"兼爱",佛家的"慈悲",基督的"灵魂"等,都看作是以太的作用。

[5]昴(mǎo)星:即昴宿,二十八宿之一。

[6]华藏世界:指释迦如来法身毗卢舍那佛的净土,是佛教的极乐世界, 由宝莲花中包藏的无数小世界组成的。章炳麟《建立宗教论》谓:"然近世况神论之立说,则亦有可议者,彼其言曰:'以一蚁子之微而比于人,人之大不知几千万倍也。'然此几千万倍者,要必有量,若人之比华藏世界,其大小则无有量。"

[7]桁(háng)杨:加在脚上或颈上的刑具,亦泛指刑具。

[8]萧斧:古代兵器斧钺。萧,通"肃"。

[9]奸嬲(niǎo):男女淫荡奸邪之事。

[10]刍豢:牛羊犬豕之类的家畜,泛指肉类食品。

《惟心》

[民国]梁启超[1]

境者心造也。一切物境皆虚幻,惟心所造之境为真实。同一月夜也,琼筵羽觞,清歌妙舞,绣帘半开,素手相携,则有余乐;劳人思妇,对影独坐,促织鸣壁,枫叶绕船,则有余悲。同一风雨也,三两知己,围炉茅屋,谈今道故,饮酒击剑,则有余兴;独客远行,马头郎当[2],峭寒侵肌,流潦[3]妨毂,则有余闷。

"月上柳梢头,人约黄昏后"[4],与"杜宇声声不忍闻,欲黄昏,雨打梨花深闭门"[5],同一黄昏也,而一为欢慼,一为愁惨,其境绝异。"桃花流水杳然去,别有天地非人间"[6],与"人面不知何处去,桃花依旧笑春风"[7],同一桃花也,而一为清净,一为爱恋,其境绝异。"舳舻千里,旌旗蔽空,酾酒临江,横槊赋诗"[8],与"浔阳江头夜送客,枫叶荻花秋瑟瑟。主人下马客在船,举酒欲饮无管弦"[9],同一江也,同一舟也,同一酒也,而一为雄壮,一为冷落,其境绝异。然则天下岂有物境哉?但有心境而已!戴绿眼镜者,所见物一切皆绿;戴黄眼镜者,所见物一切皆黄;口含黄连者,所食物一切皆苦;口含蜜饴者,所食物一切皆甜。一切物果绿耶?果黄耶?果苦耶?果甜耶?一切物非绿、非黄、非苦、非甜,一切物亦绿、亦黄、亦苦、亦甜,一切物即绿、即黄、即苦、即甜。然则绿也、黄也、苦也、甜也,其分别不在物而在我,故曰三界惟心。

有二僧因风飏刹幡,相与对论。一僧曰"风动",一僧曰

"幡动"，往复辨难无所决。六祖大师曰："非风动，非幡动，仁者心自动。"任公曰：三界惟心之真理，此一语道破矣。天地间之物一而万、万而一者也。山自山，川自川，春自春，秋自秋，风自风，月自月，花自花，鸟自鸟，万古不变，无地不同。然有百人于此，同受此山、此川、此春、此秋、此风、此月、此花、此鸟之感触，而其心境所现者百焉；千人同受此感触，而其心境所现者千焉；亿万人乃至无量数人同受此感触，而其心境所现者亿万焉，乃至无量数焉。然则欲言物境之果为何状，将谁氏之从乎？仁者见之谓之仁，智者见之谓之智，忧者见之谓之忧，乐者见之谓之乐，吾之所见者，即吾所受之境之真实相也。故曰：惟心所造之境为真实。

然则欲讲养心之学者，可以知所从事矣。三家村学究，得一第，则惊喜失度，自世胄[10]子弟视之何有焉？乞儿获百金于路，则挟持以骄人，自富豪家视之何有焉？飞弹掠面而过，常人变色，自百战老将视之何有焉？"一箪食，一瓢饮，在陋巷，人不堪其忧"，自有道之士视之何有焉？天下之境，无一非可乐、可忧、可惊、可喜者，实无一可乐、可忧、可惊、可喜者。乐之、忧之、惊之、喜之，全在人心，所谓"天下本无事，庸人自扰之"，境则一也，而我忽然而乐，忽然而忧，无端而惊，无端而喜，果胡为者？如蝇见纸窗而竞钻，如猫捕树影而跳掷，如犬闻风声而狂吠，扰扰焉送一生于惊喜忧乐之中，果胡为者？若是者，谓之知有物而不知有我；知有物而不知有我，谓之我为物役，亦名曰心中之奴隶。

是以豪杰之士，无大惊，无大喜，无大苦，无大乐，无大忧，无大惧。其所以能如此者，岂有他术哉？亦明三界唯心之真理

而已,除心中之奴隶而已。苟知此义,则人人皆可以为豪杰。(《饮冰室文集》专集之二)

【注释】

[1]梁启超(1873~1929):广东新会人。字卓如,号任公,别号饮冰室主人。早年提倡变法,晚年不谈政治,专务著述讲学,亦深究佛学,知人生虽幻,而精神决不与躯壳同朽,故一生奋斗,至死不倦,皆得力于佛学修养。为武昌佛学院第一任董事长。其所撰《论佛教与群众之关系》一文,力辟世人误认佛教为消极、厌世、迷信之说法,指出佛教乃智信、兼善、入世、无量、平等、自力之信仰。其著作颇多,于佛学则有《大乘起信论考证》《说无我》等,主要论文收入《佛学研究十八篇》,以文、史学术态度处理佛教问题, 开现代中国以学术方法研究佛教之先河。《惟心》一文,引古诗词名句,自日常生活常见现象入手,揭示佛教"万法唯心"之理,并明修心之道,即人不为物所役,除心中之奴隶。

[2]郎当:潦倒的样子。

[3]流潦:地面流动的积水。

[4]"月上柳梢头"句:朱淑真《生查子》:"去年元夜时,花市灯如昼。月上柳梢头,人约黄昏后。"

[5]"杜宇声声不忍闻"句:李煜《忆王孙》:"萋萋芳草忆王孙。柳外楼高空断魂。杜宇声声不忍闻。欲黄昏。雨打梨花深闭门。"

[6]"桃花流水香然去"句:李白《山中问答》:"问余何意栖碧山,笑而不答心自闲。桃花流水窅然去,别有天地非人间。"

[7]"人面不知何处去"句:崔护《题都城南庄》:"去年今日此门中,人面桃花相映红。人面不知何处在,桃花依旧笑春风。"

[8]"舳舻千里"句:苏轼《前赤壁赋》:"方其破荆州,下江陵,顺流而东也,舳舻千里,旌旗蔽空,酾酒临江,横槊赋诗,固一世之雄也,而今安在哉!"酾(shī):斟酒。

[9]"浔阳江头夜送客"句:白居易《琵琶行》中的诗句。

[10]世胄(zhòu):世家子弟。